GRANDES NOVELISTAS

Sidney Sheldon

LAS ARENAS DEL TIEMPO

Traducción de Rosa S. Corgatelli

Sidney Sheldon

LAS ARENAS DEL TIEMPO

EMECÉ EDITORES

Diseño de tapa: *Eduardo Ruiz*

Fotografía del autor: *Ernesto Monteavaro*

Título original: *The Sands of Time*
Copyright © *1988 by Sheldon Literary Trust.*

Todos los derechos reservados, incluso el derecho de reproducción en todo o en parte por cualquier medio.

© *Emecé Editores, S.A, 1988*
Alsina 2062 - Buenos Aires, Argentina

Ediciones anteriores: 61.000 ejemplares.
15ª impresión en offset: 5.000 ejemplares.

Impreso en Compañía Impresora Argentina S.A., Alsina 2041/49, Buenos Aires, enero de 1993

I.S.B.N.: 950-04-0819-8
8.692

A Francis Gordon, con amor.

Mi agradecimiento especial a Alice Fisher, cuya colaboración al ayudarme en la investigación para esta novela fue invalorable.

Las vidas de los grandes hombres nos recuerdan
que podemos hacer sublimes nuestras vidas,
y, al partir, dejar detrás de nosotros
huellas en las Arenas del Tiempo.

HENRY WADSWORTH LONGFELLOW

Los muertos no necesitan levantarse.
Ahora son parte de la tierra y la tierra jamás puede conquistarse pues perdura para siempre, sobrevivirá a todos los sistemas de tiranía. Los que han entrado en ella honrosamente —y ningún hombre entró en la tierra más honrosamente que los que murieron en España— ya han alcanzado la inmortalidad.

ERNEST HEMINGWAY

España desgarró la tierra con sus uñas cuando París era la más hermosa.
España derramó su enorme árbol de sangre cuando Londres cuidaba su jardín y su lago de cisnes.

PABLO NERUDA

NOTA DEL AUTOR

Esta es una obra de ficción. Y sin embargo...

La romántica tierra del flamenco y Don Quijote y las señoritas de aspecto exótico con peinetones de caparazón de tortuga en el cabello es también la tierra de Torquemada, la Inquisición española y una de las guerras civiles más sangrientas de la historia. Más de medio millón de personas perdieron la vida en las batallas por el poder entre los republicanos y los rebeldes nacionalistas en España. En 1936, entre febrero y junio, se cometieron doscientos sesenta y nueve asesinatos políticos, y los nacionalistas ejecutaban republicanos a un promedio de mil por mes, sin permitir ningún duelo. Se quemaron hasta los cimientos ciento sesenta iglesias y se retiró a la fuerza a las monjas de los conventos, "aunque —escribió el duque de Saint-Simon refiriéndose a un conflicto anterior entre el gobierno español y la Iglesia— eran prostitutas en un burdel". Se saqueaban las oficinas de los diarios, y las huelgas y los disturbios eran endémicos en todo el país. La Guerra Civil culminó con una victoria para los nacionalistas a las órdenes de Franco, después de cuya muerte España se convirtió en monarquía.

La Guerra Civil, que se prolongó desde 1936 hasta 1939, quizás haya terminado oficialmente, pero las dos Españas que la libraron nunca se reconciliaron. Hoy otra guerra continúa asolando a España, la guerra de guerrilla de los vascos para recuperar la autonomía que habían ganado bajo la República y perdieron bajo el régimen de Franco. Esta guerra se libra con bombas, robos a los Bancos para financiar las bombas, asesinatos y disturbios.

Cuando un miembro del ETA, un grupo clandestino guerrillero vasco, murió en un hospital de Madrid después de ser torturado por la policía, los desórdenes que ese hecho produjo en todo el país llevaron a la renuncia del Director General de la fuerza policial de

17

España, de cinco jefes de seguridad y doscientos oficiales policiales de alto rango.

En 1966, en Barcelona, los vascos quemaron públicamente la bandera española, y en Pamplona miles de personas huyeron aterradas cuando los nacionalistas vascos chocaron con la policía en una serie de motines que se extendieron por España y amenazaron la estabilidad del gobierno. La policía paramilitar tomó represalias actuando con violencia, quemando al azar hogares y negocios vascos. El terrorismo continúa y es más violento que nunca.

Este libro, acerca de dos semanas turbulentas de 1976, es una obra de ficción. Y sin embargo...

Capítulo uno

Pamplona, España

Si el plan sale mal, moriremos todos. Lo repitió mentalmente por última vez, probando, sondeando, buscando fallas. No pudo encontrar ninguna. El plan era riesgoso y requería que se lo calculara cuidadosamente, al segundo. Si funcionaba, sería una fiesta espectacular, digna del gran Cid. Si fallaba...

Bueno, ha pasado el momento de preocuparse, pensó filosóficamente Jaime Miró. *Ahora es el momento de actuar.*

Jaime Miró era una leyenda, un héroe del pueblo vasco y un anatema para el gobierno español. Medía un metro ochenta, tenía un rostro fuerte, inteligente, cuerpo musculoso y ojos oscuros, meditabundos. Los testigos solían describirlo como más alto de lo que era, más moreno, más bravo. Se trataba de un hombre complejo, un realista que comprendía las enormes posibilidades en su contra, un romántico dispuesto a morir por aquello en lo que creía.

La ciudad de Pamplona se había vuelto loca. Era la última mañana de la corrida de toros, la fiesta de San Fermín, la celebración anual que iba del siete al catorce de julio. Treinta mil turistas habían llegado a la ciudad como un enjambre, provenientes de todas partes del mundo. Algunos iban simplemente a contemplar el peligroso espectáculo de la corrida de toros, otros para demostrar su virilidad tomando parte en ellas, corriendo al frente de las bestias que embestían. Hacía ya tiempo que todas las habitaciones de los hoteles estaban ocupadas; los estudiantes universitarios de Navarra habían hecho noche en los umbrales, en los vestíbulos de los Bancos, en automóviles, en las plazas y aun en las calles y las veredas de la ciudad.

19

Los turistas llenaban los cafés y los hoteles, observando los desfiles bulliciosos y coloridos de los gigantes de papel *maché* y escuchando la música de las bandas que marchaban. Los integrantes del desfile llevaban trajes violetas, algunos con capuchas verdes, otros de color granate o doradas. Las procesiones, que fluían a través de las calles, parecían ríos de arco iris. Los cohetes que explotaban a lo largo de las varas y los troles de los tranvías se sumaban al ruido y la confusión generales.

La multitud había acudido a presenciar las corridas de toros de la tarde, pero el suceso más impresionante era el "Encierro": la corrida, a la mañana temprano, de los toros que lidiarían más tarde ese mismo día.

Diez minutos antes de la medianoche, en las oscurecidas calles de la parte baja de la ciudad, se había sacado a los toros de los Corrales de Gas, para llevarlos por un puente sobre el río hasta el fondo de la calle Santo Domingo, donde los tendrían hasta la noche. Por la mañana los soltarían para que corrieran por la angosta calle Santo Domingo, cercados por barricadas de madera en cada esquina, hasta que por último desembarcaran en los corrales de la Plaza de Hemingway, donde los retendrían hasta la corrida nocturna.

Desde la medianoche hasta las seis de la mañana los turistas permanecieron despiertos, bebiendo, cantando y haciendo el amor, demasiado eufóricos para dormir. Aquellos que participarían en la corrida de toros llevaban las bufandas rojas de San Fermín alrededor del cuello.

A las seis y cuarto de la mañana las bandas comenzaron a circular por las calles, tocando la estimulante música de Navarra. A las siete en punto, un cohete voló por el aire para dar la señal de que los portones del corral habían sido abiertos. La multitud vibró de febril expectación. Unos momentos más tarde un segundo cohete se elevó para advertir a la ciudad que los toros se hallaban corriendo.

Lo que ocurrió a continuación fue un espectáculo inolvidable.

Primero, el sonido. Comenzó como un murmullo que traía el viento, débil y distante, casi imperceptible, y luego fue tornándose más y más fuerte hasta convertirse en una explosión de pesadas pezuñas, y de pronto aparecieron, como un estallido ante la vista, seis bueyes y seis toros enormes. Cada uno pesaba setecientos cincuenta kilos y avanzaban por la calle Santo Domingo embistiendo como mortales trenes expresos. Dentro de las barricadas de madera que se habían colocado en cada intersección de calles para mantener a los toros confinados a esa única senda, había cientos de jóvenes ansiosos y nerviosos que intentaban demostrar su valentía enfrentando a los enloquecidos animales.

Los toros corrían a toda velocidad desde el otro extremo de la calle, pasando la calle de La Estafeta, la calle de Javier, pasando farmacias y negocios de ropa y mercados de frutas, hacia la Plaza de Hemingway, mientras la multitud frenética gritaba "Olé". Cuando la embestida de los animales se hizo más próxima, comenzó una loca riña por escapar de los afilados cuernos y las pezuñas letales. La súbita realidad de acercarse a la muerte provocaba que algunos participantes huyeran a salvaguardarse en los umbrales y las salidas de incendios. La gente los ridiculizaban gritándoles "¡Cobardes!". Algunas personas que se hallaban en el camino de los toros trastabillaron y cayeron y fueron rápidamente levantadas por los demás y llevados a un lugar seguro.

Un niño y su abuelo se hallaban de pie detrás de las barricadas, ambos sin aliento por la emoción del espectáculo que se desarrollaba a unos pocos pasos de ellos.

—¡Míralos! —exclamó el viejo—. ¡Magníficos!

El niño temblaba.

—Tengo miedo, abuelo. Tengo miedo.

El viejo lo rodeó con sus brazos.

—Sí, Manuel, es aterrador, pero también maravilloso. Una vez corrí un toro. No hay nada igual. Uno se prueba a sí mismo contra la muerte, y eso te hace sentir un hombre.

Por lo general, los animales demoraban dos minutos en atravesar al galope los novecientos metros desde la calle Santo Domingo hasta la arena, y cuando los toros se hallaban seguros en el corral se enviaba al aire un tercer cohete. Ese día, el tercer cohete no se disparó, pues ocurrió un incidente que jamás había sucedido en los cuatrocientos años de historia de las corridas de toros en Pamplona.

Mientras los animales se precipitaban por la angosta calle, media docena de hombres vestidos con los trajes coloridos de la feria cambiaron las barricadas de madera y los toros se vieron obligados a salir de la calle cercada y se desbandaron, sueltos, hacia el corazón de la ciudad. Lo que un momento antes era una celebración feliz se convirtió instantáneamente en una pesadilla. Las bestias enloquecidas embistieron contra los atónitos espectadores. El niño y su abuelo fueron de los primeros en morir, derribados y pisoteados por los toros furiosos. Los cuernos indómitos hendieron un cochecito de bebé, mataron al niño y arrojaron a la madre al suelo, donde fue aplastada. La muerte estaba en el aire, en todas partes. Los animales atropellaban a los indefensos espectadores, derribando a mujeres y niños, hundiendo sus cuernos largos, mortales, en la gente, en los puestos de comida, en las estatuas, barriendo con todo lo que tuviera la desgracia de interponerse en su camino. La gente aullaba de terror, luchando desesperadamente por salir del paso de esos monstruos letales.

Una camioneta de color rojo brillante apareció de pronto en la senda de los toros, que se precipitaron a embestirla, bajando por la calle Estrella, que conducía a la cárcel de Pamplona.

La cárcel es un edificio de piedra, de dos pisos y aspecto amenazador. En cada una de sus cuatro esquinas hay torretas, y por encima de la puerta flamea la bandera española, roja y amarilla. Un portón de piedra conduce a un pequeño patio. El segundo piso consiste en una serie de celdas que encierran a los prisioneros condenados a muerte.

Dentro de la prisión, un guardia corpulento con el uniforme de la policía armada conducía a un sacerdote vestido con una sencilla sotana negra por el corredor del segundo piso. El policía llevaba una pistola ametralladora.

Advirtiendo la mirada interrogativa del sacerdote ante el arma, el guardia comentó:

—Aquí toda precaución es poca, padre. En este piso tenemos la escoria de la Tierra.

El guardia indicó al cura que atravesara un detector de metales, semejante a los que utilizan en los aeropuertos.

—Lo lamento, padre, pero las reglas...

—Por supuesto, hijo mío.

Mientras el sacerdote pasaba por el portal de seguridad, el alarido de una sirena atravesó el corredor. Instintivamente, el guardia aferró su arma con más fuerza.

El sacerdote se volvió y sonrió al guardia.

—El error fue mío —dijo mientras se quitaba una pesada cruz

de metal que le colgaba del cuello con una cadena de plata, y se la tendió al guardia. Esta vez, al atravesar el detector, la máquina permaneció en silencio. El guardia devolvió la cruz al cura y ambos continuaron su travesía hacia las profundidades de las entrañas de la prisión.

El hedor del corredor contiguo a las celdas era abrumador.

El guardia se hallaba de ánimo filosófico.

—Aquí está perdiendo el tiempo, padre. Estos animales no tienen almas que salvar.

—Aun así debemos intentarlo, hijo.

El guardia sacudió la cabeza.

—Le digo que las puertas del infierno esperan para darles la bienvenida a los dos.

El sacerdote miró al hombre con expresión de sorpresa.

—¿A ellos dos? Me dijeron que aquí había *tres* hombres que necesitan confesión.

El guardia se encogió de hombros.

—Le ahorramos un poco de tiempo. Zamora murió en la enfermería esta mañana. Un ataque al corazón.

Los hombres habían llegado a las dos celdas más lejanas.

—Aquí estamos, padre.

El guardia abrió la puerta de la primera celda y dio cautelosamente un paso hacia atrás mientras el sacerdote entraba. El guardia volvió a cerrar y se quedó en el corredor, alerta por si surgía cualquier señal de problema.

El sacerdote avanzó hacia la figura que yacía en el sucio catre de la prisión.

—¿Cuál es tu nombre, hijo?

—Ricardo Mellado.

El sacerdote lo observó. Era difícil describir el aspecto de ese hombre. Su rostro estaba hinchado y en carne viva; sus ojos, casi cerrados. Dijo:

—Me alegra que haya podido venir, padre.

El sacerdote respondió:

—Tu salvación es el deber de la Iglesia, hijo mío.

—¿Me van a colgar esta mañana?

El sacerdote le palmeó un hombro con suavidad.

—Has sido sentenciado a morir por el garrote.

Ricardo Mellado lo miró fijo.

—¡No!

—Lo lamento. El Primer Ministro en persona fue quien lo ordenó.

El sacerdote puso su mano sobre la cabeza del prisionero y entonó:

—Dime tus pecados...

Ricardo Mellado dijo:

—He pecado mucho en pensamiento, palabra y obra, y me arrepiento de todos mis pecados con todo mi corazón.

—Ruego a nuestro Padre Celestial por la salvación de tu alma. En el nombre del Padre, del Hijo y del Espíritu Santo...

El guardia, que escuchaba del otro lado de la celda, pensó para sí: *Qué estúpida pérdida de tiempo. Dios le escupirá a éste en los ojos.*

El sacerdote había terminado.

—Adiós, hijo. Ojalá que Dios reciba tu alma en paz.

El cura se dirigió a la puerta de la celda y el guardia la abrió y se hizo a un lado, apuntando con el arma al prisionero. Cuando volvió a cerrar la puerta, avanzó hacia la celda de al lado y la abrió.

—Es todo suyo, padre.

El sacerdote entró en la segunda celda. El hombre que estaba dentro también había sido violentamente golpeado. Lo miró un largo instante.

—¿Cuál es tu nombre, hijo mío?

—Félix Carpio.

Era un hombre corpulento, de barba, con una cicatriz reciente, lívida, en la mejilla, que la barba no lograba ocultar.

—No tengo miedo de morir, padre.

—Eso está muy bien, hijo. Después de todo, ninguno de nosotros se salva de eso.

Mientras el sacerdote comenzaba a escuchar la confesión de Carpio, las ondas de un ruido distante, al principio sordas, luego más altas, comenzaron a reverberar a través del edificio. Era el trueno de las pezuñas demoledoras y los aullidos de la multitud que corría. El guardia escuchó, atónito. Los sonidos se acercaban rápidamente.

—Será mejor que se apure, padre. Afuera está ocurriendo algo extraño.

—Ya termino.

El guardia se apresuró a abrir la puerta de la celda. El sacerdote salió al corredor y el policía volvió a cerrar la puerta. Desde

24

el frente de la cárcel llegó el ruido de un fuerte choque. El guardia se dio vuelta para espiar por entre los barrotes de la angosta ventana.

—¿Qué diablos fue ese ruido?

El sacerdote respondió:

—Parecería que alguien quiere tener una audiencia con nosotros. ¿Puede prestarme eso?

—¿Prestarle qué?

—Su arma, por favor.

Mientras hablaba, se acercó al guardia. Quitó en silencio la parte superior de la gran cruz que llevaba colgada al cuello, dejando al descubierto un largo estilete de aspecto maligno. En un solo movimiento, como un relámpago, hundió el puñal en el pecho del guardia.

—Ya ves, hijo mío —dijo mientras retiraba la pistola ametralladora de las manos del guardia agonizante—, ya no necesitas esta arma.

—¡Dios! *In Nomine Patris* —dijo Jaime Miró persignándose con piedad.

El guardia se desplomó sobre el piso de cemento. Jaime Miró tomó las llaves del cuerpo y abrió velozmente las puertas de las dos celdas. Los ruidos de la calle se volvían cada vez más fuertes.

—Vámonos —ordenó Jaime.

Ricardo Mellado tomó la pistola ametralladora.

—Haces muy bien el papel de sacerdote. Casi me convenciste.

Intentó sonreír con su boca hinchada.

—A ustedes dos realmente los han masacrado ¿no es así? No se preocupen. Estos malditos lo pagarán.

Jaime Miró rodeó con los brazos a ambos hombres y los ayudó a avanzar por el corredor.

—¿Qué ocurrió con Zamora?

—Los guardias lo golpearon hasta matarlo. Oíamos sus gritos. Lo llevaron a la enfermería y dijeron que murió de un ataque al corazón.

Frente a ellos había una puerta de hierro cerrada.

—Esperen aquí —dijo Jaime Miró.

Se acercó a la puerta y le dijo al guardia que estaba del otro lado:

—Ya he terminado aquí.

El guardia abrió la puerta.

—Mejor será que se apure, padre. Afuera hay un disturbio...

25

Nunca terminó la frase. El cuchillo de Jaime se hundió en su garganta y la sangre salió a borbotones por la boca del guardia.

Jaime avanzó hacia los dos hombres.

—Vamos.

Félix Carpio recogió el arma del guardia y comenzaron a bajar. La escena que se desarrollaba afuera era un caos. La policía corría frenética de un lado a otro tratando de ver qué era lo que ocurría y de contener a la multitud de personas que aullaban en el patio y luchaban por escapar de los toros enloquecidos. Uno de los animales había embestido el frente del edificio, haciendo pedazos la entrada de piedra. Otro acometía contra el cuerpo de un guardia uniformado que se hallaba en el suelo. La camioneta roja aguardaba en el patio, con el motor en marcha. En la confusión, los tres hombres pasaron casi inadvertidos. Los que los vieron se encontraban demasiado ocupados intentando salvarse como para hacer algo.

Sin decir una palabra, Jaime y sus hombres saltaron a la parte trasera de la camioneta y arrancaron, dispersando a los transeúntes que, desesperados, huían a través de las calles atestadas. La Guardia Civil, la policía rural paramilitar de uniforme verde y gorra de cuero negro, trataba en vano de controlar a la muchedumbre histérica. La policía armada, apostada en capitolios provinciales, también se hallaba indefensa ante el loco espectáculo. La gente luchaba por huir en todas direcciones, intentando evitar a los toros enfurecidos. El peligro residía menos en los animales que en la misma gente, que se pisoteaba en su afán por escapar y empujaba a los ancianos y las mujeres bajo los pies de la turba desatada.

Jaime contemplaba desalentado el asombroso panorama.

—¡No lo planeamos para que saliera de este modo! —exclamó—. Se suponía que la camioneta debía estar esperando en las barreras para controlar a los toros.

Observó con impotencia la carnicería que se estaba produciendo, pero no podía hacer nada para detenerla. Cerró los ojos para no ver.

La camioneta llegó a las afueras de Pamplona y se dirigió hacia el sur, dejando atrás el ruido y la confusión del tumulto.

—¿Adónde vamos, Jaime? —preguntó Ricardo Mellado.

—Saliendo de Lorca hay una casa segura. Nos quedaremos allí

hasta que oscurezca y luego seguiremos adelante.

Félix Carpio se retorcía de dolor.

Jaime lo miró con gesto de compasión.

—Llegaremos pronto, amigo mío —le dijo suavemente.

No podía quitarse de la mente la terrible escena de Pamplona.

Treinta minutos después llegaron al pueblito de Lorca, y lo rodearon en dirección a una casa aislada en las montañas cercanas al pueblo. Jaime Miró ayudó a los dos hombres a bajar de la parte trasera de la camioneta roja.

—Los recogerán a la medianoche —dijo el conductor.

—Que traigan a un médico —respondió Jaime—. Y deshágan se de la camioneta.

Los tres hombres entraron en la casa. Era una vivienda de granja, simple y cómoda, con una chimenea en la sala y techo de vigas. Sobre la mesa había una nota. Jaime Miró la leyó y sonrió por la frase de bienvenida: "Mi casa es su casa". En el bar había unas botellas de vino. Jaime Miró sirvió un poco.

Ricardo Mellado dijo:

—No hay palabras para agradecerte, amigo. Por ti.

Jaime levantó su vaso:

—Por la libertad.

Se oyó el súbito gorjeo de un canario en una jaula. Jaime Miró avanzó hacia él y observó por un momento su errático revoloteo. Después abrió la jaula, levantó suavemente al pájaro, lo sacó y lo llevó hasta una ventana abierta.

—Vuela, pajarito —dijo—. Todas las criaturas vivientes deberían ser libres.

Capítulo dos

Madrid

El primer ministro Leopoldo Martínez estaba furioso. Era un hombre bajo, llevaba anteojos, y todo su cuerpo se sacudía mientras hablaba.

—Hay que detener a Jaime Miró —gritó. Su voz era alta y chillona. —¿Me entienden? —Miró a la media docena de hombres reunidos en la habitación. —Estamos buscando a un solo terrorista y todo el ejército y la policía no son capaces de encontrarlo.

La reunión tenía lugar en el palacio de la Moncloa, donde vivía y trabajaba el Primer Ministro, a cinco kilómetros de Madrid, por la Carretera de Galicia, una ruta sin señales identificatorias. El edificio era de ladrillos verdes con balcones de hierro forjado, persianas verdes y torres para guardias en cada una de sus esquinas.

El día estaba caluroso y seco, y a través de las ventanas, hasta donde alcanzaba la vista, se levantaban columnas de calor como batallones de soldados fantasmales.

—Ayer Miró convirtió a Pamplona en un campo de batalla. —Martínez golpeó el escritorio con el puño. —Mató a dos de los guardias de la prisión y ayudó a escapar a dos de sus asesinos. Los toros que él soltó mataron a mucha gente inocente.

Por un momento nadie dijo nada.

Al asumir su cargo, el Primer Ministro había declarado, presumido: "Lo primero que haré será detener a esos grupos separatistas. Madrid es la gran unificadora. Transforma a los andaluces, los vascos, los catalanes y los gallegos en españoles".

Había sido indebidamente optimista. Los vascos, ferozmente independientes, tenían otras ideas, y la ola de bombas, asaltos a Bancos y manifestaciones por parte de los terroristas de la organización ETA, Euzkadita Azkatasuna, no había disminuido.

El hombre que se hallaba a la derecha de Martínez dijo con tranquilidad:

—Yo lo encontraré.

El que hablaba era el coronel Ramón Acoca, director del GOE, el Grupo de Operaciones Especiales formado para perseguir a los terroristas vascos. Acoca era un gigante, de unos sesenta y cinco años, con un rostro con cicatrices y ojos fríos, de obsidiana. Había actuado como joven oficial bajo Francisco Franco, durante la Guerra Civil, y aún era fanáticamente devoto de la filosofía de Franco: "Somos responsables sólo ante Dios y la historia".

Acoca era un oficial brillante, y había sido uno de los ayudantes de Franco más dignos de confianza. El coronel extrañaba la disciplina de puño de hierro, el rápido castigo a aquellos que cuestionaban o desobedecían la ley. Había vivido los disturbios de la Guerra Civil, con su alianza nacionalista de monarquistas, generales rebeldes, terratenientes, la jerarquía de la Iglesia y los falangistas fascistas por un lado, y las fuerzas del gobierno republicano, entre ellos los socialistas, los comunistas, los liberales y los separatistas vascos y catalanes, por el otro. Había sido una época terrible de destrucción y matanzas, una locura que cobró hombres y material de guerra de una docena de países y dejó un aterrador saldo mortal. Y ahora los vascos peleaban y mataban otra vez.

El coronel Acoca dirigía un cuadro de antiterroristas eficientes e implacables. Sus hombres trabajaban subrepticiamente, usaban disfraces y nunca se los publicitaba o fotografiaba, por miedo a las represalias.

Si hay alguien que puede detener a Jaime Miró, es el coronel Acoca, pensó el Primer Ministro. Pero había un inconveniente: *¿Quién va a ser el que detenga al coronel Acoca?*

Nombrar al coronel para ese cargo no había sido idea del Primer Ministro. Éste había recibido un llamado telefónico en medio de la noche por su línea privada. Reconoció la voz de inmediato.

—Estamos muy preocupados por las actividades de Jaime Miró y sus terroristas. Le sugerimos que ponga al coronel Ramón Acoca a cargo de GOE. ¿Está claro?

—Sí, señor. Se hará inmediatamente.

La línea quedó en silencio.

La voz pertenecía a un miembro del OPUS MUNDO. La organización era una facción secreta que incluía banqueros, abogados, directores de empresas poderosas y ministros de gobierno. Se rumoreaba que disponía de enormes fondos, pero de dónde provenían o cómo se los usaba o manipulaba era un misterio. No se consideraba saludable hacer demasiadas preguntas al respecto.

El Primer Ministro había colocado al coronel Acoca en el cargo, como se le indicara, pero el gigante había resultado un fanático incontrolable. Su GOE había creado un reino de terror. El Primer Ministro pensó en los terroristas vascos que los hombres de Acoca habían atrapado cerca de Pamplona. Los declararon culpables y sentenciaron a la horca. Fue el coronel Acoca quien insistió en que fueran ejecutados con el bárbaro garrote vil, el collarete de hierro provisto de una púa que se iba ajustando gradualmente, hasta que al fin quebraba la vértebra del cuello y atravesaba la médula espinal de la víctima.

Jaime Miró se había convertido en una obsesión para el coronel Acoca.

—Quiero su cabeza —dijo el militar—. Córtenle la cabeza y el movimiento vasco morirá.

Qué exageración, pensó el Primer Ministro, aunque debía admitir que en ello había algo de verdad. Jaime Miró era un líder carismático, fanático con respecto a su causa, y por lo tanto peligroso.

Pero a su modo, reflexionó el Primer Ministro, *el coronel Acoca es igualmente peligroso.*

Primo Casado, el Director General de Seguridad, era el que hablaba ahora:

—Su Excelencia, nadie podría haber previsto lo que ocurrió en Pamplona. Jaime Miró es...

—Ya sé lo que *es* —interrumpió el Primer Ministro—. Quiero saber dónde *está*. —Se volvió hacia el coronel Acoca.

—Estoy sobre su rastro —dijo el coronel. Su voz heló la habitación. —Me gustaría recordar a Su Excelencia que no estamos combatiendo a un solo hombre. Estamos combatiendo al pueblo vasco. Ellos dan a Jaime Miró y sus terroristas comida, armas y refugio. Para ellos, el hombre es un héroe. Pero no se preocupe. Pronto será un héroe colgado. Después de que le hayamos proporcionado un juicio justo, por supuesto.

Nosotros no, Yo. El Primer Ministro se preguntó si los otros habrían notado ese uso de la primera persona en plural. *Sí*, pensó, nervioso. *Habrá que hacer algo muy pronto con respecto al coronel.*

El Primer Ministro se puso de pie.

—Esto es todo por ahora, caballeros.

Los hombres se levantaron para irse. Todos, salvo el coronel Acoca. Él se quedó.

Leopoldo Martínez se puso a caminar de un lado a otro.

—Malditos vascos. ¿Por qué no pueden conformarse con ser simplemente españoles? ¿Qué más quieren?

—Codician el poder —repuso Acoca—. Quieren autonomía, su propio idioma y su bandera.

—No. No mientras yo ocupe este puesto. No voy a permitirles que desgarren a España en pedazos. El gobierno les dirá lo que pueden tener y lo que no. Esta gente no es más que un populacho que...

Un ayudante entró en la habitación.

—Disculpe, Su Excelencia —dijo excusándose—. Ha llegado el obispo Ibáñez.

—Hágalo entrar.

Los ojos del coronel se estrecharon.

—Puede usted estar seguro de que detrás de todo esto se halla la Iglesia. Es hora de que les demos una lección.

La Iglesia es una de las grandes ironías de nuestra historia, pensó con amargura el coronel Acoca.

Al principio de la Guerra Civil, la Iglesia Católica se había ubicado del lado de las fuerzas nacionalistas. El Papa respaldaba al generalísimo Franco, y con ello le permitió proclamar que luchaba del lado de Dios. Pero cuando atacaron a las iglesias, los monasterios y los sacerdotes vascos, la Iglesia retiró su apoyo.

—Deben dar más libertad a los vascos y los catalanes —exigió la Iglesia— y deben cesar de ejecutar sacerdotes vascos.

El generalísimo Franco se puso furioso. ¿Cómo se atreve la Iglesia a tratar de darle órdenes al gobierno?

Comenzó una guerra de fricciones. Las fuerzas de Franco atacaron más iglesias y monasterios. Asesinaron monjas y sacerdotes. Pusieron a los obispos bajo arresto domiciliario y en toda España se multó a los sacerdotes por pronunciar sermones que el gobierno consideraba sediciosos. Sólo entonces la Iglesia amenazó a Franco con la excomunión si no detenía sus ataques.

¡La maldita Iglesia!, pensó Acoca. Ahora que Franco estaba muerto, interfería otra vez.

Se dirigió al Primer Ministro:

—Es hora de que se le diga al obispo quién gobierna España.

El obispo Calvo Ibáñez era un hombre delgado y frágil con una nube de cabello blanco que se arremolinaba sobre su cabeza. Escudriñó a ambos hombres a través de sus quevedos.

—Buenas tardes.

El coronel Acoca sintió que la bilis le subía por la garganta. El solo ver a los clérigos lo enfermaba. Eran unos cabrones traicioneros que conducían a sus corderos estúpidos al matadero.

El obispo se quedó parado, esperando una invitación a sentarse. No se produjo. Tampoco fue presentado al coronel. Era un desaire deliberado.

El Primer Ministro miró a Acoca, para que hablara.

Acoca dijo lacónicamente:

—Se nos ha puesto en conocimiento de noticias inquietantes. Se dice que los rebeldes vascos celebran reuniones en monasterios católicos. También se dice que la Iglesia permite que en los monasterios y conventos se almacenen armas para los rebeldes. —En su voz había acero. —Cuando uno ayuda a los enemigos de España, se convierte en un enemigo de España.

El obispo Ibáñez lo observó un momento y luego se volvió hacia Leopoldo Martínez.

—Su Excelencia, con el debido respeto, todos somos hijos de España. Los vascos no son enemigos. Lo único que piden es libertad para...

—Ellos no piden —rugió Acoca—. ¡Exigen! Recorren el país saqueando, robando Bancos y matando policías, ¿y usted se atreve a decir que no son nuestros enemigos?

—Admito que se han cometido algunos excesos inexcusables. Pero a veces, al luchar por aquello en lo que se cree...

—Ellos no creen en nada más que en sí mismos. No les importa nada de España. Es como dijo uno de nuestros grandes escritores: "En España a nadie le interesa el bien común. Cada grupo se interesa sólo en sí mismo. La Iglesia, los vascos, los catalanes. Cada uno embroma a los otros".

El obispo advirtió que el coronel Acoca había citado equivocadamente a Ortega y Gasset. La cita completa incluía al ejército

32

y al gobierno; pero, con sabiduría, no dijo nada. Se dirigió otra vez al Primer Ministro, esperando una discusión más racional.

—Su Excelencia, la Iglesia Católica...

El Primer Ministro sentía que Acoca había llegado ya bastante lejos.

—No nos malentienda, obispo. En principio, por supuesto, este gobierno respalda a la Iglesia Católica en un ciento por ciento.

El coronel Acoca volvió a interrumpir:

—Pero no podemos permitir que sus iglesias y monasterios y conventos se usen en contra de nosotros. Si ustedes continúan consintiendo en que los vascos guarden armas y celebren reuniones en ellos, deberán atenerse a las consecuencias.

—Estoy seguro de que los informes que ha recibido son erróneos —respondió el obispo con suavidad—. Sin embargo, tenga la certeza de que investigaré en seguida.

El Primer Ministro murmuró:

—Gracias, obispo. Eso es todo.

El Primer Ministro Martínez y el coronel Acoca lo miraron partir.

—¿Qué piensa usted? —preguntó Martínez.

—Él sabe lo que está pasando.

El Primer Ministro suspiró. *Tengo suficientes problemas en este momento como para buscarme trastornos con la Iglesia.*

—Si la Iglesia está a favor de los vascos, entonces está en contra de nosotros. —La voz del coronel Acoca se endureció. —Me gustaría obtener su permiso para darle una lección al obispo.

El Primer Ministro se detuvo ante la mirada de fanatismo en los ojos del militar. Habló con cautela:

—¿Realmente ha recibido información de que las iglesias están ayudando a los rebeldes?

—Por supuesto, Su Excelencia.

No había manera de determinar si el coronel decía la verdad. El Primer Ministro sabía cuánto odiaba Acoca a la Iglesia, pero quizá fuera beneficioso dejar que la Iglesia probara el látigo, siempre que Acoca no fuera demasiado lejos. El Primer Ministro Martínez permaneció allí, pensativo.

Fue Acoca el que rompió el silencio.

—Si las iglesias están refugiando terroristas, entonces hay que castigarlas.

A regañadientes, el Primer Ministro asintió.

—¿Por dónde empezará?

—Jaime Miró y sus hombres fueron vistos en Ávila, ayer. Es probable que se oculten en el convento que hay allí.

El Primer Ministro se decidió.

—Que lo registren —dijo.

La decisión provocó una cadena de sucesos que estremecieron a toda España e impresionaron al mundo.

Capítulo tres

Ávila

El silencio era como una nevada suave, blanda y callada, sedante como el susurro de un viento de verano, calmo como el paso de las estrellas. El convento cisterciense de observancia estricta estaba situado fuera de la ciudad amurallada de Ávila, la más alta de España, a ciento doce kilómetros al noroeste de Madrid. El convento había sido construido para el silencio. Las reglas habían sido adoptadas en 1601 y permanecían inmutables a través de los siglos: liturgia, ejercicios espirituales, encierro estricto, penitencia y silencio. Siempre el silencio.

El convento era un grupo simple, de cuatro lados, de edificios de piedra tosca alrededor de un claustro dominado por la iglesia. En torno del patio central los arcos abiertos permitían que la luz se derramara en los anchos adoquines del piso por donde las monjas se deslizaban sin ruido. Había cuarenta monjas, que rezaban en las iglesias y vivían en el claustro. El convento de Ávila era uno de los siete que quedaban en España, sobrevivientes de los cientos destruidos por la Guerra Civil en uno de los periódicos movimientos antiiglesias que tuvieron lugar en España a través de los siglos.

El Convento Cisterciense de Observancia Estricta se dedicaba únicamente a una vida de plegaria. Era un lugar sin estaciones ni tiempo y las que entraban allí se retiraban para siempre del mundo exterior. La vida cisterciense era contemplativa y de penitencia; el oficio divino se recitaba todos los días y el encierro era completo y permanente. Todas las hermanas se vestían de manera idéntica y sus ropas, como todo lo demás en el convento, tenían un toque del simbolismo de siglos. La capucha y el manto simbolizaban la inocencia y la simplicidad; la túnica de lino, el renunciamiento a las tareas del mundo y la mortificación; el escapulario, los pequeños cuadrados de lana tejida que usaban sobre los hombros, la buena voluntad para el trabajo. Una toca de lino, dispuesta en pliegues sobre la cabeza y alrededor del mentón, cubriendo ambos lados de la cara y el cuello, completaba el hábito.

Dentro de los muros del convento había un sistema de pasajes y escaleras internos que comunicaban el comedor, la sala comunal, las celdas y la capilla, y en todos lados reinaba una atmósfera de amplitud fría y limpia. Las ventanas enrejadas, de gruesos vidrios, daban a un jardín rodeado por altas paredes. Cada ventana estaba cubierta con barrotes de hierro y se hallaba por encima de la línea de visión, de modo que no hubiera distracciones exteriores. El refectorio, el comedor, era largo y austero, y sus ventanas, cerradas y tapadas por cortinas. Las velas de los candelabros antiguos arrojaban sombras evocadoras sobre los techos y paredes.

En cuatrocientos años nada había cambiado dentro del convento, salvo las caras. Las hermanas no tenían posesiones personales, pues deseaban ser pobres, emulando la pobreza de Cristo. La misma iglesia estaba desprovista de ornamentos, excepto una invaluable cruz de oro macizo, regalada largo tiempo atrás por una postulante adinerada. Como discordaba tanto con la austeridad de la orden, se la mantenía oculta, en un armario del refectorio. En el altar de la iglesia colgaba una simple cruz de madera.

Las mujeres que compartían su vida con el Señor vivían juntas, trabajaban juntas, comían juntas y oraban juntas, aunque nunca se tocaban y jamás se hablaban. La única excepción permitida eran las ocasiones en que escuchaban misa o cuando la Reverenda Madre Priora Betina se dirigía a ellas en la privacidad de su oficina. Aun entonces, se usaba, en lo posible, un antiguo idioma de señas.

La Reverenda Madre era una religiosa de setenta años, una mujer de rostro luminoso, alegre como un pájaro y también enérgica, que se regocijaba en la paz y la dicha de la vida del convento, la vida dedicada a Dios. Celosamente protectora de sus monjas, cuando era necesario imponer disciplina sentía más dolor ella que la monja castigada.

Las monjas atravesaban los claustros y corredores con los ojos bajos, las manos replegadas en sus mangas a la altura del pecho, pasando y volviendo a pasar junto a sus hermanas sin una palabra o una señal de reconocimiento. La única voz del convento eran sus campanas: las campanas que Victor Hugo llamó "la Ópera de los Campanarios".

Las hermanas provenían de ambientes dispares y muchos lugares diferentes. Sus familias estaban constituidas por aristócratas, granjeros, soldados... Habían llegado al convento ricas y pobres, educadas e ignorantes, miserables y exaltadas, pero ahora eran una ante los ojos de Dios, unidas en su deseo de eterno matrimonio con Jesús.

Las condiciones de vida en el convento eran espartanas. En invierno, el frío era cortante y una luz helada y pálida se filtraba a través de las ventanas tapiadas. Las monjas dormían completamente vestidas en camastros de paja cubiertos con rústicas mantas de lana, cada una en su diminuta celda, amueblada sólo con una silla de madera de respaldo recto. No había lavabo. En un rincón del piso, una jarra y una palangana de barro. Jamás se permitía a ninguna monja entrar en la celda de otra, salvo a la reverenda madre Betina. No había recreación de ningún tipo, sólo trabajo y plegarias. Existían diversas zonas de trabajo para tejer, encuadernar libros, hilar y hacer pan. Eran ocho horas de oración todos los días: maitines, laudes, prima, tercia, sexta, nona, vísperas y completa. Además de éstas, había otras devociones: bendiciones, himnos y letanías.

Los *maitines* se decían cuando la mitad del mundo se hallaba dormida y la otra mitad, absorbida en el pecado.

Los *laudes*, el oficio del amanecer, seguían a los maitines, y en ellos se alababa al sol naciente como la figura de Cristo triunfante y glorificado.

La *prima* era la oración matinal de la iglesia, que pedía la bendición para el trabajo del día.

La *tercia*, a las nueve de la mañana, consagrada por San Agustín al Espíritu Santo.

La *sexta*, a las once y media, elevada para apagar el calor de las pasiones humanas.

La *nona* se decía en silencio a las tres de la tarde, la hora de la muerte de Cristo.

Las *vísperas* eran el servicio de la tarde, así como los laudes eran el servicio de la aurora.

Las *completas* constituían el fin de las Horas Menores del día. Una forma de oraciones nocturnas, una preparación para la muerte tanto como para el sueño, que terminaba el día con una nota de amorosa sumisión: *Manus tuas, domine, commendo spiritum meum. Redemisti nos, domine, deus, veritatis.*

En algunas de las otras órdenes se había suprimido la flagelación, pero en los enclaustrados conventos y monasterios cistercienses sobrevivía. Al menos una vez por semana, y a veces todos los días, las monjas castigaban sus cuerpos con la disciplina, un látigo de veinticinco centímetros de largo, provisto de una fina cuerda encerada con seis puntas anudadas, que provocaba un dolor de agonía y se empleaba para azotar la espalda, las piernas y las nalgas. Bernard de Clairvaux, el ascético abad de los cistercienses, había exhortado: "El cuerpo de Cristo está magullado; nuestros cuerpos deben amoldarse a semejanza del cuerpo herido de nuestro Señor".

Era una vida más austera que la de cualquier prisión y sin embargo las reclusas vivían en un éxtasis como nunca habían conocido en el mundo exterior. Ellas habían renunciado al amor físico, a las posesiones y a la libertad de elección, pero al abandonar esas cosas también habían renunciado a la codicia y la competencia, al odio y la envidia, y a todas las presiones y tentaciones que el mundo exterior imponía. Dentro del convento reinaba una paz que todo lo penetraba y la inefable sensación de dicha de ser Uno con Dios. Había una serenidad indescriptible dentro de los muros del convento y en los corazones de las que vivían allí. Si el convento era una prisión, era una prisión en el Edén de Dios, con el conocimiento de una feliz eternidad para aquellas que habían elegido libremente estar y permanecer ahí.

La hermana Lucía se despertó con el tañido de la campana del convento. Abrió los ojos, perpleja y desorientada por un instante. La pequeña celda en la que dormía estaba desalentadoramente negra.

El sonido de la campana le dijo que eran las tres de la mañana, cuando comenzaba el oficio de vigilia, mientras el mundo aún se hallaba en la oscuridad.

¡Mierda! Esta rutina va a matarme, pensó la hermana Lucía. Se recostó en su catre diminuto e incómodo, desesperada por un cigarrillo. De mala gana salió, a la rastra, de la cama. El pesado hábito que llevaba, con el que dormía, le restregaba como papel de lija la piel sensible. Pensó en todos los hermosos vestidos que colgaban en su departamento de Roma y en su departamento de Gstaad, Los Valentinos, los Armanis, los Giannis.

La hermana Lucía alcanzaba a oír el movimiento suave y silbante de las monjas que se reunían en el zaguán. Con descuido hizo la cama y salió al largo vestíbulo donde las monjas se alineaban, con los ojos bajos. Lentamente, todas comenzaron a moverse hacia la capilla.

Parecen un montón de pingüinos, pensó la hermana Lucía. Estaba más allá de su comprensión por qué esas mujeres habían dejado deliberadamente de lado sus vidas, renunciando al sexo, a las ropas lindas y las comidas exquisitas. *Sin esas cosas, ¿qué razón existe para seguir viviendo? ¡Y las malditas reglas!*

Cuando la hermana Lucía recién entró en el convento, la Reverenda Madre le dijo:

—Debe caminar con la cabeza gacha, mantenga las manos replegadas bajo su hábito, camine con pasos cortos y lentamente. Nunca debe hacer contacto ocular con ninguna de las otras hermanas, ni siquiera mirarlas de soslayo. No puede hablar. Sus oídos están solamente para oír la palabra de Dios.

—Sí, Reverenda Madre.

Durante el mes que siguió, Lucía recibió instrucción.

—Las que acuden aquí no vienen a unirse a otras, sino a morar solas con Dios. La soledad del espíritu es esencial para la unión con Dios. Las reglas del silencio la salvaguardan.

—Sí, Reverenda Madre.

—Siempre debe obedecer el silencio de los ojos. Mirarse en los ojos de los otros sería distraerse con imágenes inútiles.

—Sí, Reverenda Madre.

—La primera lección que aprenderá aquí será rectificar el pasado, purgar los viejos hábitos y las inclinaciones mundanas, borrar toda imagen del pasado. Hará penitencias y mortificaciones purificadoras para despojarse de la voluntad propia y el amor por sí misma. No basta con que lamentemos nuestras ofensas pasadas. Cuando descubrimos la infinita belleza y santidad de Dios, queremos compensar no sólo nuestros pecados sino todos los pecados que se hayan cometido alguna vez.

—Sí, Santa Madre.

—Debe luchar contra la sensualidad, lo que Juan de la Cruz llamó "la noche de los sentidos".

—Sí, Santa Madre.

—Cada monja vive en silencio y soledad, como si ya estuviera en el cielo. En este silencio puro y precioso que tanto ansían todas, pueden escuchar el silencio infinito y poseer a Dios.

Al final del primer mes Lucía tomó sus votos iniciales. El día de la ceremonia la raparon. Fue una experiencia traumática. La Reverenda Madre Priora en persona se encargó de hacerlo. Llamó a Lucía a su oficina y le indicó que se sentara. Se paró detrás de ella y antes de saber lo que estaba sucediendo Lucía oyó el chasquido de las tijeras y sintió que algo le tiraba del pelo. Comenzó a protestar pero de pronto se dio cuenta de que lo que ocurría no podía más que mejorar su disfraz. *Siempre puedo dejarlo crecer de nuevo*, pensó. *Mientras tanto, voy a parecer una gallina desplumada.*

Cuando regresó al tétrico cubículo que se le había asignado, pensó: *Este lugar es un pozo de serpientes.* El piso era de tablones. El camastro y la silla de respaldo duro ocupaban la mayor parte de la habitación. Se desesperaba por leer un periódico. *¡Ni soñarlo!*, pensó. En aquel lugar jamás habían oído hablar de diarios, mucho menos de radio y televisión. No había vínculo alguno con el mundo exterior.

Pero lo que más ponía de punta los nervios de Lucía era el silencio antinatural. La única comunicación se efectuaba mediante señales de las manos, le habían enseñado a mover la mano derecha extendida hacia uno y otro costado, como si estuviera barriendo. Cuando algo no le agradaba a la Reverenda Madre, lo demostraba juntando las puntas de los meñiques tres veces contra su cuerpo, con los otros dedos presionando la palma. Cuando Lucía hacía su trabajo con lentitud la Reverenda Madre presionaba la palma de su mano derecha contra su hombro izquierdo. Para reprenderla, se rascaba la mejilla cerca de la oreja derecha con todos los dedos de la mano derecha en un movimiento hacia abajo.

Por el amor de Dios, pensó Lucía. *Parece que se estuviera rascando la picadura de una pulga.*

Habían llegado a la capilla. Las monjas rezaron una misa silenciosa, la secuencia desde el antiquísimo sanctus hasta el padrenuestro, pero los pensamientos de la hermana Lucía se hallaban ocupados con cosas más importantes que Dios.

En uno o dos meses más, cuando la policía deje de buscarme, saldré de este loquero.

Después de las oraciones matinales, la hermana Lucía marchó junto con las otras hacia el comedor, rompiendo subrepticiamente las reglas, como lo hacía todos los días, estudiando sus rostros. Era su único entretenimiento. Resultaba increíble pensar que ninguna de ellas sabía cuál era el aspecto de las otras hermanas.

Estaba fascinada con las caras de las monjas. Algunas eran viejas, otras eran jóvenes, algunas lindas, otras feas. No podía entender por qué todas parecían tan felices. Había tres rostros que Lucía encontraba particularmente interesantes. Uno, el de la hermana Teresa, una mujer que daba la impresión de tener unos sesenta años. Estaba lejos de ser hermosa y sin embargo había en ella una espiritualidad que le otorgaba un encanto casi sobrenatural. Parecía estar siempre sonriendo en su interior, como si llevara algún secreto maravilloso dentro de sí.

Otra monja que Lucía encontraba fascinante era la hermana Graciela. Una mujer asombrosamente hermosa, de alrededor de treinta años. Tenía cutis color oliva, rasgos exquisitos y ojos que eran luminosos estanques negros.

Podría haber sido una estrella de cine, pensaba Lucía. *¿Cuál será su historia? ¿Por qué se habrá enterrado en un lugar como éste?*

La tercera monja que capturaba el interés de Lucía era la hermana Megan. Tenía ojos azules, cejas y pestañas rubias. Tenía unos veinte años y una mirada fresca y abierta.

¿Qué está haciendo aquí? ¿Qué están haciendo aquí todas estas mujeres? Encerradas detrás de estos muros, donde se les da una celda minúscula donde dormir, comida podrida, ocho horas de plegarias, trabajo pesado y poco sueño. Tienen que estar locas.

Ella estaba mucho mejor que las otras, porque esas monjas quedarían sepultadas allí por el resto de sus vidas, mientras que ella saldría en un mes o dos. *O quizá tres,* pensó Lucía. *Éste es un lugar perfecto para esconderse. Sería una tonta si me apresurase a salir. En unos meses, la policía se figurará que estoy muerta. Cuando me vaya de aquí y saque mi dinero de Suiza, tal vez escriba un libro sobre este sitio de mierda.*

Unos días antes, la hermana Lucía había sido enviada ante la Reverenda Madre para recoger un papel, y mientras se hallaba ahí había aprovechado la oportunidad para comenzar a mirar en los archivos.

Por desgracia, sorprendieron a la hermana Lucía en el acto de espiar.

—Cumplirá penitencia usando la Disciplina —le indicó la Madre Priora Betina.

La hermana Lucía inclinó la cabeza con mansedumbre y dijo:
—Sí, Santa Madre.

Regresó a su celda y unos minutos después las monjas que caminaban por el corredor oyeron el espantoso sonido del látigo que silbaba cortando el aire y caía una y otra vez. Lo que no podían saber era que la hermana Lucía estaba azotando la cama.

A estas chifladas les gustará el sadomasoquismo, pero a mí no.

Ahora se hallaban sentadas en el refectorio, cuarenta monjas ante dos largas mesas. La dieta cisterciense era estrictamente vegetariana. Como el cuerpo ansiaba carne, ésta estaba prohibida. Mucho antes del amanecer, se servía una taza de té o café y unos cuantos gramos de pan seco. La comida principal se tomaba a las once de la mañana y consistía en una sopa espesa, algunas verduras y, de vez en cuando, una fruta.

No estamos aquí para complacer nuestros cuerpos, sino para complacer a Dios.

Yo no le daría este desayuno ni a mi gato, pensó la hermana Lucía. *Hace dos meses que estoy aquí y apuesto a que perdí cinco kilos. Es la versión divina de una granja para gente que quiere adelgazar.*

42

Cuando terminó el desayuno, dos monjas llevaron unos fregaderos y los colocaron en cada extremo de las mesas. Las hermanas sentadas alrededor alcanzaban sus platos a aquellas con los fregaderos. Estas lavaron cada plato, los secaron con un repasador y los devolvieron a sus dueñas. El agua se tornaba más oscura y más grasienta.

Y van a vivir así por el resto de su vida, pensó con disgusto la hermana Lucía. *Ah, está bien. No me puedo quejar. Con toda seguridad que esto es preferible a una cadena perpetua en la cárcel...*

La hermana Lucía habría dado su alma inmortal por un cigarrillo.

A quinientos metros, en la ruta, el coronel Acoca y dos docenas de hombres cuidadosamente seleccionados del GOE, el Grupo Especial de Operaciones, se preparaban para atacar el convento.

Capítulo cuatro

El coronel Ramón Acoca tenía instintos de cazador. Amaba la caza, pero era matar lo que le proporcionaba una profunda satisfacción visceral. Una vez le había confiado a un amigo: "Cuando mato tengo un orgasmo. No importa si es un ciervo, un conejo o un hombre; cuando se toma una vida hay algo que a uno lo hace sentir Dios".

Acoca había trabajado en inteligencia militar, donde ganó rápidamente la reputación de sobresaliente. No tenía miedo, era implacable e inteligente, y la combinación de esas características hizo que llamara la atención de uno de los ayudantes del general Franco.

Acoca se unió al personal de Franco como lugarteniente, y en menos de tres años se elevó al rango de coronel, una hazaña casi insólita. Se lo puso a cargo de los falangistas, el grupo especial utilizado para aterrorizar a los que se oponían a Franco.

Durante la guerra, Acoca fue mandado llamar por un miembro de OPUS MUNDO.

—Quiero que entienda que le estamos hablando con el permiso del general Franco.

—Sí, señor.

—Lo estamos observando, coronel. Nos sentimos complacidos con lo que vemos.

—Gracias, señor.

—De tiempo en tiempo tenemos ciertas asignaciones que son, diríamos, muy confidenciales. Y muy peligrosas.

—Entiendo, señor.

—Tenemos muchos enemigos. Gente que no entiende la importancia de la tarea que cumplimos.

—Sí, señor.

—A veces interfieren con nosotros. No podemos permitir que eso ocurra.

—No, señor.

—Creo que podríamos emplear a un hombre como usted, coronel. Pienso que nos entendemos mutuamente.

—Sí, señor. Me sentiría honrado de estar a su servicio.

—Nos gustaría que permaneciera en el ejército. Eso sería valioso para nosotros. Pero cada tanto lo asignaremos a estos proyectos especiales.

—Gracias, señor.

—Nunca debe hablar de esto.

—No, señor.

El hombre que se hallaba detrás del escritorio había puesto nervioso a Acoca. Había en él algo abrumadoramente aterrador.

Con el tiempo, el coronel Acoca fue llamado para manejar media docena de asignaciones para OPUS MUNDO. Como le habían dicho, eran todas muy peligrosas. Y muy confidenciales.

En una de esas misiones Acoca conoció a una encantadora joven de una familia rica. Hasta entonces, todas sus mujeres habían sido prostitutas o cuarteleras, y Acoca las trataba con salvaje desprecio. Algunas de las mujeres se habían enamorado sinceramente de él, atraídas por su fuerza. Para ellas, Acoca reservaba el peor trato.

Pero Susana Cerredilla pertenecía a un mundo diferente. Su padre era profesor de la Universidad de Madrid, y la madre era abogada. Susana tenía diecisiete años, el cuerpo de una mujer y el rostro angelical de una *madonna*. Ramón Acoca nunca había conocido a nadie como esa mujer-niña. Su suave vulnerabilidad despertó en él una ternura de la cual no se sabía capaz. Se enamoró locamente de ella y, por razones que ni Acoca ni su padre comprendieron, ella también se enamoró de él.

La luna de miel fue como si Acoca jamás hubiera conocido otra mujer. Había vivido la lujuria, pero la combinación de amor y pasión era algo que jamás había experimentado con anterioridad.

Tres meses después de casarse, Susana le informó que estaba embarazada. Acoca se emocionó muchísimo. Para colmo de su alegría, lo asignaron al hermoso pueblito de Castilblanca, en el país vasco. Fue en el otoño de 1936, cuando la lucha entre los republi-

45

canos y los nacionalistas se hallaba en su momento más encarnizado.

En una apacible mañana de domingo, Ramón Acoca y su esposa tomaban café en la plaza del pueblo, cuando de pronto el lugar se llenó de manifestantes vascos.

—Quiero que vayas a casa —dijo Acoca—. Va a haber problemas.

—Pero... ¿y tú?

—Por favor. Yo estaré bien.

Los manifestantes comenzaban a desmandarse.

Con alivio, Ramón Acoca contempló irse a su mujer, que se alejaba de la multitud hacia un convento ubicado en el extremo opuesto de la plaza. Cuando llegó, la puerta del convento se abrió de golpe y unos vascos armados que allí se ocultaban salieron en enjambre con ametralladoras llameantes. Acoca se quedó mirando, impotente, mientras su mujer se desplomaba en medio de un granizo de balas, y fue ese día cuando juró venganza contra los vascos. La Iglesia también había sido responsable.

Y ahora estaba en Ávila, frente a otro convento. *Esta vez morirán.*

En el interior del convento, en la oscuridad antes del amanecer, la hermana Teresa sostenía con mano firme la disciplina en la mano derecha y se azotaba con fuerza el cuerpo, sintiendo que las puntas anudadas la flagelaban mientras recitaba en silencio el *Miserere*. Estuvo a punto de gritar, pero el ruido no estaba permitido, así que guardó sus aullidos dentro de sí. *Perdóname, Jesús, por mis pecados. Mira cómo me castigo, como te castigaron a ti. Cómo me hiero, como te castigaron a ti. Déjame sufrir, como sufriste tú.*

Estaba al borde de desmayarse, por el dolor. Tres veces más se flageló y luego se desplomó, agonizante, sobre el catre. No se había sacado sangre. Eso estaba prohibido. Encogiéndose por el sufrimiento que le causaba cada gesto, la hermana Teresa volvió a colocar el látigo en su estuche negro y lo puso en un rincón. Siempre estaba allí, era un recuerdo constante de que el menor pecado debía ser pagado con dolor.

La transgresión de la hermana Teresa había ocurrido esa mañana, cuando daba vuelta por la esquina de un corredor, con los ojos bajos, y chocó con la hermana Graciela. Sorprendida, la hermana Teresa miró el rostro de la hermana Graciela. Teresa informó de inmediato su infracción; la Reverenda Madre Betina arrugó el entrecejo con desaprobación e hizo la señal de la disciplina moviendo su mano derecha tres veces de hombro a hombro; la mano cerrada como si sostuviera un látigo, la punta del pulgar contra el interior del dedo índice.

Acostada en su catre aquella noche, la hermana Teresa había sido incapaz de quitar de su mente el rostro extraordinariamente hermoso de la joven a la que había mirado. La hermana Teresa sabía que mientras viviera nunca le hablaría y ni siquiera volvería a ver su cara, pues la menor señal de intimidad entre las monjas era severamente castigada. En esa atmósfera de moral rígida y austeridad física, no se permitía que se desarrollara ninguna relación de ningún tipo. Si dos hermanas trabajaban lado a lado y parecían disfrutar de la compañía silenciosa de la otra, la Reverenda Madre las separaba de inmediato. Tampoco se permitía a las hermanas que se sentaran a la mesa dos veces seguidas junto a la misma persona. La Iglesia denominaba delicadamente "amistad particular" a la atracción de una monja por otra, y el castigo era rápido y severo. La hermana Teresa había cumplido con su castigo por violar las reglas.

Ahora el tañido de la campaña llegó a la hermana Teresa como a través de una gran distancia. Era la voz de Dios, que la reprendía.

En la celda contigua, el sonido de la campana atravesó los corredores de los sueños de la hermana Graciela y se mezcló con el lúbrico crujido de los resortes de una cama. El Moro avanzaba hacia ella, desnudo, con su virilidad tumescente, sus manos extendidas para aferrarla. La hermana Graciela abrió los ojos, instantáneamente despierta, el corazón latiéndole con frenesí. Miró alrededor, aterrada, pero se hallaba sola en su minúscula celda y el único sonido era el tranquilizador tañido de la campana.

La hermana Graciela se arrodilló a un lado de su catre. *Jesús, gracias por librarme del pasado. Gracias por la dicha que tengo al estar aquí en tu luz. Déjame regocijarme sólo en la felicidad de Tu ser. Ayúdame, mi Amado, a ser fiel al llamado que me has hecho. Ayúdame a calmar la pena de Tu sagrado corazón.*

La hermana Graciela se levantó e hizo su cama con cuidado: luego se unió a la procesión de sus hermanas que avanzaban en silencio hacia la capilla para los Maitines. Olía el aroma familiar de las velas encendidas y sentía las piedras gastadas bajo sus pies calzados con sandalias.

Al principio, cuando la hermana Graciela recién había ingresado en el convento, no entendió cuando la Madre Priora le dijo que una monja era una mujer que renunciaba a todo para poseerlo todo. La hermana Graciela tenía catorce años entonces. Ahora, diecisiete años más tarde, le resultaba claro. En la contemplación lo poseía todo, pues la contemplación era la mente respondiendo al alma, las aguas de Siloé que fluían en silencio. Sus días rebosaban de una paz maravillosa.

Gracias por permitirme olvidar el terrible pasado, Padre. Gracias por permanecer junto a mí. No podría enfrentar mi terrible pasado sin ti. Gracias... Gracias...

Cuando terminaron los maitines, las monjas regresaron a sus celdas para dormir hasta los laudes, al elevarse el sol.

Afuera, el coronel Ramón Acoca y sus hombres se movían rápidamente en la oscuridad. Cuando llegaron al convento, el coronel Acoca dijo:

—Jaime Miró y sus hombres estarán armados. No corran riesgos.

Miró hacia el frente del convento, y por un instante vio ese otro convento con guerrilleros vascos que se precipitaban fuera de él, y a Susana que caía en medio de un granizo de balas.

—No se molesten en sacar vivo a Jaime Miró —dijo.

La hermana Megan se despertó con el silencio. Era un silencio diferente, un silencio conmovedor, un silencio apresurado del aire, un susurro de cuerpos. Había sonidos que nunca había oído en los quince años que llevaba en el convento. De pronto la llenó la premonición de que algo andaba terriblemente mal.

Se levantó en silencio en la oscuridad y abrió la puerta de su celda. Increíblemente, el largo corredor de piedra estaba repleto de hombres. Un gigante de cara con cicatrices salía de la celda de la Reverenda madre, arrastrándola. Megan contemplaba perpleja. *Esto es una pesadilla*, pensó. *Estos hombres no pueden estar aquí.*

—¿Dónde lo están ocultando? —exigió el coronel Acoca.

La Reverenda Madre Betina tenía en su rostro una expresión de asombrado horror.

—¡Shhh! Éste es el templo de Dios. Ustedes lo están profanando. —La voz le temblaba. —Deben irse enseguida.

El coronel le apretó el brazo con más fuerza y la sacudió.

—Quiero a Miró, hermana.

La pesadilla era real.

Comenzaban a abrirse las puertas de otras celdas, y aparecían las monjas, con miradas de total confusión en los semblantes. Nunca habían vivido nada que las preparara para ese suceso extraordinario.

El coronel Acoca empujó a la hermana Betina hacia un lado y se volvió a Patricio Arrieta, uno de sus lugartenientes:

—Registren el lugar. De punta a punta.

Los hombres de Acoca comenzaron a dispersarse, invadiendo la capilla, el refectorio y las celdas, despertando a las monjas que aún dormían y obligándolas con rudeza a ponerse de pie y dirigirse a los corredores y la capilla. Las monjas obedecieron sin decir palabra, manteniendo, incluso en esa situación, sus votos de silencio. Para Megan, la escena se parecía mucho a una película a la que se le había quitado el sonido.

Los hombres de Acoca iban llenos de un sentimiento de venganza. Eran todos falangistas y recordaban demasiado bien cómo la Iglesia se había vuelto contra ellos durante la Guerra Civil y apoyado a los ciudadanos leales a la República contra su amado líder, el generalísimo Franco. Era su oportunidad de recuperar algo de lo suyo. La fuerza y el silencio ponían a los hombres más furiosos que nunca.

Mientras Acoca pasaba ante una de las celdas, un grito salió de ella produciendo un eco. Acoca miró en su interior y vio que uno de sus hombres le arrancaba el hábito a una monja. Pasó de largo.

La hermana Lucía se despertó con el ruido de las voces de los hombres que gritaban. Se sentó, presa del pánico. *La policía me ha encontrado*, fue su primer pensamiento. *Tengo que salir de aquí.* No había modo de salir del convento, salvo la puerta del frente.

Se levantó apresuradamente y espió por el corredor. La visión que encontraron sus ojos era pasmosa. El corredor no sólo estaba lleno de policías sino de hombres vestidos de civil que llevaban armas y destrozaban lámparas y mesas. En todas partes había confusión, mientras ellos corrían de un lado a otro.

La reverenda madre Betina se hallaba de pie en el centro del caos, orando en silencio, contemplándolos profanar su amado convento. La hermana Megan se acercó a su lado y Lucía se unió a ellas.

—¿Qué día...? ¿Qué está ocurriendo? ¿Quiénes son ellos? —preguntó Lucía. Fueron las primeras palabras que pronunció desde que había entrado en el convento.

La Reverenda Madre colocó su mano derecha bajo su axila izquierda tres veces, la señal para *esconderse*.

Lucía la miró sin poder creerlo.

—Ahora puede hablar. Váyase de aquí, por el amor de Dios y realmente quiero decir *por el amor de Dios*.

Patricio Arrieta, el ayudante principal del coronel, se apresuró a dirigirse donde estaba Acoca.

—Hemos registrado en todas partes, coronel. No hay rastro de Jaime Miró ni de sus hombres.

—Registre otra vez —ordenó Acoca con obstinación.

Fue entonces cuando la Reverenda Madre recordó el único tesoro que contenía el convento. Se dirigió enseguida a la hermana Teresa y susurró:

—Tengo una tarea para usted. Busque la cruz de oro de la capilla y llévela al convento de Mendavia. Debe sacarla de aquí ¡Apúrese!

La hermana Teresa se estremecía tan fuerte que su toca aleteaba, formando ondas. Miró a la Reverenda Madre, paralizada. La hermana Teresa había pasado los últimos treinta años de su vida en el convento. La idea de dejarlo iba más allá de lo imaginable. Levantó la mano e hizo una seña: *No puedo*.

La Reverenda Madre estaba frenética.

—¡La cruz no debe caer en las manos de esos hombres de Satán! Ahora hágalo, por Jesús.

Una luz surgió en los ojos de la hermana Teresa. Se irguió. Suspiró, *por Jesús*. Se dio vuelta y salió apresuradamente hacia la capilla.

La hermana Graciela se aproximó al grupo, contemplando sorprendida la loca confusión que la rodeaba.

Los hombres se volvían más y más violentos, destrozando todo lo que veían. El coronel Acoca los miraba con aprobación.

Lucía se dirigió a Megan y Graciela:

—No sé lo que harán ustedes dos, pero yo me voy de aquí ¿Vienen?

La miraron, demasiado aturdidas para responder.

La hermana Teresa corrió hacia ellas, llevando algo envuelto en un pedazo de lona. Los hombres agrupaban más monjas en el refectorio.

—Vamos —dijo Lucía.

Las hermanas Teresa, Megan y Graciela vacilaron un momento y luego siguieron a Lucía hasta la puerta principal. Mientras doblaban por el extremo de un largo corredor, pudieron ver que la gran puerta había sido destrozada para permitir la entrada de los militares.

Un hombre apareció de pronto frente a ellas.

—¿Van a algún lado, señoras? Vuelvan. Mis amigos tienen planes para ustedes.

Lucía dijo:

—Y nosotras tenemos un regalo para usted.

Levantó uno de los pesados candelabros de metal que reposaban en las mesas del zaguán y sonrió.

El hombre la miraba, asombrado.

—¿Qué se puede hacer con eso?

—Esto.

Lucía le golpeó la cabeza con el candelabro, y él cayó al piso, inconsciente.

Las tres monjas contemplaban la escena con horror.

—¡Muévanse! —dijo Lucía.

Un momento después, Lucía, Megan, Graciela y Teresa se hallaban fuera, en el patio del frente, corriendo a través del portón hacia la noche estrellada.

Lucía se detuvo.

—Voy a dejarlas. Van a buscarlas, así que será mejor que se alejen de aquí.

Se volvió y comenzó a marchar hacia las montañas que se elevaban a la distancia, por encima del convento.

Me ocultaré allá arriba hasta que la búsqueda se enfríe y luego me dirigiré a Suiza. Qué suerte podrida. Esos bastardos me arruinaron un encubrimiento perfecto.

Mientras Lucía avanzaba hacia terrenos más altos, echó un vistazo hacia abajo. Desde su aventajado punto de vista alcanzaba a ver a las tres hermanas. Resultaba increíble, pero aún se hallaban de pie frente a los portones del convento, como tres estatuas de yeso negro. *Por el amor de Dios*, pensó. *¡Salgan de allí de una vez, antes de que las agarren! ¡Muévanse!*

Ellas no podían moverse. Era como si todos sus sentidos hubieran quedado paralizados durante tanto tiempo que eran incapaces de asumir lo que les estaba ocurriendo. Las monjas miraban fijo a sus pies. Estaban tan aturdidas que no podían pensar. Habían vivido tantos años enclaustradas detrás de los portones de Dios, recluidas del mundo, que ahora que se hallaban fuera de las puertas protectoras las embargaban sentimientos de confusión y pánico. No tenían idea de adónde ir o qué hacer. Adentro, sus vidas estaban organizadas. Las habían alimentado, vestido, les habían indicado qué debían hacer y cuándo. Vivían según el Reglamento. De pronto ya no había tal Reglamento. ¿Qué quería Dios para ellas? ¿Cuál era Su plan? Permanecían arracimadas, juntas, temerosas de hablar, temerosas de mirarse.

Con vacilación, la hermana Teresa señaló las luces de Ávila a la distancia e hizo la señal de *Por allí*. Con paso inseguro, comenzaron a andar en dirección al pueblo.

Observándola desde las colinas allá arriba, Lucía pensó: *¡No, idiotas! Ése es el primer lugar donde las buscarán. Bueno, es problema de ustedes. Yo tengo mis propios problemas.* Se quedó allí un momento, contemplándolas caminar hacia su destino, yendo hacia el matadero. *Mierda.*

Lucía bajó trabajosamente la colina, tropezando con los guijarros sueltos, y corrió tras ellas, aunque el incómodo hábito le quitaba velocidad.

—¡Esperen un minuto! —gritó—. ¡Paren!

Las hermanas se detuvieron y se dieron vuelta. Lucía corrió hacia ellas, sin aliento.

—Están yendo por el camino equivocado. El primer lugar donde las buscarán es en la ciudad. Tienen que esconderse en alguna parte.

Las tres hermanas la miraron en silencio. Lucía dijo con impaciencia:

—A las montañas. Suban a las montañas. Síganme.

Se volvió y recomenzó su camino hacia arriba. Las otras la miraron y, al cabo de un momento, comenzaron a seguirla, una por una.

Cada tanto, Lucía miraba hacia atrás para asegurarse de que la seguían. *¿Por qué no me preocupo por mis propios asuntos?* pensó. *Ellas no son responsabilidad mía. Es más peligroso si estamos todas juntas.* Siguió escalando, sin perderlas de vista.

A las otras les costaba mucho trepar, y cada vez que aminoraban la marcha Lucía se detenía para permitirles que se pusieran a la par de ella. *Me desharé de ellas a la mañana.*

—Movámonos más rápido —gritó Lucía.

En la Abadía, el ataque había concluido. Las aturdidas monjas, con los hábitos arrugados y manchados de sangre, eran rodeadas y cargadas en camionetas sin patente, cerradas.

—Llévenlas a mi cuartel general en Madrid —ordenó el coronel Acoca—. Manténganlas aisladas.

—¿Con qué cargo...?

—Por refugiar terroristas.

—Sí, coronel —dijo Patricio Arrieta. Vaciló. —Faltan cuatro de las monjas.

Los ojos del coronel Acoca se enfriaron.

—Encuéntrenlas.

El coronel Acoca voló hasta Madrid para informar al Primer Ministro.

—Jaime Miró escapó antes de que registráramos el convento.

El Primer Ministro Martínez asintió con la cabeza.

—Sí, me enteré.

Y se preguntó si Jaime Miró habría estado alguna vez en ese convento, o no. No había duda de ello. El coronel Acoca se tornaba peligrosamente fuera de control. Se habían levantado airadas protestas respecto del brutal ataque al convento. El Primer Ministro escogió sus palabras con cuidado:

—Los diarios me han acosado preguntándome qué ocurrió.

—Los diarios están convirtiendo en héroe a ese terrorista —repuso Acoca con mirada pétrea—. No debemos permitir que nos **presionen.**

—Ese hombre está causando grandes problemas al gobierno, coronel. Y esas cuatro monjas... si hablan...

—No se preocupe. No pueden ir muy lejos. Las agarraré y también encontraré a Miró.

El Primer Ministro ya había decidido que no podía permitirse correr más riesgos.

—Coronel, quiero que esté seguro de que se brinde un buen trato a las treinta y seis monjas. Además, voy a ordenar al ejército que se una a la búsqueda de Miró y los otros. Usted trabajará con el coronel Sostelo.

Se produjo una pausa larga, peligrosa.

—¿Y cuál de los dos estará a cargo de la operación? —preguntó Acoca con ojos de hielo.

El Primer Ministro tragó saliva.

—Usted, por supuesto.

Lucía y las tres hermanas avanzaban en las primeras horas del amanecer, hacia el norte por las montañas, alejándose de Ávila y el convento. Las monjas, acostumbradas a moverse en silencio, hacían poco ruido. Los únicos sonidos eran el crujido de sus túnicas, el entrechocar de los rosarios, alguna ramita que se quebraba ocasionalmente y el jadeo de las respiraciones mientras trepaban cada vez más alto.

Llegaron a una meseta de las sierras de Gredos y caminaron por una senda trillada bordeada de muros de piedra. Pasaron campos con ovejas y cabras. Al amanecer habían recorrido varios kilómetros y se encontraban en una zona boscosa en las afueras del pueblito de Villacastín.

Las dejaré aquí, decidió Lucía. *El Dios de ellas puede cuidarlas ahora. Seguramente me cuidó a mí también*, pensó con amargura. *Suiza está más lejos que nunca. No tengo dinero ni pasaporte y estoy vestida como una funebrera. A esta altura esos hombres sabrán que hemos huido. Seguirán buscándonos hasta que nos encuentren. Cuanto antes me escape sola, mejor.*

Pero en ese instante ocurrió algo que le hizo cambiar sus planes.

La hermana Teresa se movía entre los árboles cuando tropezó y el paquete que guardaba con tanto cuidado cayó al suelo. Se salió de la lona que lo envolvía y Lucía se encontró contemplando una enorme cruz de oro exquisitamente tallada que refulgía bajo los rayos del sol que nacía.

Eso es oro de verdad, pensó Lucía. *Allá arriba hay alguien que me está cuidando. Esa cruz es maná, verdadero maná. Mi pasaje a Suiza.*

Lucía miró a la hermana Teresa, que levantó la cruz y la guardó con cuidado otra vez en su envoltura. Lucía sonrió para sus adentros. Iba a ser fácil tomarla. Esas monjas harían cualquier cosa que ella les dijera.

La ciudad de Ávila estaba alborotada. La noticia del ataque al convento se había esparcido con rapidez y el padre Berrendo fue el elegido para enfrentar al coronel Acoca. El sacerdote tenía unos setenta años, y una fragilidad exterior que ocultaba su fuerza interior. Era un pastor cálido y comprensivo para su grey. Pero en ese momento se hallaba embargado de fría furia.

El coronel Acoca lo hizo esperar una hora y luego permitió que lo condujeran a su despacho. El padre Berrendo dijo sin preámbulos:

—Usted y sus hombres atacaron el convento sin provocación. Fue un acto de locura.

—Simplemente estábamos cumpliendo con nuestro deber —respondió el coronel con frialdad—. La Abadía refugiaba a Jaime Miró y su banda de asesinos, de modo que fueron las hermanas las que se lo buscaron. Las retengo aquí para interrogarlas.

—¿Encontró a Jaime Miró en la Abadía? —preguntó el padre Berrendo con voz airada.

El coronel Acoca respondió con ligereza:

—No. Él y sus hombres escaparon antes de que llegáramos allí. Pero los encontraremos, y se hará justicia.

Mi justicia, pensó cruelmente el coronel Acoca.

Capítulo cinco

Las monjas avanzaban lentamente. Sus vestiduras no eran apropiadas para el terreno escarpado; sus sandalias, demasiado finas para proteger sus pies contra el terreno pedregoso. Los hábitos se enganchaban en todo. La hermana Teresa vio que ni siquiera podía rezar el rosario. Necesitaba ambas manos para evitar que las ramas le golpearan la cara.

A la luz del día, la libertad parecía aún más aterradora que antes. Dios había arrojado a las hermanas fuera del Edén. Hacia un mundo extraño y temible, y Su guía, de la cual ellas habían dependido durante tanto tiempo, se había desvanecido. Se encontraban en una región desconocida, sin mapa ni compás. Los muros que durante años las protegieron del mal habían desaparecido, y ellas se sentían expuestas. El peligro se encontraba en todas partes, ya no tenían dónde refugiarse. Eran forasteras. Los inhabituales paisajes y ruidos del lugar resultaban deslumbrantes. Había insectos y canciones de pájaros y cielos cálidos y azules que atacaban los sentidos. Y había algo más, perturbador.

Al principio, cuando recién salieron del convento, Teresa, Graciela y Megan evitaron cuidadosamente mirarse una a la otra, manteniendo las reglas por instinto. Pero ahora cada una se descubría estudiando con avidez las caras de las otras. También, después de tantos años de silencio, les resultaba difícil hablar, y cuando lo hacían sus palabras salían vacilantes, como si estuvieran aprendiendo una nueva y rara habilidad. Las voces les sonaban extrañas al oído. Sólo Lucía parecía desinhibida y segura de sí, y las otras se volvían automáticamente a ella para que las condujera.

—Podríamos presentarnos —propuso Lucía—. Yo soy la hermana Lucía.

56

Se produjo una pausa torpe, y después Graciela dijo con timidez:

—Yo soy la hermana Graciela.

La del pelo oscuro, cautivadoramente hermosa.

—Yo soy la hermana Megan.

La rubia joven de impresionantes ojos azules.

—Yo soy la hermana Teresa.

La mayor del grupo. ¿Tendrá cincuenta años? ¿Sesenta?

Mientras descansaban en el bosque, fuera del pueblo, Lucía pensó: *Son como pájaros recién nacidos que han caído del nido. No durarían más de cinco minutos si estuvieran solas. Bueno, peor para ellas. Yo me iré a Suiza con la cruz.*

Lucía se dirigió al borde del claro en que se hallaban y espió a través de los árboles en dirección al pueblito que se veía más abajo. Unas pocas personas caminaban por la calle pero no había señales de los hombres que habían atacado el convento. *Ahora,* pensó Lucía. *Ésta es mi oportunidad.*

Se volvió a las otras:

—Bajaré al pueblo para tratar de conseguir algo de comida. Ustedes esperen aquí. —Señaló con la cabeza a la hermana Teresa. —Tú, ven conmigo.

La hermana Teresa estaba confundida. Durante treinta años había obedecido solamente a las órdenes de la reverenda madre Betina y ahora de pronto esa hermana había tomado el mando. *Pero lo que está ocurriendo es la voluntad de Dios,* pensó la hermana Teresa. *Él la ha designado para que nos ayude, de modo que ella habla con Su voz.*

—Debo llevar esta cruz al convento de Mendavia lo antes posible.

—Muy bien. Cuando lleguemos allá pediremos que nos indiquen cómo llegar.

Las dos comenzaron a bajar la sierra en dirección al pueblo, Lucía cautelosamente atenta por si surgían problemas. No pasó nada.

Esto va a ser fácil, pensó Lucía.

Llegaron a las afueras del pueblito. Un cartel decía: Villacastín. Al frente se hallaba la calle principal. A la izquierda había una callecita desierta.

Bien, pensó Lucía. No habría nadie para presenciar lo que estaba a punto de ocurrir.

Lucía se dirigió a la calle lateral.

—Vayamos por aquí. Es menos probable que nos vean.

La hermana Teresa asintió y la siguió obedientemente.

Ahora lo importante era quitarle la cruz.

Podría arrebatársela y correr, pensó Lucía. *Pero es muy posible que ella grite y atraiga la atención de la gente. No, tendré que asegurarme de que no cause un alboroto.*

Una rama había caído al suelo frente a ella y Lucía se detuvo a recogerla. Era pesada. *Perfecto.* Esperó a que la hermana Teresa la alcanzara.

—Hermana Teresa...

La monja se dio vuelta para mirarla y mientras Lucía comenzaba a levantar el palo, una voz de hombre salida de ningún lugar dijo:

—Que Dios esté con ustedes, hermanas.

Lucía giró sobre sus pies, lista para salir corriendo. Allí había un hombre vestido con la larga túnica marrón y la capucha de un fraile. Era alto y delgado, con un rostro aquilino y la expresión más beata que Lucía hubiera visto en su vida. Sus ojos parecían resplandecer con una cálida luz interior, y su voz era suave y gentil.

—Soy el fraile Miguel Carrillo.

La mente de Lucía se aceleró. Su primer plan había sido interrumpido. Pero ahora, de pronto, tenía uno mejor.

—Gracias a Dios que nos ha encontrado —dijo.

Ese hombre iba a ser su escape. Seguramente conocería el camino más fácil para que ella saliera de España.

—Venimos del convento cisterciense cerca de Ávila —explicó Lucía—. Anoche unos hombres lo atacaron. Se llevaron a todas las monjas. Nosotras cuatro logramos huir.

Cuando el fraile respondió, su voz se oyó embargada por la ira:

—Yo vengo del monasterio de San Genaro, donde estuve los últimos veinte años. Fuimos atacados antes de anoche. —Suspiró.
—Sé que Dios tiene un plan para todos Sus hijos, pero debo confesar que en este momento no comprendo cuál podrá ser.

—Esos hombres nos están buscando —dijo Lucía—. Es importante que salgamos de España lo más rápido posible. ¿Sabe cómo podemos hacerlo?

El fraile Carrillo sonrió con amabilidad.

—Creo que puedo ayudarlas, hermanas. Nos ha reunido Dios. Llévenme adonde están las otras.

Lucía lo condujo hasta el grupo.

—Éste es el fraile Carrillo. Hace veinte años que vive en un monasterio. Ha venido a ayudarnos.

Sus reacciones ante el fraile fueron diversas. Graciela no se atrevió a mirarlo directamente. Megan lo estudió con miradas rápidas e interesadas, y la hermana Teresa lo contempló como a un mensajero enviado de Dios que las conduciría hasta el convento de Mendavia.

El fraile Carrillo dijo:

—Los hombres que atacaron el convento sin duda seguirán buscándolas. Pero buscarán a cuatro monjas. Lo primero que debemos hacer es que se cambien de ropa.

Megan le recordó:

—No tenemos ropa para cambiarnos.

El fraile Carrillo le brindó una sonrisa beatífica:

—Nuestro Señor tiene un guardarropa muy grande. No se preocupe, hija. Él proveerá. Vayamos a la ciudad.

Eran las dos de la tarde, la hora de la siesta, y el fraile y las cuatro hermanas bajaron por la calle principal del pueblo, alertas por si surgía alguna señal de sus perseguidores. Los negocios estaban cerrados, pero los restaurantes y los bares seguían abiertos, y desde ellos salía una extraña música, dura, disonante y estridente.

El fraile Carrillo advirtió la mirada de la hermana Teresa.

—Es *rock and roll*. Muy popular entre los jóvenes de esta época.

Dos chicas que se hallaban paradas frente a uno de los bares contemplaron fijamente a las monjas que pasaban. Las monjas les devolvieron la mirada, con los ojos muy abiertos, por la extraña vestimenta del dúo. Una llevaba una pollera tan corta que apenas le cubría los muslos; la otra, una pollera más larga con tajos a los costados. Ambas vestían remeras sin mangas, muy ajustadas.

Es como si estuvieran desnudas, pensó la hermana Teresa, horrorizada.

En la puerta había un hombre vestido con un suéter de cuello alto, una chaqueta de aspecto extraño, sin cuello, y un colgante adornado con piedras.

Olores desconocidos saludaron a las monjas al pasar por un bar. Nicotina y whisky.

Megan vio algo al otro lado de la calle. Se detuvo.

El fraile Carrillo dijo:

—¿Qué pasa? —y se dio vuelta para mirar.

Megan contemplaba a una mujer que llevaba un bebé. ¿Cuántos años habían pasado desde que ella misma fuera un bebé, o siquiera una niña? Desde el orfanato, catorce años atrás. El súbito *shock* hizo que advirtiera cuánto se había apartado su vida del mundo exterior.

La hermana Teresa también contemplaba al bebé, pero pensando en otra cosa. *Es el bebé de Monique.* El niño al otro lado de la calle lloraba. *Grita porque yo lo abandoné. Pero no, es imposible. Eso ocurrió hace treinta años.* La hermana Teresa se dio vuelta; el llanto del bebé resonaba a sus espaldas. Prosiguieron la marcha.

Pasaron por un cine. El cartel decía: *Tres amantes*, y las fotografías mostraban unas mujeres escasamente vestidas que abrazaban a un hombre con el torso desnudo.

—¡Oh, están... están casi desnudos! —exclamó la hermana Teresa.

El fraile Carrillo frunció el entrecejo.

—Sí. Es lamentable lo que al cine se le permite mostrar en estos tiempos. Esa película es pornografía pura. Exhiben los actos más privados y personales para que todo el mundo los vea. Convierten a los hijos de Dios en animales.

Pasaron por una ferretería, una peluquería, una florería, un kiosco de golosinas, todos cerrados por la siesta, y en cada uno de los negocios las hermanas se detenían y se quedaban mirando las vidrieras, llenas de artículos que alguna vez les habían sido familiares y ahora apenas recordaban.

Al llegar a una tienda de ropa femenina, el fraile Carrillo dijo:

—Alto.

Las vidrieras estaban tapadas por las persianas bajas y en la puerta había un cartel que rezaba: "Cerrado".

—Espérenme, por favor.

Las cuatro mujeres lo miraron caminar hasta la esquina y perderse de vista. Se miraron unas a otras con expresión desconcertada. ¿Adónde iba, y qué sucedería si no regresaba?

Unos minutos más tarde oyeron el ruido del negocio que se abría y vieron al fraile Carrillo en la puerta. Les indicó que entraran:

—Apúrense.

Cuando todas se hallaron dentro del negocio, y el fraile cerró la puerta, Lucía preguntó:

—¿Cómo...?

—Dios provee una puerta trasera tanto como una delantera —respondió el fraile con aire grave. Pero en su voz había un matiz pícaro que hizo sonreír a Megan.

Las hermanas observaron el negocio con temor reverente. El lugar era una cornucopia multicolor de vestidos y suéteres, corpiños y medias, zapatos de taco alto y chaquetillas. Objetos que ellas no habían visto en años. Y los diseños parecían tan raros. Había carteras y bufandas, polveras y blusas. Era demasiado como para absorberlo en un momento. Las mujeres se quedaron allí, con la boca abierta.

—Debemos movernos con rapidez —les advirtió el fraile Carrillo— e irnos antes de que termine la siesta y vuelva a abrir la tienda. Sírvanse. Elijan lo que les quede bien.

Lucía pensó: *Gracias a Dios que al fin puedo volver a vestirme como una mujer.* Se dirigió a un perchero de vestidos y los examinó. Encontró una pollera beige y una blusa color tostado que combinaba. *No es un Balenciaga, pero por ahora servirá.* Tomó unas medias y un corpiño y un par de botas livianas. Se ocultó tras un perchero y en unos minutos estaba vestida y lista para irse.

Las otras seleccionaban lentamente sus prendas.

Graciela eligió un vestido de algodón blanco que iba bien con su pelo negro y su cutis moreno, y un par de sandalias.

Megan eligió un vestido estampado de algodón azul que le llegaba por debajo de las rodillas y zapatos de taco bajo.

La hermana Teresa fue quien más demoró en encontrar algo que ponerse. Esas prendas eran demasiado llamativas. Las había de seda, franela, *tweed*, cuero. Había ropas de algodón y sarga y corderoy; lisas, a cuadros y a rayas de todos los colores. Y todas parecían... *escasas*, ésa fue la palabra que acudió a la mente de la hermana Teresa. Había vivido los últimos treinta años decentemente cubierta con las pesadas túnicas de su vocación; y ahora le pedían que se las quitara y se pusiera esas creaciones indecentes. Al fin eligió la pollera más larga que pudo encontrar y una blusa de algodón de mangas largas y cuello alto.

El fraile Carrillo las urgió:

—Apúrense, hermanas. Desvístanse y cámbiense.

Se miraron unas a otras, incómodas.

Él sonrió:

—Las esperaré en la oficina, desde luego.

Se dirigió hacia el fondo del negocio y entró en la oficina.

Las hermanas comenzaron a cambiarse, penosamente cohibidas frente a las otras.

En la oficina, el fraile Carrillo acercó una silla al montante y espió por ahí, contemplando desvestirse a las hermanas. Pensaba: *¿A cuál me voy a voltear primero?*

Miguel Carrillo había comenzado su carrera como ladrón cuando sólo tenía diez años. Nació con cabello rubio y ondulado y un rostro angelical, cosas que habían demostrado ser de inestimable valor en la profesión que eligió. Comenzó desde abajo, hurtando carteras y robando en los negocios, y cuando se hizo adulto su carrera se expandió y comenzó a asaltar borrachos y mujeres adineradas. A causa de su enorme atractivo, tenía mucho éxito. Ideó varios trucos originales para engañar a la gente, cada uno más ingenioso que el otro. Por desgracia, el último fue su ruina.

Haciéndose pasar por un monje en un monasterio distante, Carrillo viajó de iglesia en iglesia rogando que le dieran asilo para pasar la noche. Siempre se lo daban, y por la mañana, cuando el sacerdote llegaba a abrir las puertas de la iglesia, faltaban todos los objetos valiosos y también el buen fraile. Desgraciadamente, el destino lo había traicionado y dos noches antes, en Benjar, un pueblito cerca de Ávila, el sacerdote había regresado inesperadamente y había sorprendido a Miguel Carrillo en el acto de robar el tesoro de la iglesia. El cura era un hombre rollizo y corpulento; arrojó a Carrillo al piso y le anunció que iba a llevarlo a la policía. En la lucha había caído un pesado cáliz de plata, y Carrillo lo recogió y golpeó con él al cura. O el cáliz era demasiado pesado o el cráneo del sacerdote demasiado frágil, lo cierto es que el sacerdote cayó muerto. Miguel Carrillo escapó, presa del pánico, ansioso por alejarse lo más posible del escenario del crimen. Atravesó Ávila y se enteró de la historia del ataque al convento por parte del coronel Acoca y la facción secreta GOE. El azar hizo que Carrillo se encontrara con las cuatro monjas fugitivas.

Ahora, ávido y expectante, estudiaba los cuerpos desnudos de las mujeres y pensaba: *Hay otra posibilidad interesante. Ya que el coronel Acoca y sus hombres están buscando a las hermanas, qui-*

zás exista una linda y gorda recompensa por sus cabezas. Primero me acostaré con ellas y después se las entregaré a Acoca.

Las mujeres, salvo Lucía, que ya estaba vestida, se hallaban totalmente desnudas.

Carrillo las contemplaba mientras se ponían con torpeza la ropa interior nueva. Después terminaron de vestirse, abrochando desmañadamente los inhabituales botones y cierres, apresurándose por salir de allí antes de que las atraparan.

Hora de ponerse a trabajar, pensó con felicidad Carrillo. Bajó de la silla y entró en la tienda. Se acercó a las mujeres, las estudió con aire aprobador y dijo:

—Excelente. Nadie en el mundo las tomaría jamás por monjas. Les sugeriría que se cubrieran la cabeza con pañuelos.

Eligió uno para cada una y las contempló ponérselos.

Miguel Carrillo se había decidido. La primera iba a ser Graciela. Sin duda, ella era una de las mujeres más hermosas que había visto. ¡Y qué cuerpo! *¿Cómo pudo haberlo desperdiciado dedicándolo a Dios? Ya le mostraré qué hacer con él.*

Se dirigió a Lucía, Teresa y Megan:

—Deben de tener hambre. Quiero que vayan al café por el que pasamos y nos esperen ahí. Yo iré a la iglesia y le pediré prestado algo de dinero al cura, para que podamos comer. —Se volvió hacia Graciela: —Quiero que venga conmigo, hermana, para explicarle al sacerdote lo que ocurrió en el convento.

—Yo... está bien.

—En un ratito estaremos con ustedes —dijo Carrillo a las otras—. Les aconsejo que usen la puerta de atrás.

Miró irse a Lucía, Teresa y Megan. Cuando oyó que la puerta se cerraba a sus espaldas, enfrentó a Graciela. *Es fantástica*, pensó. *Tal vez la conserve conmigo, y le enseñe a robar. Podría ser una gran ayuda.*

Graciela lo observaba.

—Estoy lista.

—Todavía no. —Carrillo simuló estudiarla un momento. —No, temo que no resultará. Ese vestido no es adecuado para usted. Sáqueselo.

—Pero... ¿por qué?

—No le queda bien —respondió Carrillo con soltura—. La gente lo notará, y usted no quiere llamar la atención.

Ella vaciló y luego se ubicó detrás de un perchero.

—Apúrese. Tenemos muy poco tiempo.

Con torpeza, Graciela se quitó el vestido por encima de la cabeza. Cuando Carrillo apareció, estaba con trusa y corpiño.

—Sáquese todo. —Su voz sonaba ronca.

Graciela lo miró azorada.

—¿Qué? ¡No! —gritó—. Yo... no puedo. Por favor... yo...

Carrillo se le acercó más.

—Yo la ayudaré, hermana.

Estiró las manos y le rasgó la ropa interior.

—¡No! —gritó ella—. ¡No debe hacerlo! ¡Pare!

Carrillo hizo una mueca.

—Quieta, recién empezamos. Esto te va a encantar.

Sus brazos fuertes la estrechaban. La forzó a echarse en el piso y se levantó la sotana.

Fue como si una cortina descendiera de pronto en la mente de Graciela. Era el Moro que trataba de penetrarla, desgarrando sus profundidades, y la aguda voz de su madre chillaba.

Y Graciela pensó, aterrada: *No, otra vez no. No, por favor... otra vez no...*

Luchaba con fiereza, tratando de liberarse de Carrillo, intentando levantarse.

—Maldita seas —gritó él.

Le golpeó la cara con el puño y Graciela cayó hacia atrás, aturdida y mareada.

Se encontró girando hacia atrás en el tiempo.

Hacia atrás... atrás...

Capítulo seis

Las Navas del Marqués, España   1947

Ella tenía cinco años. Sus recuerdos más tempranos consistían en una procesión de hombres desconocidos y desnudos que subían y bajaban de la cama de su madre.

Su madre le explicaba:

—Son tus tíos. Debes mostrarles respeto.

Los hombres eran groseros y crudos y no demostraban afecto. Se quedaban por una noche, una semana, un mes, y luego desaparecían. Cuando se iban, Dolores Pinero buscaba inmediatamente a otro hombre.

En su juventud, Dolores Pinero había sido una mujer bella y Graciela había heredado su aspecto. Aun de niña, Graciela causaba asombro al mirarla, con sus pómulos altos, su cutis oliva, brillante pelo negro y largas y espesas pestañas. Su cuerpo joven de núbil era una promesa. Con el paso de los años, el físico de Dolores Pinero se había vuelto gordo y su rostro de estupenda estructura ósea se veía magullado por los amargos golpes del tiempo.

Aunque Dolores Pinero ya no era hermosa, sí era accesible y tenía fama de apasionada en la cama. Hacer el amor era su único talento y ella lo empleaba para cautivar a los hombres con placer, en la esperanza de poder comprar con su cuerpo el amor de ellos. Se ganaba pobremente la vida como costurera, pero como era mediocre sólo le encargaban trabajos las mujeres del pueblo que no podían pagar a modistas mejores.

La madre de Graciela despreciaba a su hija, pues era el recuerdo constante del único hombre a quien Dolores Pinero había amado.

El padre de Graciela era un joven apuesto, mecánico, que se había declarado a la hermosa Dolores que, ansiosa, le permitió que la sedujera. Cuando le dio la noticia de que estaba embarazada, él desapareció, dejando a Dolores con la maldición de su simiente.

Dolores Pinero tenía un carácter perverso y se vengó en la hija. Siempre que Graciela hacía algo que le disgustaba, su madre le pegaba y gritaba:

—¡Eres tan estúpida como tu padre!

No había manera de que la niña escapara de la lluvia de golpes o los gritos constantes. Graciela se despertaba todas las mañanas y rezaba:

—Por favor, Dios, hoy no permitas que mamá me pegue.

—Por favor, Dios, haz que hoy mamá esté contenta.

—Por favor, Dios, haz que hoy mamá me diga que me quiere.

Cuando no agredía a Graciela, su madre la ignoraba. Graciela se preparaba la comida y cuidaba de su ropa. Preparaba el almuerzo para llevar a la escuela y le decía a la maestra:

—Hoy mamá me hizo empanadas. Sabe que me gustan mucho.

O:

—Se me rompió el vestido, pero mamá me lo cosió. Le encanta hacer cosas para mí.

O:

—Mañana mi mamá y yo vamos a ir al cine.

Y a la maestra se le destrozaba el corazón. Las Navas del Marqués era un pueblito a una hora de Ávila y, como en los pueblos de todas partes, todos sabían lo que les sucedía a todos. La vida que llevaba Dolores era oprobiosa, y se reflejaba en Graciela. Las madres no permitían que sus hijos jugaran con la niña, para que no se contagiaran la inmoralidad. Graciela iba a la escuela de la Plazoleta del Cristo, pero no tenía amigos ni compañeros de juegos. Era una de las mejores alumnas pero sus notas no eran altas. Le resultaba difícil concentrarse, pues siempre estaba cansada.

La maestra la reprendía:

—Debes acostarte más temprano, Graciela, así estarás bien descansada para hacer tu tarea correctamente.

Pero su agotamiento no tenía nada que ver con el hecho de acostarse tarde.

Graciela y su madre compartían una casita de dos habitaciones. La niña dormía en un sofá en la pequeña sala, separada del

66

dormitorio sólo por una cortina fina y gastada. ¿Cómo podía contarle a la maestra los obscenos sonidos nocturnos que la despertaban y la desvelaban, mientras escuchaba a su madre haciendo el amor con cualquier extraño que estuviera en la cama?

Cuando Graciela llevaba a su casa el boletín de calificaciones, la madre gritaba:

—¿Y éstas son las malditas notas que yo esperaba que obtuvieras? ¿Y sabes por qué sacaste esas calificaciones? Porque eres estúpida. ¡Estúpida!

Y Graciela lo creía y se esforzaba por no llorar.

Por las tardes, cuando no había clases, Graciela vagaba sola, caminando por las calles sinuosas y estrechas bordeadas por acacias y sicomoros, pasando por las casas de piedra blanqueada donde vivían con su familia los padres cariñosos. Graciela tenía muchos compañeros, pero todos en su mente. Hermosas niñas y lindos chicos que la invitaban a todas sus fiestas, en las que servían tortas maravillosas y helados. Sus amigos imaginarios eran amables y afectuosos, y todos pensaban que ella era inteligente. Cuando su madre no andaba cerca, Graciela mantenía largas conversaciones con ellos.

¿Me ayudas con mi tarea, Graciela? No sé sumar, y tú lo haces muy bien.

¿Qué haremos esta noche, Graciela? Podríamos ir al cine, o pasear por el pueblo y tomar una Coca Cola.

¿Tu madre te dejará venir a cenar esta noche, Graciela? Tenemos paella.

No, lo lamento. Mamá se siente sola si yo no estoy con ella. Ya sabes que soy lo único que tiene.

Los domingos, Graciela se levantaba temprano y se vestía calladamente, cuidando de no despertar a su madre y cualquiera que fuese el tío que estuviera con ella en la cama, y caminaba hasta la iglesia de San Juan Bautista, donde el padre Pérez hablaba de las dichas de la vida después de la muerte, una vida de cuento de hadas con Jesús; y Graciela sólo esperaba morir y conocer a Jesús.

El padre Pérez era un atractivo sacerdote de unos cuarenta años. Desde que llegara a Las Navas del Marqués, varios años antes, había ayudado a los ricos y a los pobres, a los enfermos y los sanos, y en el pueblito no había secretos de los que él no fuera partícipe. El padre Pérez conocía a Graciela porque ella asistía a la iglesia con regularidad, y él también sabía las historias de la constante corriente de extraños que compartían la cama de Dolores Pinero. No era un hogar apropiado para una muchachita joven, pero nadie podía hacer nada al respecto. Al sacerdote le asombraba que Graciela hubiera resultado tan derecha. Era amable y atenta y nunca se quejaba ni hablaba de la vida que llevaba en su casa.

Graciela aparecía en la iglesia todos los domingos con un traje limpio y planchado; el sacerdote pensaba que sin duda lo había lavado ella misma. El padre Pérez sabía que los otros niños del pueblo huían de ella, y le tenía pena. Se propuso pasar unos momentos con ella después del servicio de cada domingo y, cuando tuviera tiempo, la llevaría a algún café a tomar un helado.

En el invierno la vida de Graciela constituía un paisaje deprimente, pues era monótona y oscura. Las Navas del Marqués se hallaba en un valle rodeado por las sierras Cruz Verde, y a causa de ello los inviernos duraban seis meses. Los veranos eran más fáciles de soportar porque en esa estación llegaban los turistas y colmaban el pueblo de risas y bailes, y las calles cobraban vida. Los turistas se reunían en la Plaza de Manuel Delgado Barredo, con su pequeño estrado para la orquesta construido en piedra, y escuchaban la música o contemplaban a la gente del lugar bailar la sardana, una danza folklórica tradicional que desde hace siglos se baila con los pies descalzos, las manos tomadas; los bailarines se movían con gracia alrededor de un círculo de colores. Graciela observaba a los forasteros sentados en los cafés de las veredas, tomando aperitivos, o haciendo compras en la pescadería o en la farmacia. A la una de la tarde los bares se llenaban de turistas que bebían *chatos* y comían tapas, mariscos, aceitunas y papas fritas.

Para Graciela, lo más emocionante era mirar el paseo todas las tardes. Muchachos y chicas caminaban de un extremo al otro de la Plaza Mayor en grupos separados, los muchachos ojeando a las chicas, mientras los padres, los abuelos y los amigos observaban con ojos de lince, desde los cafés cercanos. Era el tradicional ritual de elegir pareja, practicado durante siglos. Graciela anhelaba integrarse a eso, pero su madre se lo prohibía.

—¿Quieres ser una puta? —le gritaba—. Mantente lejos de los muchachos. Solamente quieren una cosa de ti. Lo sé por experiencia —agregaba con amargura.

Si los días eran tolerables, las noches eran una agonía. A través de la fina cortina que separaba ambas camas, Graciela podía oír los gemidos salvajes, las contorsiones, los fuertes jadeos y, siempre, las obscenidades.

Antes de cumplir diez años, Graciela ya había oído todas las palabras obscenas del vocabulario español. Eran susurradas y gritadas y pronunciadas entre estremecimientos y quejidos. Los gritos de pasión repugnaban a Graciela, y al mismo tiempo despertaban en ella ansias extrañas.

Cuando Graciela tenía catorce años, el Moro se mudó a la casa. Era el hombre más grande que ella había visto. Su piel era de un negro lustroso, y su cabeza estaba afeitada. Tenía hombros enormes, un pecho anchísimo y brazos grandísimos. El Moro había llegado en medio de la noche mientras Graciela estaba dormida, y lo vio por primera vez a la mañana, cuando corrió la cortina y pasó completamente desnudo junto a la cama de ella en dirección al retrete que se hallaba en el fondo. Graciela lo miró y casi se atragantó. Era enorme, en todo. *Va a matar a mi madre*, pensó.

El Moro la observaba.

—Bueno, bueno. ¿Qué tenemos aquí?

Dolores Pinero se apresuró a salir de la cama y se acercó a él.

—Es mi hija —dijo lacónicamente.

Una ola de incomodidad embargó a Graciela, al ver el cuerpo desnudo de su madre junto al hombre.

El Moro sonrió, mostrando unos dientes hermosamente blancos y parejos.

—¿Cuál es tu nombre, linda?

Graciela se sentía demasiado avergonzada por la desnudez de él como para hablar.

—Se llama Graciela. Es retardada.

—Es hermosa. Seguro que tú eras así cuando joven.

—Todavía soy joven —replicó cortante Dolores Pinero. Se volvió hacia su hija: —Vístete. Llegarás tarde a la escuela.

—Sí, mamá.

El Moro se quedó ahí, mirándola.

La mujer lo tomó del brazo y le dijo, lisonjera:

—Vuelve a la cama, querido. Aún no hemos terminado.

—Más tarde —respondió el Moro. Seguía mirando a Graciela.

El Moro se quedó. Todos los días, cuando volvía de la escuela, Graciela rogaba que se hubiera ido. Por razones que no comprendía, la aterraba. Él siempre era amable con ella y nunca hacía ninguna insinuación, y sin embargo el solo pensar en él le provocaba escalofríos en el cuerpo.

El modo como él trataba a su madre ya era otra cosa. El Moro permanecía en la casita la mayor parte del día, bebiendo mucho. Tomaba todo el dinero que Dolores Pinero ganaba, sea cuanto fuere. A veces, a la noche, en medio de la pasión, Graciela oía que el hombre golpeaba a su madre, y a la mañana Dolores Pinero aparecía con un ojo negro o un labio partido.

—Mamá, ¿por qué sigues con él? —le preguntaba.

—No lo entenderías —le respondió la mujer, malhumorada—. Es un hombre de verdad, no un pigmeo como los otros. Él sabe cómo satisfacer a una mujer. —Se pasó la mano por el pelo con gesto de coquetería. —Además, está locamente enamorado de mí.

Graciela no lo creía. Sabía que el Moro estaba usando a su madre, pero no se atrevió a volver a protestar. Estaba demasiado atemorizada por el carácter de su madre, pues cuando Dolores Pinero se enojaba realmente, la poseía una especie de locura. Una vez había perseguido a Graciela con un cuchillo de cocina porque había osado preparar té para uno de los "tíos".

Una mañana de domingo, Graciela se levantó temprano para prepararse para ir a la iglesia. Su madre se había ido un rato antes para entregar unos vestidos. Mientras Graciela se quitaba el camisón, la cortina se corrió hacia un costado y apareció el Moro. Estaba desnudo.

—¿Dónde está tu madre, linda?

—Salió temprano. Tenía que hacer unas entregas.

El Moro estudiaba el cuerpo desnudo de Graciela.

—Realmente eres una belleza —le dijo suavemente.

Graciela sintió que se ruborizaba. Sabía lo que debía hacer. Debía cubrir su desnudez, ponerse una pollera y una blusa e irse. En cambio, se quedó allí, incapaz de moverse. Veía que la virilidad de él comenzaba a hincharse y crecer ante sus ojos. Oía las voces que resonaban en sus oídos:

"¡Más rápido... más fuerte!"

Se sintió desfallecer.

El Moro dijo con aspereza:

—Eres una niña. Ponte la ropa y sal de aquí.

Y Graciela se movió. Se movió hacia él. Se puso en puntas de pie, le rodeó la cintura con los brazos y sintió su dureza de macho contra el cuerpo.

—No —gimió—. No soy una niña.

El dolor que experimentó a continuación no se parecía a nada de lo que Graciela había conocido hasta ese momento. Era agudísimo, insoportable. Era maravilloso, regocijante, hermoso. Estrechó con fuerza al Moro en sus brazos, gritando de éxtasis. Él le provocó orgasmo tras orgasmo, y Graciela pensó: *De modo que éste es todo el misterio.* Y era prodigioso saber al fin el secreto de toda la creación, ser finalmente parte de la vida, conocer para siempre qué era la dicha.

—*¿Qué cuernos están haciendo?*

La que aullaba era Dolores Pinero, y por un instante todo se detuvo, se congeló en el tiempo. Dolores Pinero estaba parada al lado de la cama, mirando a su hija y el Moro.

Graciela levantó la vista hacia su madre, demasiado aterrada como para hablar. Los ojos de Dolores Pinero estaban llenos de una cólera demente.

—¡Puta! —gritó—. ¡Puta podrida!

—Mamá... por favor...

Dolores Pinero tomó un pesado cenicero de hierro de junto a la cama y lo golpeó contra la cabeza de su hija.

Era lo único que Graciela recordaba.

Se despertó en una amplia y blanca guardia de hospital con dos docenas de camas, todas ocupadas. Atormentadas enfermeras se escurrían hacia arriba y abajo, tratando de atender las necesidades de los pacientes.

Graciela sentía un dolor agudísimo en la cabeza. Cada vez que se movía, fluían a través de ella ríos de fuego. Yacía allí, escuchando los gritos y los quejidos de los otros pacientes.

A la tarde un joven interno se detuvo junto a su cama. Tenía alrededor de treinta años pero parecía cansado y viejo.

—Bien —dijo—. Por fin has despertado.

—¿Dónde estoy? —Hablar le dolía.

—Estás en la guardia de caridad del Hospital Provincial de Ávila. Te trajeron ayer. Estabas muy mal; tuvimos que darte puntos en la frente. —El interno prosiguió: —Nuestro cirujano jefe decidió colocarte los puntos él mismo. Dijo que eras demasiado hermosa para tener cicatrices.

Está equivocado, pensó Graciela. *Guardaré cicatrices el resto de mi vida.*

El segundo día, el padre Pérez fue a ver a Graciela. Una enfermera le acercó una silla a la cama. El sacerdote miró a la pálida y hermosa muchacha que yacía allí y el corazón se le derritió. Aquello terrible que le había ocurrido era el escándalo de Las Navas del Marqués, pero nadie podía hacer nada al respecto. Dolores Pinero le dijo a la policía que su hija se había lastimado la cabeza a causa de una caída.

Ahora el padre Pérez le preguntaba:

—¿Ya te sientes mejor, hija?

Graciela asintió con un gesto, y el movimiento le hizo latir violentamente la cabeza.

—La policía ha estado haciendo preguntas. ¿Hay algo que quisieras que yo les dijera?

Un largo silencio. Al fin ella dijo:

—Fue un accidente.

Él no pudo soportar la expresión de sus ojos.

—Comprendo.

Lo que él tenía que decir era más doloroso que lo que podían expresar las palabras.

—Graciela, hablé con tu madre...

Y Graciela lo sabía.

—No... no puedo volver a casa, ¿no es así?

—No, temo que no. Ya hablaremos sobre eso. —El padre Pérez le tomó una mano. —Volveré a verte mañana.

—Gracias padre.

Cuando se fue, Graciela permaneció allí, orando: *Querido Dios, por favor déjame morir. No quiero vivir.*

No tenía ningún lugar adonde ir y nadie a quien acudir. Nunca más vería su casa. Nunca volvería a ver su escuela o las caras familiares de los maestros. Para ella no quedaba nada en el mundo.

Una enfermera se detuvo junto a su cama.

—¿Necesitas algo?

Graciela la miró con desesperanza. ¿Qué podía decir?

Al día siguiente el interno apareció otra vez.

—Tengo buenas noticias —le anunció con torpeza—. Ya estás lo bastante bien como para irte. —Era una mentira, pero el resto de lo que dijo era cierto. —Necesitamos la cama.

Estaba libre para irse... ¿pero adónde?

Cuando llegó el padre Pérez, vino acompañado por otro sacerdote.

—Éste es el padre Berrendo, un viejo amigo mío.

Graciela echó un vistazo al sacerdote de aspecto frágil.

—Buenos días, padre.

Él tenía razón, pensó el padre Berrendo. *Es hermosa.*

El padre Pérez le había contado la historia de lo ocurrido a Graciela. El sacerdote esperaba ver algún signo evidente de la clase de ambiente en el que la niña había vivido, algún rastro de dureza, de desafío, de autoconmiseración. No había ninguna de esas cosas en el rostro de la jovencita.

—Lamento que hayas pasado momentos tan malos —le dijo el padre Berrendo. Sus palabras encerraban un significado más profundo.

El padre Pérez dijo:

—Graciela, debo regresar a Las Navas del Marqués. Te dejo en manos del padre Berrendo.

Graciela se sintió invadida por una súbita sensación de pánico. Como si se cortara su último vínculo con su hogar.

—No se vaya —rogó.

El padre Pérez le tomó una mano entre las suyas.

—Sé que te sientes sola —le dijo con calidez—, pero no lo estás. Créeme, hija, no lo estás.

Una enfermera se acercó a la cama, llevando un atado. Se lo tendió a Graciela:

—Aquí están tus ropas. Lo lamento, pero ya debes irte.

Un pánico aun mayor se apoderó de ella.

—¿Ahora?

Los dos sacerdotes intercambiaron una mirada.

—¿Por qué no te vistes y vienes conmigo? —sugirió el padre Berrendo—. Podemos conversar.

Quince minutos más tarde el padre Berrendo ayudaba a Graciela a salir del hospital hacia la cálida luz del sol. Frente al edificio había un jardín con flores de colores brillantes, pero Graciela estaba demasiado mareada como para siquiera notarlas.

Cuando se sentaron en la oficina de él, el padre Berrendo dijo:

—El padre Pérez me contó que no tienes adonde ir.

Graciela asintió.

—¿No tienes ningún pariente?

—Solamente... —Era difícil decirlo. —Solamente mi madre.

—Graciela, ¿alguna vez has pensado en entrar en un convento?

—No. —La idea la sobresaltó.

—El padre Pérez me dijo que en tu pueblo ibas a la iglesia con regularidad.

Un pueblo que ella nunca volvería a ver.

—Sí.

Graciela pensaba en aquellas mañanas de domingo y en la belleza de los servicios religiosos y en cómo había anhelado estar con Jesús y escapar del dolor de la vida que vivía.

—Aquí en Ávila hay un convento, el convento cisterciense. Allí te cuidarán.

—Yo... no sé. —La idea era aterradora.

—No es para cualquiera —le dijo el padre Berrendo—. Y debo advertirte: es la orden más estricta de todas. Una vez que atravieses los portones y tomes los votos, has hecho una promesa a Dios de no irte jamás.

Graciela permaneció sentada, con la mente llena de pensamientos conflictivos, mirando fijo por la ventana. La idea de encerrarse lejos del mundo la aterraba. *Sería como estar en la cárcel.* Pero, por otro lado, ¿qué tenía el mundo para ofrecerle? Dolor y desesperación más allá de lo soportable. Más de una vez había pensado en el suicidio. Eso le ofrecería una salida a su vida miserable.

El padre Berrendo insistió:

—Depende de ti, hija mía. Si quieres, te llevaré a conocer a la Reverenda Madre Priora.

Graciela asintió.

—Está bien.

La Reverenda Madre estudió el rostro de la joven que tenía delante. La noche anterior, por primera vez en muchos, muchos años, había escuchado la voz. *Una niña vendrá a ti. Protégela.*

—¿Cuántos años tienes, querida?

—Catorce.

Tiene edad suficiente. En el siglo IV el Papa decretó que podía permitirse que las niñas se hicieran monjas a partir de los doce años.

—Tengo miedo —dijo Graciela a la reverenda madre Betina.

Tengo miedo. Las palabras resonaron en la mente de Betina: *Tengo miedo...*

Eso había sucedido hacía muchos años. Ella hablaba con su confesor.

—No sé si tengo vocación para esto, padre. Tengo miedo.

—Betina, el primer contacto con Dios puede ser muy perturbador, y la decisión de dedicar tu vida a Él es difícil.

¿Cómo encontré mi vocación?, se había preguntado Betina.

Nunca había sentido el más leve interés por la religión. De niña evitaba la iglesia y las clases parroquiales de los domingos. De adolescente le atraían más las fiestas, la ropa y los muchachos. Si a sus amigos de Madrid se les hubiera pedido que eligieran a las candidatas posibles a convertirse en monjas, Betina habría figurado al final de la lista. Más exactamente, no habría formado parte de aquella lista. Pero cuando llegó a los diecinueve años comenzaron a ocurrir hechos que le cambiaron la vida.

Ella estaba en la cama, dormida, cuando una voz le dijo:

—Betina, levántate y ve afuera.

Abrió los ojos y se sentó, asustada. Encendió el velador. Estaba sola. *Qué sueño extraño.*

Pero la voz había sido muy real. Volvió a acostarse, aunque le resultaba imposible dormirse.

Betina, levántate y ve afuera.

Es mi subconsciente, pensó. *¿Por qué querría salir en medio de la noche?*

Apagó la luz y un momento después la encendió otra vez. *Esto es una locura.*

Pero se puso el salto de cama y las pantuflas, y bajó. La casa estaba dormida.

Abrió la puerta de la cocina y al hacerlo sintió que una ola de miedo la inundaba, porque de algún modo sabía que tenía que salir al patio. Miró alrededor en la oscuridad y sus ojos divisaron el destello que la luz de la luna producía en una vieja heladera abandonada que se utilizaba para guardar herramientas.

Betina supo de pronto por qué se hallaba ahí. Avanzó hacia la heladera como hipnotizada, y la abrió. Su hermanito de tres años estaba dentro, inconsciente.

Ése fue el primer incidente. Con el tiempo, Betina lo racionalizó como una experiencia de lo más normal. *Debo de haber oído a mi hermano que se levantaba y salía al patio, y como sabía que la heladera estaba ahí, me quedé preocupada por él y salí a inspeccionar.*

La experiencia siguiente no fue tan fácil de explicar. Sucedió un mes después.

En sueños, Betina oyó una voz que decía:

—Debes apagar el fuego.

Se sentó en la cama, completamente despierta, con el pulso acelerado. Otra vez le resultó imposible volver a dormirse. Se puso la bata y las pantuflas y se dirigió al vestíbulo. No había humo. Ni fuego. Abrió la puerta del dormitorio de sus padres. Todo estaba normal. Tampoco había fuego en el cuarto de su hermano. Bajó las escaleras y miró todas las habitaciones. No había ninguna señal de fuego.

Soy una idiota, pensó. *No era más que un sueño.*

Volvió a la cama, justo en el momento en que la casa era sacudida por una explosión. Ella y su familia escaparon, y los bomberos lograron extinguir el fuego.

—Comenzó en el sótano —explicó uno de los bomberos—. Explotó una caldera.

Tres semanas después ocurrió otro incidente. Esta vez no se produjo mediante un sueño.

Betina se hallaba en el patio, leyendo, cuando vio a un extraño que caminaba hacia ella. La miró y en ese instante sintió que de él emanaba una malevolencia casi palpable. El hombre se dio vuelta y desapareció.

Betina no pudo quitárselo de la mente.

Tres días más tarde, Betina se encontraba en un edificio de oficinas, esperando el ascensor. Se abrió la puerta y ella estaba a punto de subir cuando miró al ascensorista. Era el hombre que había visto en el jardín. Dio un paso atrás, asustada. La puerta se cerró y el ascensor subió. Unos momentos después se cayó y estrelló; todos los que se hallaban dentro murieron.

Al domingo siguiente Betina fue a la iglesia.

Dios mío, no sé qué es lo que está sucediendo, y tengo miedo. Por favor guíame y dime qué es lo que quieres que haga.

La respuesta le llegó esa noche, mientras Betina dormía. La voz dijo una sola palabra. *Devoción.*

Pensó en ello toda la noche, y a la mañana fue a hablar con el sacerdote.

Él escuchó atentamente lo que ella tenía que decirle.

—Ah. Eres una de las afortunadas. Has sido elegida.

—¿Elegida para qué?

—¿*Estás dispuesta a consagrar toda tu vida a Dios, hija mía?*

—Yo... no sé. Tengo miedo.

Pero al fin entró en el convento.

Elegí la senda correcta, pensó la reverenda madre Betina, *porque nunca he conocido tanta felicidad...*

Y ahora se encontraba ante esa niña apaleada que decía:

—Tengo miedo.

La Reverenda Madre tomó a Graciela de la mano.

—Tómate tu tiempo, Graciela. Dios no se va a ir. Piénsalo y vuelve para que podamos conversar sobre esto.

¿Pero qué era lo que había que pensar? *No tengo ningún otro lugar adonde ir en el mundo*, pensó Graciela. Además, el silencio sería una bendición. *He oído demasiados sonidos terribles.* Miró a la Reverenda Madre y dijo:

—Aceptaré la bendición del silencio.

Eso había ocurrido diecisiete años antes, y en aquel momento Graciela encontró la paz por primera vez en su vida. Dedicó su vida a Dios. El pasado ya no le pertenecía. Se le perdonaron los horrores con los que había crecido. Ella era la novia de Cristo, y al final de su vida se uniría a Él.

A medida que fueron pasando los años en el hondo silencio, y a despecho de las pesadillas ocasionales, los terribles sonidos de su mente fueron apagándose poco a poco.

A la hermana Graciela se le asignó el trabajo en el jardín, donde cuidaba de los diminutos arco iris del milagro de Dios, sin cansarse nunca de su esplendor. Los altos muros del convento se elevaban alrededor y por encima de ella, como una montaña de piedra, pero Graciela nunca sentía que la encerraban; los muros impedían la entrada del terrible mundo exterior, un mundo que ella no quería volver a ver jamás.

La vida en el convento era serena y apacible. Pero ahora, de repente, sus horribles pesadillas se habían convertido en realidad.

Su mundo había sido invadido por los bárbaros. Ellos la habían forzado a salir de su santuario, para entrar en el mundo al que había renunciado para siempre. Y sus pecados regresaban como una inundación, llenándola de horror. El Moro había vuelto. Sentía su aliento en la cara. Mientras luchaba contra él, Graciela abrió los ojos y vio al fraile que estaba sobre ella y trataba de penetrarla. Le decía:

al fraile que estaba sobre ella y trataba de penetrarla. Le decía:

—Deja de luchar contra mí, hermana. ¡Esto te va a gustar mucho!

—¡Mamá! —gritó Graciela—. ¡Mamá! ¡Ayúdame!

Capítulo siete

Lucía Carmine se sentía maravillosa mientras caminaba por la calle con Megan y Teresa. Era magnífico usar otra vez ropas femeninas y oír el susurro de la seda contra su piel. Miró de reojo a las otras. Caminaban nerviosas, desacostumbradas a las prendas nuevas; se las veía cohibidas e incómodas con las polleras y las medias largas. *Parece que hubieran caído de otro planeta. Seguro como el demonio que no pertenecen a éste*, pensó Lucía. *No habría diferencia si llevaran un cartel que dijera: "Atrápenme"*.

De las tres mujeres, la que más molesta se sentía era la hermana Teresa. Treinta años de convento le habían inculcado profundamente el sentido de la humildad, que ahora era violada por los sucesos que se le habían impuesto. Ese mundo al que había perteneciendo en un tiempo parecía irreal. Lo real era el convento, y ella anhelaba regresar enseguida al santuario de sus muros protectores.

Megan se daba cuenta de que los hombres la miraban al caminar por la calle, y se ruborizó. Había vivido tanto tiempo en un mundo de mujeres que ya no recordaba lo que era ver a un hombre, y mucho menos un hombre que le sonriera. Era embarazoso, indecente... excitante. Los hombres despertaban en Megan sentimientos enterrados mucho tiempo atrás. Por primera vez en años era consciente de su femineidad.

Las tres mujeres pasaron frente al bar que habían visto antes; la música salía estridente hacia la calle. ¿Cómo la había llamado el fraile Carrillo? *Rock and roll. Muy popular entre los jóvenes.* Algo molestó a Megan. Y de pronto se dio cuenta de lo que era. Al pasar frente al cine, el fraile había dicho: *Es lamentable lo que se permite mostrar en cine en estos tiempos. Esa película es pornografía pura. Exhiben los actos más privados y personales para que todo el mundo los vea.*

El corazón de Megan comenzó a latir más rápido. Si el fraile Carrillo había vivido encerrado en un monasterio los últimos veinte años, ¿cómo era posible que conociera la música rock o que supiera de qué se trataba la película? Algo andaba terriblemente mal.

Se volvió hacia Lucía y Teresa y dijo con urgencia:

—Tenemos que regresar a la tienda.

Vieron que Megan echaba a correr y se apresuraron a seguirla.

Graciela estaba en el piso, luchando desesperadamente por liberarse, rasguñando a Carrillo y clavándole las uñas.

—¡Maldita seas! ¡Quédate quieta! —dijo el hombre, falto de aliento.

Oyó un ruido y alzó la vista. Vio el taco de un zapato que se balanceaba en dirección a su cabeza, y ése fue su último recuerdo.

Megan levantó a la temblorosa Graciela y la estrechó en sus brazos.

—Shhh. Todo está bien. Él no te molestará más.

Pasaron varios minutos antes de que Graciela pudiera hablar.

—Él... él... esta vez no fue culpa mía —dijo con voz suplicante.

Lucía y Teresa habían entrado en la tienda. Lucía enseguida se dio cuenta de la situación.

—¡Bastardo!

Miró el cuerpo inconsciente y semidesnudo que yacía en el piso. Mientras las otras observaban, Lucía tomó unos cinturones de un mostrador y ató fuertemente las manos de Miguel Carrillo detrás de la espalda.

—Átale los pies —le dijo a Megan.

Megan puso manos a la obra.

Después, Lucía se paró, satisfecha.

—Muy bien. Esta tarde, cuando abran la tienda, el fraile tendrá que explicar lo que estaba haciendo aquí. —Miró detenidamente a Graciela: —¿Estás bien?

—Yo... eh...sí. —Trató de sonreír.

—Será mejor que nos vayamos de aquí —dijo Megan—. Vístete. Rápido.

Cuando ya estaban listas para irse, Lucía las detuvo:

—Esperen un minuto.

Fue hasta la caja registradora y oprimió una tecla. Adentro había varios cientos de pesetas. Las tomó, sacó una cartera de un estante y guardó el dinero. Vio la expresión desaprobadora en el rostro de Teresa.

—Considéralo de este modo, hermana: si Dios no quisiera que tomáramos este dinero, no lo habría puesto a nuestro alcance —le dijo Lucía.

Se dirigieron al café, donde se sentaron a deliberar. La que hablaba era la hermana Teresa:

—Debemos llevar la cruz al convento de Mendavia lo antes posible. Allí estaremos todas a salvo.

Yo no, pensó Lucía. Yo estaré a salvo cuando llegue a ese Banco suizo. Pero lo primero es lo primero. Tengo que apoderarme de esa cruz.

—El convento de Mendavia queda al norte de aquí, ¿correcto?

—Sí.

—Los hombres nos buscarán en todos los pueblos. Así que esta noche dormiremos en las colinas.

Allí nadie la oirá, por más que grite.

Una camarera se acercó a la mesa y les dio el menú. Las hermanas lo examinaron con expresión confundida. De pronto Lucía entendió. Hacía muchísimos años que no se les ofrecía elección de ninguna clase. En el convento comían automáticamente la sencilla comida que les ponían adelante. Ahora se enfrentaban a una infinidad de exquisiteces desconocidas.

La hermana Teresa fue la primera en hablar.

—Yo... Quisiera un poco de café y pan, por favor.

La hermana Graciela dijo:

—Yo también.

Y Megan:

—Tenemos por delante un viaje muy largo. Sugiero que pidamos algo más nutritivo, como unos huevos.

Lucía la miró con ojos nuevos. *A ésta hay que vigilarla*, pensó. Y en voz alta dijo:

—La hermana Megan tiene razón. Permítanme que yo pida por ustedes, hermanas.

Ordenó naranjas cortadas, tortilla de papas, panceta, mermelada y café.

—Estamos apuradas —le dijo a la camarera.

La siesta terminaba a las cuatro y media, y entonces el pueblo se despertaría. Quería salir de allí antes de que eso sucediera, antes de que descubrieran a Miguel Carrillo en la tienda.

Cuando llegó la comida, las hermanas se quedaron mirándola.

—Sírvanse —las urgió Lucía.

Comenzaron a comer, primero con cautela y luego con gusto, superando sus sentimientos de culpa.

La hermana Teresa fue la única que tuvo problemas. Comió un bocado y dijo:

—Yo... no puedo. Es... es como renunciar.

—Hermana —replicó Megan—, quieres llegar al convento, ¿no es así? Entonces debes comer para conservar las fuerzas.

La hermana Teresa respondió con actitud escrupulosa:

—Está bien. Comeré. Pero les prometo que no voy a disfrutarlo.

Lucía hizo un esfuerzo por mantener una expresión seria.

—Muy bien, hermana. Come.

Cuando terminaron, Lucía pagó la cuenta con parte del dinero que había sacado de la caja registradora, y salieron a la calle, bañada por la caliente luz del sol. El pueblo comenzaba a cobrar vida y los negocios iban abriéndose. *A esta altura es probable que ya hayan agarrado a Miguel Carrillo*, pensó Lucía.

Lucía y Teresa estaban impacientes por salir del pueblo, pero Graciela y Megan caminaban lentamente, fascinadas por las imágenes y los sonidos y los olores del lugar.

Recién cuando llegaron a las afueras y se encaminaron hacia las montañas Lucía comenzó a relajarse. Avanzaban sin interrupción hacia el norte, trepando, ascendiendo lentamente por el terreno escarpado. Lucía sentía la tentación de preguntarle a la hermana Teresa si no quería que ella cargara el paquete, pero se frenaba para no decir nada que pudiera despertar las sospechas de la mujer.

Cuando llegaron a un pequeño claro en lo alto, rodeado por árboles, Lucía dijo:

—Podemos pasar la noche aquí. A la mañana nos dirigiremos al convento de Mendavia.

Las otras asintieron, creyéndole.

El sol atravesaba con lentitud el cielo azul y el claro estaba silencioso, salvo los sedantes sonidos del verano. Al fin cayó la noche. Una por una las mujeres se echaron sobre el pasto verde.

Lucía, respirando suavemente, se quedó escuchando un silencio más profundo, esperando que las demás se durmieran del todo, para poder actuar.

A la hermana Teresa le costaba relajarse. Dormir bajo las estrellas, rodeada de las otras hermanas, le resultaba una experiencia extraña. Ahora esas monjas tenían nombre, cara y voz, y ella temía que Dios fuera a castigarla por haber accedido a ese conocimiento prohibido. Se sentía terriblemente perdida.

También a la hermana Megan le costaba conciliar el sueño. La emoción de los hechos del día la embargaba. *¿Cómo supe que el fraile era un impostor?*, se preguntaba. *¿Y cómo tuve el coraje de salvar a la hermana Graciela?* Sonrió, incapaz de evitar sentirse un poquito complacida de sí, aunque sabía que un sentimiento semejante era pecado.

Graciela estaba dormida, emocionalmente agotada por lo que había vivido. Se agitaba y se daba vuelta de un lado a otro, acosada por sueños en los que la perseguían a lo largo de oscuros, interminables corredores.

Lucía Carmine permanecía inmóvil, esperando. Estuvo así durante casi dos horas y luego se sentó silenciosamente y se movió en la oscuridad hacia la hermana Teresa. Tomaría el paquete y desaparecería.

Cuando se acercó a la hermana Teresa, Lucía vio que la monja estaba despierta, de rodillas, rezando. *¡Mierda!* Lucía retrocedió rápidamente.

Volvió a echarse, obligándose a mantener la paciencia. La hermana Teresa no iba a rezar toda la noche. Tenía que dormir un poco.

Lucía hacía planes. El dinero de la tienda le alcanzaría para tomar un tren o un ómnibus a Madrid. Una vez allí, sería sencillo encontrar una casa de empeños. Se veía entrando y mostrando la cruz de oro. El prestamista sospecharía que era robada, pero eso no importaría. Tendría muchísimos clientes ansiosos por comprarla.

Le daré cien mil pesetas por esta cruz.

Ella rechazaría la oferta. *Para eso, prefiero vender mi cuerpo. Ciento cincuenta mil pesetas.*

Preferiría fundirla y tirar el oro por la alcantarilla.

Doscientas mil pesetas. Es mi última oferta.

Sé que me está robando, pero acepto.

El hombre extendería las manos ansiosamente para apoderarse de la cruz.

Con una condición.

¿Una condición?

Sí. Perdí mi pasaporte. ¿Conoce a alguien que pueda conseguirme uno? Sus manos todavía aferrarían la cruz.

El hombre vacilaría y luego diría: *Justamente tengo un amigo que hace ese tipo de cosas.*

Y se realizaría el trato. Y ella emprendería el camino a Suiza y a la libertad. Recordaba las palabras de su padre: *Allí hay más dinero que el que podrías gastar en diez vidas.*

Sus ojos comenzaron a cerrarse. Había sido un día muy largo.

Medio dormida, Lucía oyó el tañido de una campana de iglesia del pueblo distante. La invadió una marea de recuerdos, de otro lugar, de otra época...

Capítulo ocho

Taormina, Sicilia
1968

Se despertaba todas las mañanas con el sonido distante de las campanas de la iglesia de San Domenico, en lo alto de las montañas Peloritani que rodeaban a Taormina. Le gustaba despertarse lentamente, desperezándose con languidez, como un gato. Mantuvo los ojos cerrados, sabiendo que había algo maravilloso que recordar. *¿Qué era?* La pregunta le azuzaba la mente y ella la hizo a un lado pues no quería saberlo todavía, deseaba saborear la sorpresa. Y de pronto su mente se vio dichosamente invadida por el recuerdo. Ella era Lucía Carmine, la hija de Angelo Carmine, y eso era suficiente para hacer feliz a cualquier persona del mundo.

Vivían en una amplia quinta repleta de sirvientes, tantos que Lucía, de quince años, no podía contarlos. Un guardaespaldas la llevaba a la escuela todas las mañanas en una limusina blindada. Creció usando los vestidos más lindos y los juguetes más caros de toda Sicilia, y era la envidia de sus compañeras.

Pero el centro de la vida de Lucía era su padre. En su opinión, era el hombre más apuesto del mundo. Bajo y corpulento, con un rostro fuerte y tormentosos ojos negros que irradiaban poder. Tenía dos hijos, Arnaldo y Víctor, pero era a su hija a quien Angelo Carmine adoraba. Y Lucía lo idolatraba. En la iglesia, cuando el cura hablaba de Dios, Lucía siempre pensaba en su padre.

Por las mañanas él se acercaba a su cama y le decía:

—Es hora de levantarse para ir a la escuela, *faccia d'angelo.* Cara de ángel.

No era cierto, desde luego. Lucía sabía que no era verdaderamente hermosa. *Soy atractiva*, pensaba estudiándose objetivamente en el espejo. Sí. Llamativa, más que hermosa. Su reflejo le devolvía la imagen de una joven de rostro oval, piel marfil, dientes blancos y parejos, un mentón fuerte —¿demasiado fuerte?—, labios carnosos y voluptuosos —¿demasiado carnosos?— y despiertos ojos negros. Pero si su cara no llegaba a ser hermosa, su cuerpo la compensaba con creces. A los quince años, Lucía tenía el cuerpo de una mujer, con pechos redondos y firmes, cintura estrecha y caderas que se movían con prometedora sensualidad.

—Vamos a tener que casarte pronto —bromeaba su padre—. Dentro de muy poco volverás locos a los hombres, mi virgencita.

—Yo quiero casarme con alguien como tú, papá, pero no hay otro igual.

El hombre se rió.

—No importa. Te encontraremos un príncipe. Naciste con buena estrella y un día sabrás lo que es que un hombre te estreche en sus brazos y te haga el amor.

Lucía se sonrojó.

—Sí, papá.

Era cierto que nadie le había hecho el amor... en las últimas veinte horas. Benito Patas, uno de sus guardaespaldas, siempre se acostaba con ella cuando su padre no estaba en la ciudad. El hecho de que Benito le hiciera el amor en su propia casa lo tornaba todo más emocionante, pues Lucía sabía que si su padre se enteraba de lo que sucedía los mataría a los dos.

Benito tenía unos treinta años y lo complacía que la hermosa y joven hija virgen del gran Angelo Carmine lo hubiera elegido a él para desflorarla.

—¿Resultó como lo esperabas? —le preguntó la primera vez que la llevó a la cama.

—Oh, sí —respondió Lucía, jadeante—. Mejor.

Y pensó: *Benito no es tan hábil como Mario, Tony o Enrico, pero es mucho mejor que Roberto y Leo.* No podía recordar los nombres de todos los otros.

A los trece años, Lucía había sentido que ya estaba cansada de ser virgen. Buscó en su entorno y decidió que el afortunado sería Paolo Costello, el hijo del médico de Angelo Carmine. Paolo tenía diecisiete años, era alto y robusto y sobresalía como el mejor jugador de fútbol de la escuela. Lucía se había enamorado locamente de él la primera vez que lo vio. Se las ingenió para toparse con él cada vez que podía. A Paolo nunca se le ocurrió que esos constantes encuentros estaban cuidadosamente planeados. Para él, la atractiva hija de Angelo Carmine era una niña. Pero en un caluroso día de verano, en agosto, Lucía decidió que ya no podía esperar más. Llamó por teléfono a Paolo.

—Paolo... habla Lucía Carmine. Mi padre quisiera conversar de algo contigo. ¿Es posible que te encuentres con él esta tarde en el invernadero de la piscina?

Paolo se sentía a la vez sorprendido y halagado. Temía y respetaba a Angelo Carmine pero no sabía que el poderoso mafioso estuviera siquiera enterado de su existencia.

—Me encantaría —respondió—. ¿A qué hora quiere tu padre que esté allí?

—A las tres de la tarde.

La hora de la siesta, cuando todo el mundo dormía. El invernadero estaba aislado, en el fondo de la amplia propiedad, y su padre se encontraba fuera de la ciudad. No había ninguna posibilidad de que los interrumpieran.

Paolo llegó puntualmente a la hora indicada. La puerta que llevaba al jardín estaba abierta y fue directamente hacia el lugar de la cita. Se detuvo ante la puerta cerrada y golpeó.

—¿*Signore* Carmine?

No hubo respuesta. Paolo consultó su reloj. Con cuidado abrió la puerta y entró. El recinto estaba a oscuras.

—¿*Signore* Carmine?

Una figura avanzó hacia él.

—Paolo...

Reconoció la voz de Lucía.

—Lucía, estoy buscando a tu padre. ¿Está aquí?

Ella se le acercó lo suficiente para que Paolo pudiera ver que estaba completamente desnuda.

—¡Dios mío! —resolló Paolo—. ¿Qué...?

—Quiero que me hagas el amor.

—¡Estás loca! Eres apenas una niña. Me voy de aquí —y se dirigió a la puerta.

—Está bien, vete. Le diré a mi padre que me violaste.

—No, no serías capaz.

—Vete y lo sabrás.

Paolo se detuvo. Si Lucía llevaba a cabo su amenaza, Paolo

no tenía la menor duda de cuál sería su destino. La castración no sería más que el principio.

Volvió junto a Lucía para hacerla entrar en razón.

—Lucía, querida...

—Me gusta que me digas "querida".

—No... Escúchame, Lucía. Esto es muy serio. Tu padre me matará si le dices que te violé.

—Ya lo sé.

Él hizo otro intento.

—Mi padre caería en desgracia. Toda mi familia iría a la ruina.

—Ya lo sé.

No había esperanza.

—¿Qué es lo que quieres de mí?

—Quiero que te acuestes conmigo.

—No. Es imposible. Si tu padre lo descubriera me mataría.

—Y si me dejas aquí, te matará. No tienes mucho que elegir, ¿no te parece?

Él la miró fijo, aterrado.

—¿Por qué yo, Lucía?

—¡Porque estoy enamorada de ti, Paolo! —Lo tomó de las manos y las colocó suavemente entre sus piernas. —Soy una mujer. Hazme sentir mujer.

En la penumbra Paolo podía ver los montículos gemelos de sus pechos, sus pezones duros, y el vello suave y oscuro entre sus piernas. *Jesús*, pensó Paolo. *¿Qué puede hacer un hombre?*

Ella lo condujo a un sofá, lo ayudó a quitarse los pantalones y los calzoncillos. Se arrodilló y puso en su boca la dureza viril de él, absorbiéndola suavemente; y Paolo pensó: *Ella ya ha hecho esto antes.* Y cuando se hallaba encima de ella, sumergido profundamente en su interior, mientras ella lo aferraba con fuerza por la espalda, sus caderas arremetiendo ávidamente contra las de él, Paolo pensó: *Dios mío, es maravillosa.*

Lucía estaba en el paraíso. Era como si hubiera nacido para eso. Por instinto sabía exactamente qué hacer para complacerlo a él y a sí misma. Todo su cuerpo ardía. Sintió que iba llegando a un clímax y cuando al fin sucedió gritó impulsada por la dicha. Ambos se quedaron acostados, cansados, respirando agitados.

Luego de un momento, Lucía habló:

—Mañana a la misma hora.

Cuando Lucía tenía dieciséis años, Angelo Carmine decidió que era tiempo de que su hija conociera algo del mundo. Acompañada por la vieja tía Rosa, Lucía pasó las vacaciones escolares en Capri e Ischia, Venecia y Roma, y una docena de lugares más.

—Debes cultivarte, y no ser una campesina, como tu padre. Los viajes completarán tu educación. En Capri la tía Rosa te llevará a ver el monasterio cartujo de San Jaime y la capilla de San Michele y el Palazzo A Mare...

—Sí, papá.

—En Venecia está la basílica de San Marcos, el Palacio Ducal, la iglesia de San Gregorio y el museo del siglo XVIII...

—Sí, papá.

—Roma es el tesoro del mundo. Allí podrás visitar la ciudad del Vaticano y la basílica de Santa María Maggiore y la galería Borghese, por supuesto.

—Por supuesto.

—¡Y Milán! Debes ir al Conservatorio a escuchar algún concierto. Conseguiré entradas para que tú y la tía Rosa vayan a La Scala. Verás el Museo Municipal de Arte, la galería Uffizi, y además hay montones de iglesias y museos.

—Sí, papá.

Gracias a sus cuidadosos planes, Lucía se las ingenió para no ver ninguno de esos lugares. La tía Rosa insistía en dormir la siesta todas las tardes y acostarse muy temprano por las noches.

—Tú también debes descansar, querida.

—Por supuesto, tía Rosa.

Y así, mientras la tía Rosa dormía, Lucía bailaba en el Quisisana de Capri, paseaba en una *carrozza* tirada por un caballo adornado con un penacho de plumas, se divertía con un grupo de muchachos estudiantes en la Marina Piccola, iba a picnics en los Bagni di Tiberio y tomaba el funicular hasta Anacapri, donde se reunía con unos estudiantes franceses para tomar unas copas en la Piazza Umertol.

En Venecia un atractivo gondolero la llevó a una discoteca y un pescador la acompañó a pescar en Chioggia. Y la tía Rosa dormía.

En Roma, Lucía bebió vino de Apulia y descubrió todos los restaurantes de moda, como Marte y Ranieri y Giggi Fazi.

En todos los lugares donde iba Lucía encontraba bares escondidos y *night clubs* y hombres apuestos y románticos. *Y pensaba: Mi querido papá tenía mucha razón. Los viajes han completado mi educación.*

En la cama, aprendió a hablar varios idiomas distintos, y pensaba: *Esto es mucho más divertido que las clases de idiomas de la escuela.*

Cuando Lucía regresó a Taormina se confesó con sus amigas más íntimas:

—Estuve desnuda en Nápoles, drogada en Salerno, caliente en Florencia y encamada en Lucca.

La propia Sicilia era una maravilla para explorarla, una isla de templos griegos, anfiteatros bizantinos romanos, capillas, baños árabes y castillos suabos.

Lucía descubrió que Palermo era un lugar áspero y vivaz, y le gustaba vagabundear por Kalsa, el viejo barrio árabe, y visitar la Opera dei Pupi, el teatro de marionetas. Pero su sitio preferido era Taormina, donde había nacido. Una ciudad de tarjeta postal, ubicada sobre el mar Jónico en lo alto de una montaña que dominaba el mundo. Una ciudad de tiendas de vestidos y joyerías, bares y hermosos barrios viejos, *trattorie* y coloridos hoteles como el Excelsior Palace y el San Domenico.

La sinuosa calle que subía desde el puerto marino de Nachos es empinada, estrecha y peligrosa, y cuando Lucía Carmine recibió de regalo un auto para su cumpleaños, violó todas las leyes de tránsito existentes pèro ni una sola vez fue detenida por los *carabinieri.* Después de todo, era la hija de Angelo Carmine.

Para aquellos que eran lo bastante valientes o lo bastante estúpidos para preguntarlo, Angelo Carmine se ocupaba de negocios inmobiliarios. Y era parcialmente cierto, pues la familia Carmine poseía la quinta de Taormina, una casa en el lago de Como en Cernobbia, una cabaña en Gstaad, un departamento en Roma y una enorme granja en las afueras de Roma. Pero ocurría que Angelo Carmine también se ocupaba de negocios más divertidos. Tenía una docena de prostíbulos, dos casinos, seis barcos que traían cocaína de sus plantaciones en Colombia y una diversidad de otras empresas muy lucrativas, incluyendo la usura. Angelo Carmine era el Capo de los mafiosos sicilianos, de modo que era más que imaginable que viviera bien. Su vida era una inspiración para los demás, una alentadora demostración de que un pobre campesino que fuera ambicioso y trabajara arduamente podía llegar a ser rico y poderoso.

Angelo Carmine había comenzado como mandadero de los mafiosos a la edad de doce años. A los quince ya se había convertido en matón que cobraba por la fuerza el dinero prestado por los usureros, y a los dieciséis había matado a su primer hombre y obtenido cierta fama. Poco después se casó con la madre de Lucía, Anna. En los años siguientes Angelo Carmine fue subiendo los alevosos peldaños que llevaban a la cima, dejando tras de sí una sarta de enemigos. Él había crecido, pero Anna seguía siendo la misma campesina simple con la que se casó. Le dio tres lindos hijos, pero después cesó de contribuir a la vida de Angelo. Como si supiera que ya no tenía lugar en la vida de la familia, murió servicialmente, y fue lo bastante considerada como para hacerlo sin provocar mucho alboroto.

Arnaldo y Víctor trabajaban en los negocios de su padre, y desde pequeña Lucía escuchaba a hurtadillas las emocionantes conversaciones entre su padre y sus hermanos, las historias de cómo habían engañado o vencido a sus enemigos. Para Lucía, su padre era un caballero de brillante armadura. No veía nada malo en lo que hacían los hombres de su familia. Por el contrario, ayudaban a la gente. Si la gente quería jugar, ¿por qué permitir que las leyes estúpidas se interpusieran en su camino? Y qué generoso era su padre al prestar dinero a las personas que los insensibles banqueros se negaban a atender. Para Lucía, su padre y sus hermanos eran ciudadanos modelo. La prueba de ello residía en las amistades de su padre. Una vez por semana Angelo Carmine ofrecía un enorme banquete en la quinta, y ¡oh, la gente que se sentaba a su mesa! El alcalde, y varios concejales, y jueces, y junto a ellos se sentaban estrellas de cine y cantantes de ópera y, con frecuencia, el jefe de policía y un monseñor. Varias veces por año aparecía el gobernador en persona.

Lucía vivía una vida idílica, llena de fiestas y hermosas ropas y joyas, coches y sirvientes y amigos poderosos. Hasta que un día de febrero, en su vigésimo tercer cumpleaños, todo terminó.

Comenzó de manera inocua. Dos hombres llegaron a la quinta a ver a su padre. Uno de ellos era amigo de la casa, el jefe de policía, y el otro era su lugarteniente.

—Perdóneme, Patrone —se disculpó el jefe de policía—, pero se trata de una estúpida formalidad a que me obliga el Comisionado. Mil perdones, Patrone, pero si usted tiene la amabilidad de acompañarme al departamento de policía yo me encargaré de que vuelva a su casa a tiempo de disfrutar la fiesta de cumpleaños de su hija.

—No hay problema —respondió afablemente Angelo Carmine—. Un hombre debe cumplir con su deber. —Sonrió. —Este nuevo Comisionado designado por el Presidente es bastante trepador, ¿eh?

—Temo que sí —suspiró el jefe de policía—. Pero no se preocupe. Usted y yo ya hemos visto a varios de estos pesados llegar e irse enseguida, ¿no es así, Patrone?

Se marcharon riéndose.

Angelo Carmine no llegó a su casa ese día para asistir a la fiesta, y tampoco al día siguiente. En realidad, nunca volvió a ver su casa. El Estado tenía una lista de cien cargos que lo condenaban por asesinato, tráfico de drogas, prostitución, incendios premeditados y muchos otros crímenes. Se le negó salir bajo fianza. La policía efectuó operaciones que barrieron con la organización criminal de Carmine. Él contaba con sus poderosos contactos en Sicilia para que levantaran los cargos contra él, pero en medio de la noche las autoridades lo trasladaron a Roma y lo alojaron en la famosa prisión Regina Coeli. Lo encerraron en una pequeña celda de ventanas con barrotes que contenía un radiador, un catre y un retrete. ¡Atroz!

Al principio Angelo Carmine estaba seguro de que Tommasso Contorno, su abogado, lograría que lo liberaran de inmediato.

Cuando Contorno fue a visitarlo a la cárcel, Carmine le dijo encolerizado:

—¡Han cerrado mis prostíbulos y terminado con mis operaciones de narcotráfico, y saben todo sobre mis manejos de dinero! Hay alguien que está hablando. Descubra quién es y tráigame la lengua de ese desgraciado.

—No se preocupe, Patrone —lo tranquilizó Contorno—. Lo encontraremos.

Su optimismo resultó infundado. Para proteger a sus testigos, el Estado se negó inflexiblemente a revelar los nombres hasta que empezó el juicio.

Dos días antes del juicio, Angelo Carmine y otros miembros de la mafia fueron transferidos a Rebibbia Prigionè, una cárcel de máxima seguridad ubicada a unos veinte kilómetros de Roma. El proceso se llevó a cabo en una sala de tribunales cercana, fortificada como un *bunker*. Presentaron a ciento sesenta miembros de la mafia acusados de diversos crímenes, que fueron trasladados a través de un túnel subterráneo, sujetos con esposas y cadenas. Ya en la sala, los colocaron dentro de treinta jaulas de acero y vidrio a prueba de balas. Guardias armados rodeaban el interior y el exterior del tribunal y se registraba a los espectadores antes de permitírseles el paso.

Cuando ingresaron en la sala a Angelo Carmine, su corazón saltó de alegría pues el juez sentado en el estrado era Giovanni Buscetta, un hombre que había figurado en la planilla de pagos durante los últimos quince años y era frecuente invitado a la casa del mafioso. Angelo Carmine sabía que al fin se iba a hacer justicia.

Comenzó el juicio. Angelo Carmine esperaba que la Omertà, el código siciliano de silencio, lo protegiera. Pero, para su sorpresa, el principal testigo del Estado resultó ser nada menos que Benito Patas, el guardaespaldas. Patas trabajaba para la familia Carmine desde hacía tanto tiempo, y se le tenía tanta confianza, que se le permitía permanecer en la habitación mientras se celebraban reuniones en las que se discutían asuntos confidenciales de negocios, y ya que éstos consistían en todas las actividades ilegales que condena el estatuto policial, Patas poseía gran cantidad de información. Cuando la policía había aprehendido a Patas, minutos después de que asesinara a sangre fría y mutilara al nuevo novio de su amante, lo amenazaron con mandarlo a la cárcel de por vida, y Patas consintió de mala gana en ayudar a la policía a llevar a cabo su acción contra Carmine, a cambio de una sentencia más leve. Ahora, ante la horrorizada incredulidad de Angelo Carmine, sentado en la sala, Patas revelaba los secretos más íntimos del feudo de Carmine.

Lucía asistía también a la corte, todos los días, y escuchaba al que había sido su amante destruir a su padre y sus hermanos.

El testimonio de Benito Papas abrió las compuertas. Una vez iniciada la investigación del Comisionado, docenas de víctimas acudieron a contar sus historias de lo que les habían hecho Angelo Carmine y sus rufianes. La mafia se había inmiscuido a la fuerza en sus negocios, los había chantajeado, obligado a la prostitución, había asesinado o mutilado a sus seres queridos, vendido drogas a sus hijos. La lista de horrores era interminable.

Aún más perjudicial era el testimonio del *Pentiti*, los miembros arrepentidos de la mafia que decidían hablar.

A Lucía se le permitió visitar a su padre en la cárcel.

Él la saludó jovialmente. La abrazó y susurró:

—No te preocupes, *faccia d'angelo*. El juez Giovanni Buscetta es mi as oculto en la manga. Él conoce todas las trampas de la ley. Las utilizará para que tus hermanos y yo seamos absueltos.

Angelo Carmine resultó ser un mal profeta.

La gente había sido ultrajada por los excesos de la mafia y cuando el juicio concluyó al fin el juez Giovanni Buscetta, astuto y político, sentenció a los miembros de la mafia a largas condenas en prisión, y a Angelo Carmine y sus hijos les dio la pena máxima permitida por la ley italiana, cadena perpetua.

Para Angelo Carmine fue una condena a muerte.

Toda Italia se regocijaba. Por fin había triunfado la justicia. Pero para Lucía aquello era una pesadilla inimaginable. Los tres hombres que más amaba en el mundo habían sido condenados al infierno.

Una vez más se le permitió que visitara a su padre en la celda. El súbito cambio que se apreciaba en él desgarraba el corazón. En el lapso de unos pocos días se había convertido en un viejo. Su cuerpo se había encogido y su cutis rosado y saludable se había vuelto amarillento.

—Me han traicionado —gimió—. Me han traicionado todos. El juez Giovanni Buscetta... ¡Me lo debe todo, Lucía! Yo lo convertí en un hombre rico, y mira lo que me ha hecho. Y Patas... Yo era como un padre para él. ¿Qué le ha pasado al mundo? ¿Qué fue de mi honor? Ellos son sicilianos, como yo.

Lucía tomó una mano de su padre entre las suyas y le dijo en voz baja:

—Yo también soy siciliana, papá. Te vengaré. Te lo juro, por mi vida.

—Mi vida ha terminado —le respondió su padre—. Pero la tuya recién comienza. Tengo una cuenta numerada en Zurich, en el Banco Leu. Allí hay más dinero que el que puedas gastar en diez vidas. —Le susurró un número en el oído. —Vete de esta maldita Italia. Toma mi dinero y disfrútalo.

Lucía lo estrechó.

—Papá...

—Si alguna vez necesitas un amigo, puedes confiar en Dominic Durell. Somos como hermanos. Tiene una casa en Francia, en Beziers, cerca de la frontera española.

—Lo recordaré.

—Prométeme que te irás de Italia.

—Sí, papá. Pero hay algo que debo hacer antes.

Albergar un ardiente deseo de venganza era una cosa. Idear una manera de llevarlo a cabo, otra muy distinta. Lucía estaba sola y no iba a ser fácil. Pensó en la expresión italiana: *Rubare il mestiere. Robarles su profesión. Debo pensar como lo hacen ellos.*

Unas semanas después de que su padre y sus hermanos comenzaran a cumplir sus condenas, Lucía Carmine se apareció en la casa del juez Giovanni Buscetta. El propio juez le abrió la puerta.

Se quedó mirando a Lucía, sorprendido. La había visto a menudo como invitado de la casa de Carmine, pero nunca habían tenido mucho que decirse.

—¡Lucía Carmine! ¿Qué estás haciendo aquí? No deberías...

—He venido a agradecerle, Su Señoría.

Él la observó con expresión suspicaz.

—¿Agradecerme qué?

Lucía lo miró a los ojos.

—Por exponer a mi padre y a mis hermanos y descubrir lo que hacían. Yo era una inocente que vivía en aquella casa de horrores. No tenía idea de qué monstruos... —Estalló en sollozos.

El juez se quedó unos instantes sin saber qué hacer, y luego le palmeó el hombro.

—Bueno, bueno. Entra y toma una taza de té.

—Gr... gracias.

Una vez sentados en la sala, el juez Buscetta dijo:

—No tenía idea de que sentías así por tu padre. Creía que los dos se llevaban muy bien.

—Solamente porque yo no tenía idea de lo que realmente eran él y mis hermanos. Cuando descubrí... —Se estremeció. —Usted no sabe lo que fue pasar por eso. Quería escaparme, pero para mí no había escape.

—No te entendí. —Le palmeó una mano. —Lamento haberte juzgado mal, querida.

—Yo le tenía terror —dijo Lucía con voz apasionada.

El juez Buscetta notó, no por primera vez, que Lucía era una hermosa joven. Llevaba un sencillo vestido negro que revelaba las líneas de su cuerpo exuberante. El hombre contempló los pechos redondos y no pudo evitar observar que la muchachita se había convertido en una mujer bien desarrollada.

Sería divertido, pensó Buscetta, *acostarse con la hija de Angelo Carmine. Ahora ya no tiene poder para perjudicarme. Ese viejo bastardo pensó que me dominaba, pero yo fui demasiado astuto para él. Tal vez Lucía sea virgen. Podría enseñarle unas cuantas cosas en la cama.*

Una mucama entrada en años apareció en la sala con una bandeja con té y bizcochitos. La colocó en la mesa.

—¿Les sirvo?

—Serviré yo —dijo Lucía. Su voz era cálida y llena de promesas.

El juez Buscetta le sonrió.

—Puede retirarse —dijo dirigiéndose a la mucama.

—Sí, señor.

El juez contempló a Lucía acercarse a la mesita donde estaba la bandeja y servir cuidadosamente el té para el juez y para ella.

—Tengo la sensación de que tú y yo podemos hacernos muy buenos amigos, Lucía —dijo Giovanni Buscetta, tanteando.

Lucía le obsequió una sonrisa seductora.

—Eso me gustaría mucho, Su Señoría.

—Por favor... Llámame Giovanni.

—Giovanni. —Lucía le alcanzó la taza y alzó la suya como en

un brindis: —Por la muerte de los villanos.

Sonriente, Buscetta levantó su taza: —Por la muerte de los villanos. —Tomó un sorbo y volvió a sonreír. El té tenía un sabor amargo.

—¿Está demasiado...?

—No, no. Está muy bien, querida.

Lucía volvió a levantar la taza:

—Por nuestra amistad.

—Por...

Buscetta jamás concluyó su brindis. Presa de un súbito espasmo, sintió que un hierro al rojo vivo le apuñalaba el corazón. Se agarró el pecho.

—¡Oh, Dios mío! Llama a un médico...

Lucía se quedó donde estaba, tomando tranquilamente el té, observándolo desplomarse y caer. El cuerpo se retorció unos instantes en el piso y luego quedó inmóvil.

—Ya liquidamos a uno, papá —dijo Lucía.

Benito Patas se encontraba en su celda jugando un solitario cuando el carcelero anunció:

—Tiene una visita conyugal.

Benito se iluminó. Como informante, le habían concedido un nivel especial, con muchos privilegios, y las visitas conyugales eran uno de ellos. Patas tenía media docena de novias, que alternaban sus visitas. Se preguntó cuál de ellas sería la que había ido ese día.

Se inspeccionó en el espejo que colgaba de una de las paredes de la celda, se puso brillantina, se peinó hacia atrás y después siguió al guardia por el corredor de la cárcel hasta la sección donde se hallaban los cuartos privados.

El guardia le indicó que entrara. Patas avanzó pavoneándose, expectante. Se detuvo con una mirada de sorpresa.

—¡Lucía! Por Dios, ¿qué diablos estás haciendo aquí? ¿Cómo entraste?

—Les dije que estábamos comprometidos, Benito —le respondió ella con voz suave.

Llevaba un vestido de seda roja brillante, de talle bajo, que se adhería a las curvas de su cuerpo.

Benito Patas se apartó de ella.

—Vete.

—Si así lo deseas... Pero antes hay algo que debes oír. Cuando te vi pararte en el estrado y atestiguar en contra de mi padre y mis hermanos, te odié. Quería matarte. —Se le acercó más. —Pero después me di cuenta de que lo que estabas haciendo era un acto de valentía. Te atreviste a decir la verdad. Mi padre y mis hermanos no eran hombres malvados, pero sí hicieron cosas malvadas, y tú fuiste el único que tuvo la fuerza suficiente para ponerte en contra de ellos.

—Créeme, Lucía —le dijo él—, la policía me obligó a...

—No tienes nada que explicar —respondió Lucía con voz suave—. ¿Recuerdas la primera vez que hicimos el amor? En ese momento supe que estaba enamorada de ti y que lo estaría siempre.

—Lucía, yo jamás habría hecho lo que...

—*Caro*, quiero que olvidemos lo que ocurrió. Ya está hecho. Ahora lo importante somos tú y yo.

Ahora estaba muy cerca de él y Benito olía su perfume embriagador. Su mente se hallaba en un estado de confusión.

—¿Lo... lo dices en serio?

—Mucho más en serio que cualquier otra cosa que haya dicho en mi vida. Y es por eso que hoy vine aquí, para demostrártelo. Para que sepas que soy tuya. Y no sólo con palabras.

Desató las tirillas que le sujetaban el vestido por los hombros, y en un instante su ropa cayó al piso. Quedó desnuda.

—¿Me crees ahora?

Por Dios, era hermosa.

—Sí, te creo —respondió Benito con voz ronca.

Lucía se acercó a él y restregó su cuerpo contra el de Benito.

—Desvístete —le susurró—. ¡Apúrate!

Lo observó quitarse la ropa. Cuando estuvo desnudo, él la tomó de una mano y la llevó a la pequeña cama que había en un rincón de la habitación. No se molestó en juegos preliminares. En unos segundos se colocó encima de ella, abriéndole las piernas, sumergiéndose profundamente en su interior, con una sonrisa arrogante en el rostro.

—Es como en los viejos tiempos —dijo con aire presumido—. No pudiste olvidarme, ¿eh?

—No —le susurró Lucía en el oído—. ¿Y sabes por qué no pude olvidarte?

—No, mi *amore*. Dime.

—Porque soy siciliana, como mi padre.

Estiró la mano por detrás de su cabeza y se quitó el largo pinche labrado que le recogía el pelo.

Benito Patas sintió que algo se le clavaba bajo las costillas y el súbito dolor hizo que abriera la boca para gritar, pero la boca de Lucía cubría la suya, besándolo; y mientras el cuerpo de Benito se sacudía y retorcía encima de ella, Lucía tuvo un orgasmo.

Unos minutos después había vuelto a vestirse y el pinche se hallaba otra vez en su cabello.

Benito estaba bajo la frazada, con los ojos cerrados. Lucía golpeó la puerta de la celda y sonrió al guardia que la abrió para dejarla salir.

—Está dormido —susurró.

El guardia miró a la hermosa mujer y sonrió.

—Es probable que usted lo haya agotado.

—Así lo espero —respondió Lucía.

La absoluta osadía de ambos asesinatos tomó a Italia por sorpresa. La hermosa hija de un mafioso había vengado a su padre y sus hermanos, y el excitable público italiano la aplaudía, alentándola a escapar. La policía, como es natural, tenía un punto de vista diferente. Lucía Carmine había asesinado a un respetable juez y luego cometido un segundo homicidio dentro de los mismos muros de una cárcel. A sus ojos, el hecho de haberlos burlado era un crimen tan condenable como los otros dos. Los diarios vendían como nunca a expensas de ellos.

—Quiero la cabeza de esa mujer —rugió el comisario dirigiéndose al comisionado—. Y la quiero *hoy*.

La cacería humana se intensificó. El objeto de tanta atención se ocultaba en la casa de Salvatore Giuseppe, uno de los hombres de su padre que había logrado escapar del desastre.

Al principio, Lucía sólo había pensado en vengar el honor de su padre y sus hermanos. Calculaba que la atraparían y estaba dispuesta a sacrificarse. Sin embargo, cuando vio que había logrado escapar de la cárcel sin problemas, dejó de pensar en la venganza para comenzar a pensar en su supervivencia. Ahora que había ejecutado lo que debía hacer, la vida volvía a tornársele preciosa. *No voy a permitir que me capturen*, se juró. *Nunca*.

Salvatore Giuseppe y su mujer habían hecho lo posible por disfrazar a Lucía. Le aclararon el cabello, le mancharon los dientes, le compraron anteojos y ropas que le sentaban mal. Salvatore contempló su obra con ojo crítico.

—No está mal —opinó—. Pero no es suficiente. Debemos sacarte de Italia. Tienes que irte a algún lugar donde no salga tu foto en la primera plana de los diarios. Algún lugar donde puedas esconderte durante unos meses.

Y Lucía recordó:

Si alguna vez necesitas un amigo, puedes confiar en Dominic Durell. Somos como hermanos. Tiene una casa en Francia, en Beziers, cerca de la frontera española.

—Ya sé adónde puedo ir —dijo—. Necesito un pasaporte.

—Yo te lo conseguiré.

Veinticuatro horas más tarde Lucía contemplaba un pasaporte a nombre de Lucía Roma, con una fotografía en la que aparecía con su nuevo aspecto.

—¿Adónde irás?

—Mi padre tiene un amigo en Francia que me ayudará.

—¿Quieres que te acompañe hasta la frontera...? —le preguntó Salvatore.

Ambos sabían el peligro que ello encerraba.

—No, Salvatore —respondió Lucía—. Ya has hecho bastante por mí. Esto debo hacerlo sola.

A la mañana siguiente Salvatore Giuseppe alquiló un Fiat a nombre de Lucía Roma y le entregó las llaves.

—Ten cuidado —le rogó.

—No te preocupes. Nací bajo una buena estrella.

¿Acaso no se lo había dicho su padre?

En la frontera ítalo-francesa los coches esperaban en fila, avanzando lentamente, para entrar en Francia. A medida que iba acercándose a la casilla de inmigración, Lucía se ponía más y más nerviosa. Estarían buscándola en todas las salidas. Sabía que si la atrapaban la condenarían a cadena perpetua. *Antes que eso, me mataré*, pensó.

Llegó ante el oficial de inmigración.

—El pasaporte, *signorina*.

Lucía extendió el pasaporte negro a través de la ventanilla. El oficial lo tomó, miró a Lucía y ella advirtió la expresión de sorpresa en los ojos del hombre, que miraba una y otra vez la cara de ella y su pasaporte, con más detenimiento. Lucía sintió que el cuerpo se le ponía tenso.

—Usted es Lucía Carmine —dijo el oficial.

Capítulo nueve

—Lucía Carmine.

—¡No! —gritó Lucía. Miró alrededor, buscando una forma de huir. No la había. Y de pronto, para su sorpresa, vio que el guardia sonreía. Se inclinó hacia ella y susurró:

—Su padre fue bueno con mi familia, *signorina*. Puede pasar. Buena suerte.

Lucía se sentía ebria de alivio.

—*Grazie*.

Apretó el acelerador y avanzó los veinticinco metros hacia la frontera francesa. El oficial de inmigración se preciaba de ser experto en mujeres hermosas y la que apareció ante él por cierto no era ninguna belleza. Tenía cabello arratonado y dientes manchados e iba muy mal vestida.

¿Por qué será que las mujeres italianas no son tan hermosas como las francesas?, pensó con disgusto. Selló el pasaporte de Lucía y le indicó que pasara.

Lucía llegó a Beziers seis horas más tarde.

El teléfono sonó una sola vez, y enseguida una suave voz masculina contestó:

—Hola.

—Con Dominic Durell, por favor.

—Habla Dominic Durell. ¿Quién es?

—Lucía Carmine. Mi padre me dijo...

—¡Lucía! —Su voz era cálida y acogedora. —Esperaba tener noticias tuyas.

—Necesito ayuda.

—Puedes contar conmigo.

Lucía suspiró aliviada. Era la primera buena noticia que oía en mucho tiempo. De pronto se dio cuenta de lo agotada que estaba.

—Necesito un lugar donde pueda ocultarme de la policía.

—No hay problema. Mi esposa y yo tenemos un lugar perfecto para ti y podrás usarlo todo el tiempo que quieras.

Era casi demasiado bueno para ser cierto.

—Gracias.

—¿Dónde estás, Lucía?

—Yo...

En ese momento resonó en el teléfono el ruido de una radio de onda corta de la policía. Se apagó de inmediato.

—Lucía...

En su cabeza sonó una alarma.

—Lucía, ¿dónde estás? Iré a buscarte.

¿Por qué tendrá él una radio de policía en su casa? Y había atendido el teléfono al primer timbrazo. Como si hubiera estado esperando que ella llamara.

—Lucía, ¿me oyes?

Supo, con absoluta certeza, que el hombre que hablaba del otro lado de la línea era un policía. De modo que seguían buscándola. Y estaban rastreando la llamada.

—Lucía...

Colgó y se alejó velozmente de la cabina telefónica.

Debo salir de Francia, pensó.

Regresó al coche y sacó un mapa de la guantera. La frontera española estaba a unas pocas horas de allí. Guardó el mapa y emprendió la marcha. Dobló por una esquina y se encaminó hacia el sur, hacia San Sebastián.

Fue en la frontera española donde las cosas comenzaron a salir mal.

—Pasaporte, por favor.

Lucía extendió su pasaporte español de inmigración. El hombre le echó un vistazo superficial e hizo ademán de devolvérlo, pero algo lo hizo vacilar. Miró más de cerca a Lucía y su expresión cambió.

—Un momento, por favor. Tendré que sellarlo adentro.

Me reconoció, pensó Lucía con desesperación. Vio que el hombre estaba en una pequeña oficina y le mostraba el pasaporte a otro oficial. Ambos hablaban acaloradamente. Tenía que huir. Abrió la puerta del auto y bajó. Un grupo de turistas alemanes que acababa de pasar por la aduana abordaba ruidosamente un ómnibus turístico próximo al auto de Lucía. El cartel del frente del ómnibus decía: "Madrid".

—Achtung! —llamaba el guía—. Schnell.

Lucía miró rápidamente la cabina de inmigración. El guardia que tenía su pasaporte hablaba a los gritos por teléfono.

—Todos arriba, bitte.

Sin pensarlo un segundo, Lucía se aproximó al divertido y bullicioso grupo de turistas y subió al ómnibus, ocultando su rostro al guía. Se sentó al fondo, con la cabeza baja. ¡Arranca!, rogó. Ya.

Por la ventanilla vio que otro guardia se había reunido con los dos primeros y que los tres examinaban su pasaporte. Como en respuesta al ruego de Lucía, la puerta del ómnibus se cerró y el motor se puso en marcha. Un momento después el vehículo salía de San Sebastián rumbo a Madrid. ¿Qué ocurriría cuando los guardias de la frontera advirtieran que ella había abandonado el coche? Lo primero que pensarían sería que ella había ido al baño. Esperarían un rato y después enviarían a alguien a buscarla. A continuación registrarían la zona para ver si se había escondido en alguna parte. A esa altura habrían pasado por allí docenas de coches y ómnibus. La policía no tendría idea de dónde habría ido ella, ni en qué dirección viajaba.

Obviamente, el grupo de turistas gozaba de unas felices vacaciones. ¿Por qué no?, pensó Lucía con amargura. No tienen a la policía pisándoles los talones. ¿Valía la pena arriesgar así el resto de mi vida? Lo pensó, reviviendo las escenas con el juez Buscetta y Benito.

Tengo la sensación de que tú y yo podríamos ser muy buenos amigos, Lucía... Por la muerte de los villanos.

Y Benito Patas: Es como en los viejos tiempos. No pudiste olvidarme, ¿eh?

Y ella había hecho pagar a esos dos traidores los pecados que habían cometido contra su familia. ¿Valió la pena? Ellos estaban muertos, pero su padre y sus hermanos sufrirían el resto de sus vidas. Claro que sí, pensó Lucía. Claro que valió la pena.

En el ómnibus alguien comenzó a cantar una canción alemana:

"In Munchen ist ein hafbrau Haus, ein, zwei, sufa..."

Con este grupo estaré a salvo por un tiempo, pensó Lucía. *Cuando lleguemos a Madrid decidiré qué hacer a continuación.*

Nunca llegó a Madrid.

En la amurallada ciudad de Ávila, el ómnibus hizo una parada programada para que los pasajeros bebieran y comieran y, como decía el guía, "se aliviaran".

—*Ale raus von Bus* —dijo.

Lucía se quedó en su asiento, mirando a los pasajeros que se levantaban y salían a los tirones por la puerta del vehículo. *Estaré más segura si permanezco aquí.* Pero el guía la vio.

—Baje, *Fraulein* —le dijo—. Sólo tenemos quince minutos.

Lucía vaciló y luego se levantó a regañadientes y se dirigió a la puerta.

Cuando pasaba junto al guía, éste le dijo:

—*Warten sie bitte!* ¡Usted no pertenece a este grupo!

Lucía le sonrió con simpatía.

—No —respondió—. Lo que pasa es que en San Sebastián se me rompió el auto y para mí es muy importante llegar a Madrid, así que...

—*Nein!* —vociferó el hombre—. No puede hacer eso. Ésta es una excursión particular.

—Ya lo sé —le dijo Lucía—, pero comprenda, necesito...

—Tiene que hablar con la sede de la empresa, en Munich.

—No puedo. Estoy muy apurada y...

—*Nein, nein.* Me va a ocasionar problemas. Váyase o llamaré a la policía.

—Pero...

No hubo palabras que ablandaran al hombre. Veinte minutos más tarde Lucía veía al ómnibus alejarse por la carretera rumbo a Madrid. Estaba varada, sin pasaporte y casi sin dinero, y a esa altura la policía de media docena de países estaría buscándola para arrestarla por homicidio.

Contempló los alrededores. El ómnibus había parado frente a un edificio circular con un letrero que decía: "Estación de Autobuses".

Aquí podré tomar otro ómnibus, pensó Lucía.

Se dirigió a la estación. Era una construcción amplia de paredes de mármol con una docena de ventanillas de venta de pasajes, cada una de las cuales ostentaba un letrero: Padiernos... Munogalindo... Munana... Amavida... Madrid. Unas escaleras llevaban al nivel inferior, de donde salían los ómnibus. Había una pastelería donde vendían dulces y sandwiches envueltos en papel manteca, y de pronto Lucía se dio cuenta de que tenía mucha hambre.

Será mejor que no compre nada, pensó, *hasta que averigüe cuánto cuesta el pasaje.*

Cuando se encaminaba a la ventanilla que anunciaba "Madrid", dos policías uniformados entraron apresuradamente en la estación. Uno de ellos llevaba una fotografía. Fueron de ventanilla en ventanilla mostrando la foto a los empleados.

Me están buscando a mí. El maldito conductor del ómnibus me denunció.

Una familia de pasajeros recién llegados subía por la escalera mecánica. Cuando se acercaron a la puerta, Lucía se mezcló con ellos y salió.

Caminó por las calles empedradas de Ávila, tratando de no apresurarse, temerosa de llamar la atención. Dobló por la calle de la Madre Soledad con sus edificios de granito y sus balcones de negro hierro forjado, y al llegar a la Plaza de la Santa se sentó en un banco para pensar lo que haría a continuación. A unos metros de distancia varias mujeres y algunas parejas disfrutaban del sol de la tarde sentadas en los bancos de la plaza.

Mientras Lucía permanecía allí apareció un coche de la policía. Se detuvo en el otro extremo de la calle y bajaron dos agentes. Se acercaron a una de las mujeres, que se hallaba sola, y comenzaron a interrogarla. El corazón de Lucía latía más y más rápido.

Se obligó a ponerse de pie lentamente, pese al pulso acelerado, se alejó y siguió caminando. Resultaba increíble, pero la calle siguiente se llamaba "La calle de la vida y de la muerte". *Me pregunto si será un presagio.*

En la plaza había unos leones de aspecto realista, con la lengua afuera, y la imaginación febril de Lucía creyó que trataban de morderla. Al frente había una gran catedral y en la fachada se veía un redondel con las figuras esculpidas de una jovencita y una calavera con una mueca sonriente. Hasta el aire parecía estar impregnado de muerte.

Lucía oyó el tañido de la campana de la iglesia y elevó la mirada por encima de los abiertos portones de la ciudad. A la distancia, en lo alto de una colina, se alzaban los muros de una abadía. Se quedó contemplándola.

—¿Por qué has venido a nosotras, hija mía? —le preguntó con dulzura la reverenda madre Betina.

—Necesito un lugar donde refugiarme.

—¿Y has decidido buscar el refugio de Dios?

Exactamente.

—Sí. —Lucía se puso a improvisar. —Esto es lo que siempre he deseado... consagrarme a la vida del espíritu.

—En el fondo de nuestras almas eso es lo que anhelamos todos, ¿no es así, hija?

Jesús, ¡realmente me está creyendo!, pensó Lucía, feliz.

La Reverenda Madre prosiguió:

—Debes comprender que la Orden Cisterciense es la más estricta de todas, hija. Estamos completamente aisladas del mundo exterior.

Sus palabras sonaban como música en los oídos de Lucía.

—Las que entran en estos muros han jurado no irse jamás.

—Yo no quiero irme nunca —le aseguró Lucía. *Es decir, hasta dentro de unos meses.*

La Reverenda Madre se puso de pie.

—Es una elección importante. Te sugiero que, antes de tomar una decisión definitiva, te vayas y lo pienses con todo cuidado.

Lucía sintió que la situación se le escapaba de las manos y entró en pánico. No tenía ningún lugar donde ir. Su única esperanza residía en ocultarse tras esos muros.

—Ya lo he pensado —respondió rápidamente—. Créame, Reverenda Madre, no he pensado en otra cosa. Quiero renunciar al mundo. —Miró a la Priora directamente a los ojos. —Lo que más deseo en este mundo es estar aquí. —La voz de Lucía emanaba sinceridad.

La Reverenda Madre estaba perpleja. En aquella mujer había algo incierto y frenético que resultaba perturbador. Y sin embargo, ¿qué motivo mejor existía para cualquiera que acudiera a ese sitio donde la plegaria y la meditación calmarían su espíritu?

—¿Eres católica?

—Sí.

La Reverenda Madre tomó una anticuada pluma de ave.

—Dime tu nombre, hija.

—Me llamo Lucía Car... eh... *Roma*.

—¿Tus padres viven?

—Solamente mi padre.

—¿A qué se dedica?

—Era comerciante. Ahora está jubilado. —Pensó en lo pálido y abatido que se veía la última vez, y la atravesó una puntada de dolor.

—¿Tienes hermanos o hermanas?

—Dos hermanos.

—¿Y qué hacen?

Lucía decidió que necesitaba toda la ayuda que pudiera inventarse.

—Son sacerdotes.

—Qué bien.

El interrogatorio continuó durante tres horas. Al fin, la reverenda madre Betina dijo:

—Te procuraré una cama para que pases esta noche. A la mañana comenzarás la instrucción y cuando termines, si sigues sintiendo lo mismo que ahora, podrás ingresar en la Orden. Pero te advierto que el camino que has elegido es muy difícil.

—Créame —dijo Lucía con intensidad—. No tengo elección.

El viento nocturno era suave y cálido y penetraba susurrante el arbolado claro; Lucía dormía. Se hallaba en una fiesta en una hermosa quinta, su padre y sus hermanos también estaban allí, todos se divertían mucho, hasta que un extraño entraba en la sala y decía: "¿Quién demonios es toda esta gente?". Las luces se apagaban, una brillante linterna le iluminaba la cara y ella se incorporaba, cegada por la luz.

Media docena de hombres rodeaba a las monjas en el bosque. A causa de la luz que la ofuscaba, Lucía apenas podía distinguir sus formas.

—¿Quiénes son ustedes? —volvió a preguntar el hombre. Su voz era profunda y áspera.

Lucía se despertó al instante, con la mente alerta. Estaba atrapada. Pero si los hombres eran de la policía debían saber quiénes eran las monjas. ¿Y qué estaban haciendo en el bosque a la noche?

Lucía se arriesgó:

—Somos hermanas del convento de Ávila —dijo—. Vinieron unos hombres del gobierno y...

—Ya nos enteramos —interrumpió el hombre.

Las otras hermanas se habían incorporado también, despiertas y aterradas.

—¿Quién... quién es usted? —preguntó Megan.

—Me llamo Jaime Miró.

Eran seis hombres, vestidos con pantalones rústicos, chaquetas de cuero, pulóveres de cuello alto, alpargatas y las tradicionales boinas vascas. Iban fuertemente armados y bajo la tenue luz de la luna tenían un aspecto demoníaco. Dos de ellos parecían haber sido apaleados.

El hombre que dijo llamarse Jaime Miró era alto y enjuto, con feroces ojos negros.

—Puede que las hayan seguido hasta aquí. —Se dirigió a uno de los integrantes de su banda: —Echa un vistazo por los alrededores.

—Sí.

Lucía se dio cuenta de que la que había contestado era una mujer. La observó moverse silenciosamente entre los árboles.

—¿Qué vamos a hacer con ellas? —preguntó Ricardo Mellado.

—Nada —respondió Jaime Miró—. Las dejaremos y seguiremos adelante.

Uno de los hombres protestó:

—Jaime... son hermanitas de Jesús.

—Entonces deja que Jesús cuide de ellas —repuso fríamente Jaime Miró—. Nosotros tenemos trabajo que hacer.

Las monjas, todas levantadas ya, esperaban. Los hombres se reunieron alrededor de Jaime, discutiendo con él.

—No podemos permitir que las atrapen. Acoca y sus hombres las están buscando.

—También nos están buscando a nosotros, amigo.

—Si no las ayudamos, las hermanas nunca lograrán escapar.

Jaime Miró respondió con firmeza:

—No. No vamos a arriesgar nuestras vidas por ellas. Tenemos nuestros propios problemas.

Félix Carpio, uno de los lugartenientes, sugirió:

—Podríamos escoltarlas parte del camino, Jaime. Sólo hasta que salgan de aquí. —Se volvió hacia las monjas: —¿Adónde se dirigen, hermanas?

Teresa respondió con la luz de Dios en los ojos:

—Yo tengo una misión sagrada. En Mendavia hay un convento que nos brindará refugio.

Félix Carpio insistió, dirigiéndose a Miró:

—Podríamos escoltarlas hasta allá. Mendavia queda en nuestro camino a San Sebastián.

Jaime Miró le respondió furioso:

—¡Maldito idiota! ¿Por qué no pones un cartel que anuncie a todo el mundo hacia donde nos dirigimos?

—Yo sólo quería...

—¡Mierda! —gritó con enorme disgusto—. Ahora no tenemos otra alternativa. Tendremos que llevarlas con nosotros. Si Acoca las encuentra, las hará hablar. Con ellas vamos a tener que aflojar el paso y para Acoca y sus carniceros será mucho más fácil rastrearnos.

Lucía sólo escuchaba a medias. La cruz de oro se encontraba tentadoramente a su alcance. *¡Pero estos malditos hombres! Tienes un sentido asqueroso de la oportunidad, Dios, y un desgraciado sentido del humor.*

—Está bien —decía Jaime Miró—. Tendremos que arreglárnoslas lo mejor posible. Las llevaremos hasta el convento y las dejaremos allí, pero no podemos viajar todos juntos como en un maldito circo. —Se volvió hacia las monjas; no podía reprimir la ira de su voz: —¿Al menos una de ustedes sabe dónde queda el convento de Mendavia?

Las hermanas se miraron. Graciela respondió:

—No muy bien.

—¿Entonces cómo diablos esperan llegar allá?

—Dios nos guiará —respondió con firmeza la hermana Teresa.

Otro de los hombres, Rubio Arzano, esbozó una sonrisa.

—Tiene usted suerte —dijo y con la cabeza señaló a Jaime: —Él ha bajado a guiarla personalmente, hermana.

Jaime lo hizo callar con una mirada.

—Nos dividiremos. Tomaremos tres caminos diferentes.

De una mochila sacó un mapa y los hombres se acuclillaron iluminándolo con las linternas.

—El convento de Mendavia está aquí, al sudeste de Logroño. Yo iré hacia el norte a través de Valladolid, y luego hasta Burgos. —Recorrió el mapa con los dedos y se dirigió a Rubio, un hombre alto de aspecto amable: —Tú tomarás la ruta hasta Olmedo y Peñafiel y Aranda de Duero.

—Muy bien, amigo.

Jaime Miró volvió a concentrarse en el mapa. Miró a Ricardo Mellado, uno de los hombres con la cara lastimada:

—Ricardo, dirígete a Segovia y luego toma el camino de las montañas hasta Carezo de Abono, y después a Soria. Nos encontraremos todos en Logroño. —Guardó el mapa. —Logroño queda a doscientos diez kilómetros de aquí. —Calculó en silencio. —Nos reuniremos en siete días. Manténgase lejos de los caminos principales.

—¿En qué lugar de Logroño nos encontraremos? —preguntó Félix Carpio.

—El circo Japón actúa en Logroño la semana próxima —dijo Ricardo.

—Bien. Nos encontraremos allí. En la función de *matinée*.

Félix Carpio, el de barba, hizo otra pregunta:

—¿Con quién van a viajar las monjas?

—Las dividiremos.

Ya era tiempo de poner fin a todo eso, decidió Lucía.

—Si a usted lo están buscando los soldados, *signore*, sería más seguro que nosotras viajáramos solas.

—Pero no sería más seguro para *nosotros*, hermana —replicó Jaime—. Ahora ustedes saben mucho sobre nuestros planes.

—Además —agregó el hombre llamado Rubio—, ustedes no podrían llegar solas. Nosotros conocemos la región. Somos vascos, y la gente del norte es amiga nuestra. Nos ayudarán y ocultarán de los soldados nacionalistas. Sin nosotros, ustedes nunca llegarán a Mendavia.

Yo no quiero llegar a Mendavia, idiota.

Jaime Miró dijo de mal modo:

—Bueno, está bien, pongámonos en marcha. Quiero que al amanecer estemos bien lejos de aquí.

La hermana Megan permanecía quieta, escuchando al hombre

112

que daba las órdenes. Era grosero y arrogante pero de algún modo parecía irradiar una tranquilizadora sensación de poder.

Jaime Miró se volvió a Teresa y señaló a Tomás Sanjuro y Rubio Arzano:

—Ellos se harán responsables de usted.

La hermana Teresa respondió:

—*Dios* se hace responsable de mí.

—Claro —replicó secamente Jaime—. Supongo que es por eso que está usted aquí.

Rubio se acercó a Teresa.

—Rubio Arzano a sus órdenes, hermana. ¿Cuál es su nombre?

—Soy la hermana Teresa.

Lucía se apresuró a hablar:

—Yo iré con la hermana Teresa. —De ningún modo iba a permitir que la separaran de la cruz de oro.

Jaime Miró asintió:

—Está bien. —Señaló a Graciela: —Ricardo, tú llévate a ésta.

—Bueno —asintió Ricardo Mellado.

La mujer a la que Miró había mandado a registrar el terreno volvió con el grupo.

—Todo está en orden —dijo.

—Bien. —Jaime Miró se volvió hacia Megan: —Usted viene con nosotros, hermana.

Megan obedeció. Jaime Miró la fascinaba. Y en la mujer había algo intrigante. Era morena y tenía un aspecto feroz, con los rasgos de halcón de un animal predador. Su boca era una herida roja. Toda ella emanaba algo intensamente sexual.

La mujer se acercó a Megan:

—Soy Amparo Jirón. Mantenga la boca cerrada, hermana, y no habrá problemas.

—Vamos —ordenó Jaime—. En Logroño, dentro de siete días. No pierdan de vista a las hermanas.

La hermana Teresa y Rubio Arzano ya habían comenzado a descender por el sendero. Lucía corrió tras ellos. Había visto el mapa que Arzano guardaba en la mochila. *Lo tomaré cuando esté dormido*, decidió.

Comenzaron el viaje a través de España.

Capítulo diez

Miguel Carrillo estaba nervioso. En realidad, Miguel Carrillo estaba *muy* nervioso. Aquel no había sido para él un día demasiado bueno. Lo que por la mañana había comenzado tan bien, cuando encontró a las monjas y las convenció de que era un fraile, había terminado con un golpe que lo dejó inconsciente y su cuerpo amarrado de pies y manos abandonado en el piso de una tienda.

Fue la esposa del dueño quien lo descubrió. Era una mujer mayor, corpulenta, con bigotes y pésimo carácter. Miró al hombre atado que yacía en el piso y exclamó:

—¡Madre de Dios! ¿Quién es usted? ¿Qué está haciendo aquí?

Carrillo puso en funcionamiento todo su encanto.

—Gracias al cielo que ha venido, señorita. —Jamás había conocido a nadie que fuera más obviamente una *señora*. —He intentado librarme de estas cuerdas para acercarme al teléfono y llamar a la policía.

—No ha contestado mi pregunta.

Carrillo hizo un esfuerzo por colocarse en una posición más cómoda.

—La explicación es simple, señorita. Soy el fraile González. Vengo de un monasterio cerca de Madrid. Pasaba por su hermosa tienda cuando vi a dos hombres que forzaban la entrada. Sentí que era mi deber de hombre de Dios tratar de detenerlos. Los seguí hasta adentro en la esperanza de persuadirlos de su equivocación pero me arrojaron al piso y me ataron. Ahora, si usted tuviera la bondad de desatarme...

—¡Mierda!

La miró boquiabierto.

—¿Cómo dice?

—¿Quién es usted?

—Ya se lo dije, soy...

—Ésa es la peor mentira que he oído en mi vida.

Se dirigió hacia donde estaban los hábitos que habían dejado las monjas.

—¿Qué es esto?

—Ah, eso, sí. Los dos hombres iban disfrazados con esas ropas. Verá usted, eh...

—Acá hay cuatro trajes. Usted dijo que eran dos hombres.

—Correcto. Los otros dos vinieron después y...

La mujer se dirigió al teléfono.

—¿Qué está haciendo?

—Llamando a la policía.

—No es necesario, se lo aseguro. En cuanto me libere, iré directamente a la comisaría y haré la denuncia completa.

La mujer lo miró.

—Su sotana está abierta, fraile.

La policía se mostró aún menos simpática que la mujer. Cuatro miembros de la guardia civil interrogaron a Carrillo. Sus uniformes verdes y sus gorras de cuero negro, del siglo XVIII, eran suficientes para inspirar miedo en toda España, y por cierto que ejercieron bien su oficio con Carrillo.

—¿Es usted consciente de que responde a la descripción exacta del hombre que asesinó a un sacerdote en el norte del país?

Carrillo suspiró.

—No me sorprende. Tengo un hermano mellizo, y ojalá que el cielo lo castigue. Es a causa de él que entré en el monasterio. Nuestra pobre madre...

—Ahórrenos la charlatanería.

Un gigante con una cicatriz en la cara entró en la sala.

—Buenas tardes, coronel Acoca.

—¿Éste es el hombre?

—Sí, coronel. A causa de los hábitos de monja que encontramos junto con él en la tienda, pensamos que tal vez a usted le interesaría interrogarlo personalmente.

El coronel Ramón Acoca se acercó al desventurado Carrillo.

—Sí. Me interesa mucho.

Carrillo dedicó al coronel su sonrisa más amistosa.

—Me alegro de que esté aquí, coronel. Debo cumplir una misión para mi iglesia y para mí es muy importante llegar a Barcelona lo antes posible. Como intentaba explicar a estos agradables caballeros, soy una víctima de las circunstancias sencillamente porque traté de actuar como un buen samaritano.

El coronel Acoca asintió con complacencia.

—Ya que está apurado, trataré de no hacerle perder tiempo.

Carrillo lo miró agradecido.

—Gracias, coronel.

—Voy a hacerle unas cuantas preguntas simples. Si responde con la verdad, todo saldrá bien. Si me miente, le resultará muy doloroso. —Deslizó algo en el interior de su mano.

Carrillo dijo virtuosamente:

—Los hombres de Dios no mienten.

—Me alegra oír eso. Cuénteme de las cuatro monjas.

—No sé nada de esas cuatro monjas, co...

El puño que lo golpeó en la boca tenía nudillos de bronce, y la sangre salpicó el cuarto.

El coronel Acoca repitió la pregunta.

—Cuénteme de las cuatro monjas.

—Yo no...

El puño golpeó otra vez la boca de Carrillo, rompiéndole los dientes.

Carrillo se ahogaba con su sangre.

—No. Yo...

—Cuénteme de las cuatro monjas. —La voz de Acoca sonaba suave y razonable.

—Yo... —Vio el puño que se alzaba. —¡Sí! Yo... yo...

Las palabras le salieron confusas.

—Ellas estaban en Villacastin, huyendo del convento. Por favor, no me pegue otra vez.

—Siga.

—Yo... les dije que iba a ayudarlas. Necesitaban cambiarse la ropa.

—Así que entró en la tienda...

—No. Eh... sí. Yo... ellas robaron unas prendas y después me golpearon y me abandonaron.

—¿Dijeron hacia dónde iban?

Un peculiar sentido de la dignidad se apoderó de Carrillo.

—No.

El no mencionar a Mendavia no tenía nada que ver con proteger a las monjas. A Carrillo ellas no le importaban un comino. Se debía a que el coronel le había estropeado la cara. Cuando saliera de la cárcel le iba a resultar muy difícil ganarse la vida.

El coronel Acoca se dirigió a los miembros de la guardia civil.

—¿Ven lo que se puede lograr con un poco de amistosa persuasión? Mándenlo a Madrid y enciérrenlo por homicidio.

Lucía, Teresa, Rubio Arzano y Tomás Sanjuro se encaminaron hacia el noreste, rumbo a Olmedo, avanzando a través de los campos sembrados de granos y manteniéndose apartados de los caminos principales. Pasaron junto a unos rebaños de ovejas y cabras, y la inocencia del paisaje pastoral ofrecía un irónico contraste al grave peligro en que ellos se hallaban. Por la noche siguieron avanzando, y al amanecer buscaron un lugar oculto en las colinas.

Rubio Arzano dijo:

—Olmedo queda allá adelante. Nos detendremos aquí hasta que caiga la noche. Ustedes dos tienen aspecto de querer dormir.

La hermana Teresa estaba físicamente exhausta. Pero en lo emocional le ocurría algo mucho más perturbador. Sentía que perdía contacto con la realidad. La sensación había comenzado con la desaparición de su precioso rosario. ¿Lo había perdido... o alguien se lo había robado? No estaba segura. Ese rosario había sido su consuelo durante muchos años, más de los que podía recordar. ¿Cuántos avemarías, cuántos padrenuestros, cuántos gloriapatris había rezado? Era como una parte de sí misma, su seguridad, y ahora le faltaba.

¿Lo había perdido en el convento, durante el ataque? Y ese ataque, ¿había ocurrido verdaderamente? Ahora parecía tan irreal... La hermana Teresa ya no sabía a ciencia cierta qué era real y qué era imaginario. El bebé que había visto, ¿era el bebé de Monique? ¿O Dios le estaba haciendo tretas? Era todo tan desconcertante... Cuando ella era joven, todo era muy simple. Cuando ella era joven...

Capítulo once

Eze, Francia   1924

Cuando tenía apenas ocho años, la mayor parte de los momentos felices de la vida de Teresa DeFosse provenían de la iglesia. Era como una llama sagrada que la atraía hacia su calor. Ella acudía a la Chapelle des Pénitents Blancs y oraba en la catedral de Mónaco y en Notre Dame du Bon Voyage en Cannes, pero lo más frecuente era que asistiera a los servicios en la iglesia de Eze.

Teresa vivía en un *château* situado en una montaña que dominaba el pueblo medieval de Eze, cerca de Montecarlo, sobre la Costa Azul. El pueblo estaba asentado en lo alto de un peñasco y a Teresa le parecía que desde allí podía contemplar el mundo entero. En la cima había un monasterio, con filas de casas dispuestas como en una cascada que bajaba la ladera de la montaña hasta el azul Mediterráneo.

Monique, un año más joven que Teresa, era la belleza de la familia. Ya de niña era posible apreciar que al crecer se convertiría en una mujer magnífica. Tenía rasgos finos, chispeantes ojos azules y una seguridad natural que concordaba con su apariencia.

Teresa era el patito feo. En realidad, al matrimonio DeFosse le incomodaba el aspecto de su hija mayor. Si Teresa hubiera sido convencionalmente fea, habrían podido enviarla a un cirujano plástico para que le acortara la nariz o le modificara el mentón o le mejorara los ojos. Pero el problema era que todos los rasgos de Terèsa estaban ligeramente torcidos. Todo parecía fuera de lugar, como si la niña fuera una actriz cómica que se hubiera distorsionado la cara para hacer reír.

118

Pero si Dios le había jugado una mala pasada en cuanto a la apariencia, en cambio la había compensado con la bendición de un don extraordinario. Teresa tenía la voz de un ángel. Lo advirtieron la primera vez que cantó en el coro de la iglesia. Los parroquianos escucharon arrobados los tonos claros y puros que salían de la garganta de la niña. Y a medida que Teresa fue creciendo, su voz fue tornándose aún más bella. En la iglesia le dieron a cantar todos los solos. Allí, Teresa se sentía aceptada. Pero fuera de la iglesia se mostraba excesivamente tímida, dolorosamente consciente de su fealdad.

En la escuela, era Monique quien atraía a todos los amigos. Los chicos y las chicas se arremolinaban a su alrededor. Querían jugar con ella, que la gente los viera con ella. A Monique la invitaban a todas las fiestas. A Teresa también, pero sólo por cortesía, para cumplir con una obligación social; y Teresa lo sabía, y sufría por ello.

—No, Renée, no puedes invitar a una de las chicas DeFosse y a la otra no. Sería mala educación.

A Monique le daba vergüenza tener una hermana fea. Sentía que de algún modo se reflejaba en ella.

Los padres de Teresa trataban a su hija mayor con toda corrección. Cumplían con sus deberes puntillosamente, pero resultaba obvio que era Monique a quien adoraban. A Teresa le faltaba aquello que más anhelaba: amor.

Era una niña obediente, dispuesta y ansiosa por complacer, una buena alumna que gustaba de la música, la historia y los idiomas y trabajaba mucho en la escuela. Sus maestros, los sirvientes y la gente del pueblo sentían pena por ella. Compartían la opinión de un comerciante que un día, después de que Teresa se marchó de su negocio, dijo:

—Cuando Dios hizo a esta chica no estaba prestando atención.

Donde Teresa hallaba amor era en la iglesia. El sacerdote la quería, y Jesús la amaba. Iba a misa todas las mañanas y hacía las catorce estaciones de la cruz. Arrodillada en la fría iglesia abovedada, sentía la presencia de Dios. Cuando cantaba allí, la embargaba una sensación de esperanza, de expectación. Como si estuviera a punto de ocurrirle algo maravilloso. Aquello era lo único que le tornaba soportable la vida.

Teresa nunca confesaba su desdicha ni a sus padres ni a su hermana, pues no quería agobiarlos, y guardaba para sí el secreto de cuánto la amaba Dios y cuánto Lo amaba ella.

Teresa adoraba a su hermana. Jugaban juntas en los parques que rodeaban la residencia, y ella dejaba que Monique ganara los juegos con que se divertían. Salían juntas a explorar los alrededores, bajando por los empinados escalones de piedra cortados en la montaña hasta el pueblo de Eze, y vagabundeaban por las calles estrechas del barrio de los artistas para mirarlos vender sus mercancías frente a sus talleres.

Cuando las niñas llegaron a la adolescencia, las predicciones de los lugareños se hicieron realidad. Monique se volvió más hermosa. Los muchachos la seguían como un rebaño, mientras Teresa permanecía en su cuarto cosiendo o leyendo, o iba al pueblo a hacer las compras.

Un día, al pasar por el salón de su casa, Teresa oyó que su madre y su padre discutían.

—Va a ser una solterona. Tendremos que ocuparnos de ella toda la vida.

—Teresa va a encontrar a alguien. Tiene un carácter muy dulce.

—Eso no es lo que buscan los jóvenes de hoy. Quieren una mujer con la que puedan disfrutar en la cama.

Teresa huyó.

Seguía cantando en la iglesia los domingos, y a causa de ello ocurrió algo que casi le cambió la vida. En la congregación había una tal Madame Neff, tía del director de una radio de Niza.

Una mañana de domingo se detuvo a conversar con Teresa.

—Aquí estás desperdiciando tu vida, querida. Tienes una voz extraordinaria. Deberías utilizarla.

—Lo hago. Yo...

—No me refiero a... —miró en dirección a la iglesia— ...esto. Hablo de que uses tu voz profesionalmente. Me enorgullezco de reconocer el talento cuando lo oigo. Quiero que cantes para mi sobrino. Él puede darte trabajo en la radio. ¿Te interesa?

—Yo... no sé.

El solo pensarlo la aterraba.

—Consúltalo con tu familia.

—Creo que es una idea estupenda —dijo la madre de Teresa.

—Podría hacerte bien —concordó el padre.

Fue Monique quien mostró reserva ante la propuesta.

—No eres cantante profesional —dijo—. Podrías hacer el ridículo.

Aquello no tenía nada que ver con las verdaderas razones de Monique para tratar de desalentar a su hermana. Lo que Monique temía era que Teresa tuviera *éxito*. Desde siempre, Monique era la única que había atraído toda la atención. *No es justo*, pensó, *que Dios le haya dado esa voz a Teresa. ¿Y si llega a hacerse famosa? Yo quedaría olvidada, ignorada.*

Y así Monique intentó convencer a su hermana de que no se presentara a la prueba.

Pero al domingo siguiente, en la iglesia, Madame Neff detuvo a Teresa y le dijo:

—Ya hablé con mi sobrino. Está dispuesto a concederte una prueba. Te espera el miércoles a las tres de la tarde.

Así fue como al miércoles siguiente Teresa, muy nerviosa, apareció en la emisora de radio de Niza y se encontró con el director.

—Soy Louis Bonnet —le dijo el hombre lacónicamente—. Puedo concederle cinco minutos.

La apariencia física de Teresa no hacía más que confirmar sus peores temores. No era la primera vez que su tía le enviaba "talentos".

Debería decirle que no salga de la cocina. Pero sabía que no podía hacer algo semejante. El problema consistía en que su tía era muy rica, y él, su único heredero.

Teresa siguió a Louis Bonnet por un estrecho corredor hasta el interior de un pequeño estudio de emisiones.

—¿Ha cantado profesionalmente alguna vez?

—No, señor.

Su blusa estaba empapada en transpiración. *¿Por qué dejé que me convencieran de venir aquí?*, se preguntaba Teresa. Tenía pánico, quería huir.

Bonnet la ubicó frente a un micrófono.

—Hoy no dispongo de ningún pianista, así que tendrá que cantar *a cappella*. ¿Sabe lo que significa *a cappella*?

—Sí, señor.

—Magnífico.

El hombre se preguntó, no por primera vez, si su tía era lo suficientemente rica como para que valiera la pena soportar todas esas pruebas estúpidas.

—Yo estaré en la cabina de control. Tiene tiempo para una sola canción.

—Señor... ¿Qué...?

Bonnet había desaparecido. Teresa se encontró sola en la cabina, los ojos fijos en el micrófono frente a ella. No tenía idea de qué iba a cantar. "Sólo debes ir y presentarte a mi sobrino —le había dicho Madame Neff—. La radio tiene un programa musical todos los sábados, y..."

Tengo que salir de aquí.

La voz de Louis surgió de la nada:

—No dispongo de todo el día.

—Lo lamento. No puedo...

Pero el director estaba resuelto a castigarla por hacerle perder el tiempo.

—Cante aunque sea unas cuantas notas —insistió. Lo suficiente para que pudiera informarle a su tía el papelón que había hecho la chica. Quizá con eso la persuadiera de que dejara de enviarle a sus protegidos.

—Estoy esperando —dijo.

Se acomodó en su sillón y encendió un Gitane. Aún le quedaban cuatro horas allí. Yvette estaría aguardándolo. Tendría tiempo de pasar un rato en el departamento de ella antes de volver a su casa, con su esposa. Tal vez incluso hubiera tiempo para...

Entonces la oyó, y no pudo creerlo. Era una voz tan pura y dulce que le provocaba escalofríos en la columna vertebral. Era una voz llena de anhelo y deseo, una voz que cantaba de la soledad y la desesperanza, de amores perdidos y sueños muertos, e hizo que sus ojos se cubrieran de lágrimas. Removía en él emociones que creía apagadas desde largo tiempo atrás. Sólo atinó a exclamar, para sus adentros:

—¡Dios santo! ¿Dónde estaba esta criatura?

Un ingeniero que había entrado casualmente en la cabina de control se quedó inmóvil, escuchando como hipnotizado. La puerta permanecía abierta y otras personas comenzaron a entrar, atraídas por la voz. De pie, en silencio, escuchaban el sonido conmovedor de un corazón que clamaba desesperadamente pidiendo amor, un

122

sonido que colmaba, único, todo el recinto.

Cuando terminó la canción se hizo un largo silencio, hasta que una de las mujeres exclamó:

—¡Fantástico! No sé quién es, pero no la dejen escapar.

Louis Bonnet se apresuró a salir de su sala para entrar en el estudio de emisión. Teresa se disponía a retirarse.

—Disculpe, canté demasiado. Lo que pasa es que yo nunca...

—Siéntate, María.

—Teresa.

—Perdón. —Bonnet respiró hondo. —Todos los sábados a la noche transmitimos un programa musical...

—Lo sé. Siempre lo escucho.

—¿Te gustaría cantar en ese programa?

Teresa lo miró fijo, incapaz de creer lo que oía.

—¿Quiere decir... que quiere *contratarme*?

—A partir de esta semana. Comenzaremos con el mínimo. Para ti será una gran oportunidad de mostrar tus dotes.

Era casi demasiado bueno como para ser cierto. *Van a pagarme por cantar.*

—¿Pagarte? ¿Cuánto? —preguntó Monique.

—No lo sé. No me importa.

Lo importante es que le interesó a alguien, estuvo a punto de decir, pero se contuvo.

—¡Qué buena noticia! ¡Así que vas a estar en la radio! —dijo su padre.

Su madre ya estaba haciendo planes.

—Les diremos a todos nuestros amigos que te escuchen, y les enviaremos cartas para informarles lo talentosa que eres.

Teresa miró a Monique, esperando que dijera: *No hace falta que hagan eso. Teresa ES talentosa.*

Pero Monique no dijo nada. *Muy pronto pasaré al olvido*, pensó.

Se equivocaba.

El sábado a la noche, en la emisora de radio, Teresa estaba aterrada.

—Créeme —le aseguró Louis Bonnet—. Es algo perfectamente natural. Todos los artistas sufren este momento de pánico.

Se hallaban sentados en la salita verde destinada a los músicos y cantantes.

—Vas a causar sensación.

—Voy a descomponerme.

—No hay tiempo para eso. Saldrás al aire en dos minutos.

Aquella tarde Teresa había ensayado con la pequeña orquesta que iba a acompañarla. El ensayo había resultado extraordinario. El escenario desde el cual transmitían el programa estaba atestado por el personal de la radio que había oído hablar de esa muchacha de voz increíble. Mientras Teresa interpretaba los temas que iba a cantar después, la escucharon con respeto y admiración. Ninguno de ellos tenía la menor duda de que estaban presenciando el nacimiento de una estrella importante.

—Qué lástima que no sea un poco más linda... —comentó un director de escena—. Pero en la radio nadie podrá advertirlo.

Esa noche, la actuación de Teresa fue soberbia. Ella misma se dio cuenta de que nunca había cantado mejor. ¿Y quién sabía adónde podía conducirla aquello? Quizá se hiciera famosa y tuviera a los hombres a sus pies, rogándole que se casara con ellos. Tal como le rogaban a Monique.

Como si le hubiera leído el pensamiento, Monique le dijo:

—Me siento muy feliz por ti, hermanita, pero no te dejes llevar por todo esto. Estas cosas nunca duran.

Esta sí durará, pensó Teresa, feliz. *Por fin soy una persona. Soy alguien.*

El lunes a la mañana Teresa recibió una llamada telefónica de larga distancia.

—Quizá se trate de una broma —le advirtió su padre—. Es un hombre que dice ser Jacques Raimu.

El director de escena más importante de Francia.

Teresa atendió el teléfono con desconfianza.

—¿Hola?

—¿Señorita DeFosse?

—Sí.

—¿Teresa DeFosse?

—Sí.

—Habla Jacques Raimu. La oí cantar en el programa del sábado a la noche. Usted es exactamente la persona que estoy buscando.

—Yo... No comprendo.

—Estoy montando una obra musical en la Comédie Francaise. Comienzo los ensayos la semana que viene. Estaba buscando a alguien con una voz como la suya. Para decirle la verdad, *no existe nadie* que tenga una voz como la suya. ¿Quién es su representante?

—¿Representante? Yo... no tengo ninguno.

—Entonces iré a verla y haremos trato entre los dos.

—Señor Raimu... eh... Mire que no soy muy linda... —Le resultaba doloroso pronunciar esas palabras, pero sabía que era necesario. *Debo evitar que él albergue falsas expectativas.*

Raimu se echó a reír.

—Pero lo será; ya va a ver cómo logro transformarla. El teatro es el arte de la simulación. Con el maquillaje escénico se puede conseguir toda clase de magias increíbles.

—Pero...

—La veré mañana.

Era un sueño, una fantasía. ¡Figurar en una obra dirigida por Raimu!

—Elaboraré el contrato contigo, Teresa —le dijo su padre—. Con la gente de teatro hay que manejarse con mucho cuidado.

—Debemos comprarte un vestido nuevo —dijo su madre—. E invitaremos a Raimu a cenar.

Monique no dijo nada. Lo que ocurría le resultaba insoportable. Era inconcebible que su hermana fuera a convertirse en una estrella. Tal vez hubiera un modo...

Monique se ocupó de ser la primera en bajar por las escaleras cuando Jacques Raimu llegó a la mansión de los DeFosse aquella tarde. El director de escena fue recibido por una muchacha tan hermosa que su corazón dio un salto. Llevaba un sencillo vestido blanco que embellecía su figura hasta la perfección.

Dios mío, pensó el hombre. *¡Con ese aspecto y esa voz! Es perfecta. Llegará a ser una gran estrella.*

—No puedo decirle lo feliz que me siento al conocerla —dijo Raimu.

Monique respondió con calidez:

—A mí también me alegra conocerlo a usted. Soy una gran admiradora suya, señor Raimu.

—Qué bien. Entonces trabajaremos juntos. Aquí tengo el guión. Es una hermosa historia de amor y yo creo...

En ese momento entró Teresa. Llevaba un vestido nuevo, pero eso no lograba disimular su aspecto torpe. Al ver a Jacques Raimu se detuvo.

—Oh... hola. No sabía que usted estaba aquí. Es decir... eh... Ha llegado un poco antes.

El hombre miró a Monique con expresión interrogante.

—Es mi hermana —dijo Monique—. Teresa.

Ambas observaron que la expresión de Raimu cambiaba. Mostró sorpresa, decepción, disgusto.

—¿Usted es la cantante?

—Sí.

Raimu se volvió hacia Monique.

—Y usted...

Monique esbozó una sonrisa inocente.

—Yo soy la hermana de Teresa.

Raimu se dio vuelta para examinar otra vez a Teresa y luego sacudió la cabeza.

—Lo lamento —dijo—. Usted es demasiado... —farfulló buscando una palabra— ...demasiado... joven. Si me disculpan, debo regresar a París.

Y ambas se quedaron mirándolo irse.

Funcionó, pensó Monique con alegría. *Funcionó.*

Aquél fue el último programa que Teresa hizo en su vida. Louis Bonnet le suplicó que volviera, pero su herida era demasiado profunda.

Después de ver a mi hermana, pensaba Teresa, *¿quién podría quedarse conmigo? Soy tan fea...*

Mientras viviera, jamás iba a olvidar aquella expresión del rostro de Jacques Raimu.

Fue culpa mía, por haberme hecho tontas ilusiones, se dijo Teresa. *Y Dios eligió castigarme de esa forma.*

A partir de entonces, Teresa sólo cantaba en la iglesia y se volvió más solitaria que nunca.

En los diez años siguientes la hermosa Monique rechazó más de una docena de proposiciones de matrimonio. Se le declararon los hijos del alcalde, el banquero, el médico, los comerciantes del pueblo. Entre sus pretendientes había desde jóvenes recién salidos de la escuela hasta hombres establecidos y prósperos de cuarenta y cincuenta años. Eran ricos y pobres, apuestos y feos, educados e incultos. Y a todos ellos Monique les decía *no.*

—¿Qué es lo que estás buscando? —le preguntaba su padre, desconcertado.

—Papá, acá todos son muy aburridos. Eze es un lugar muy rústico. El príncipe de mis sueños está en París.

Y así su padre la envió a París. Después de pensarlo dos veces, también envió a Teresa. Las dos muchachas se hospedaron en un hotelito del Bois de Boulogne.

Cada una vio un París diferente. Monique asistía a bailes de caridad y cenas fascinantes y tomaba el té con jóvenes profesionales. Teresa visitaba Les Invalides y el Louvre. Monique iba a las carreras en Longchamp y a las galas de Malmaison. Teresa iba a la catedral de Notre Dame, a rezar, y caminaba por los senderos arbolados del canal St. Martin. Monique iba a Maxim's y el Moulin Rouge, mientras Teresa paseaba por los quais, mirando los puestos de libros y de flores y deteniéndose en la basílica de St. Denis. Teresa disfrutó de París, pero para Monique el viaje resultó un fracaso.

Al regresar a su casa, comentó:

—No logro encontrar ningún hombre con el que quiera casarme.

—¿No conociste a nadie que te interesara? —le preguntó su padre.

—No. Bueno, había un muchacho que me llevó a cenar a Maxim's... El padre tiene minas de carbón.

—¿Cómo era? —preguntó su madre, ansiosa.

—Oh, era rico, buen mozo, cortés, y me adoraba.

—¿Te pidió que te casaras con él?

—Cada diez minutos. Al final, sencillamente me negué a verlo otra vez.

Su madre la miraba atónita.

—¿Por qué?

—Porque no sabía hablar más que del carbón: carbón bitumi-noso, carbón en terrones, carbón negro, carbón gris. Aburrido, abu-rrido, aburrido.

Al año siguiente Monique decidió que quería volver a París.

—Prepararé mis valijas —dijo Teresa.

Monique sacudió la cabeza.

—No. Creo que esta vez iré sola.

De modo que fue a París y Teresa se quedó en su casa; iba a la iglesia todas las mañanas y rogaba que su hermana encontrara un apuesto príncipe. Y un día ocurrió el milagro. Milagro porque fue a Teresa a quien le ocurrió. Se llamaba Raoul Giradot.

Aquel domingo había asistido a la iglesia y había oído cantar a Teresa. Jamás había oído nada parecido. *Debo conocerla*, pensó.

El lunes a la mañana muy temprano, Teresa se detuvo en el al-macén general del pueblo para comprar tela para un vestido que es-taba haciendo. Raoul Giradot se hallaba trabajando tras el mostrador.

Al levantar la vista vio entrar a Teresa y su rostro se iluminó.

—¡La voz!

Teresa lo miró, turbada.

—¿C... cómo dice?

—Ayer la escuché cantar en la iglesia. Es usted magnífica.

Era atractivo y alto, con ojos oscuros inteligentes y vivaces, y labios sensuales. Tenía unos treinta años, uno o dos más que Teresa.

Ella estaba tan impresionada por el aspecto de él, que no le sa-lían las palabras. No dejaba de mirarlo, con el corazón acelerado.

—G... gracias —balbuceó—. Yo... eh... Quisiera tres metros de muselina, por favor.

Raoul sonrió.

—Será un placer. Por aquí.

A Teresa de pronto le resultó difícil concentrarse en la compra. Se sentía abrumadoramente atraída por la presencia del joven, su buena apariencia y su simpatía, el halo masculino que lo rodeaba.

Cuando ya había elegido la tela y Raoul se la envolvía, se atre-vió a decir:

—Usted... eh... Usted es nuevo aquí, ¿no?

Él la miró y sonrió, y Teresa sintió escalofríos.

—*Oui*. Llegué a Eze hace unos días. Este negocio es de mi tía y como necesitaba una ayuda pensé que podía trabajar aquí por un tiempo.

¿Cuánto tiempo?, se preguntó Teresa casi sin darse cuenta.

—Usted debería cantar profesionalmente —le dijo Raoul.

Ella recordó la expresión de Raimu al verla. No, nunca se arriesgaría a exponerse en público otra vez.

—Gracias —masculló Teresa.

Él se sintió conmovido por la incomodidad y la timidez de la joven. Trató de inducirla a conversar.

—Es la primera vez que vengo a Eze. Es un pueblito hermoso.

—Sí —respondió Teresa.

—¿Usted nació aquí?

—Sí.

—¿Le gusta este lugar?

—Sí.

Teresa tomó su paquete y salió casi huyendo.

Al día siguiente encontró una excusa para regresar al negocio. Había pasado la mitad de la noche preparando lo que le iba a decir a Raoul.

Me alegro de que le guste Eze...

¿Sabe? El monasterio fue construido en el siglo XIV...

¿Ya visitó Saint Paul-de-Vence? Hay una capilla lindísima...

Montecarlo me agrada mucho, ¿y a usted? Es maravilloso que esté tan cerca de aquí. A veces mi hermana y yo vamos en coche por la Grande Corniche hasta el Fort Antoine Theatre. ¿Lo conoce? Es un gran teatro al aire libre...

¿Sabía que en una época Niza se llamaba Nkaia? ¿No? Bueno, así es. Los griegos vivieron allí, hace muchísimo tiempo. En Niza hay un museo donde se conservan los restos de los cavernícolas que la habitaron hace miles de años. ¿No le parece interesante?

Teresa iba preparada con docenas de comentarios semejantes. Por desgracia, en el momento en que entró en el negocio y vio a Raoul se le borró todo de la cabeza. Sólo atinó a quedarse parada, mirándolo, incapaz de hablar.

—*Bonjour* —la saludó jovialmente Raoul—. Qué alegría volver a verla, *mademoiselle* DeFosse.

—G... gracias. —Se sentía una idiota. *Tengo treinta años*, se dijo, *y me estoy comportando como una colegiala tonta. Basta.*

Pero no podía cambiar su actitud.

—¿Qué puedo ofrecerle hoy?

—Eh... necesito más muselina.

Aquello era lo que menos necesitaba.

Terese contempló a Raoul, que tomó el rollo de tela, lo colocó sobre el mostrador y comenzó a medir.

—¿Cuántos metros desea?

Empezó a decir "dos", pero le salieron otras palabras:

—¿Es usted casado?

Él la miró con una sonrisa cálida en el rostro.

—No —respondió—. Aún no he tenido esa suerte.

Ya la tendrás, pensó Teresa. *En cuanto Monique regrese de París.*

A Monique, ese hombre le iba a encantar. Eran perfectos el uno para el otro. El pensar en la reacción de Monique cuando conociera a Raoul llenaba de felicidad a Teresa. Iba a ser muy lindo tener de cuñado a Raoul Giradot.

Al día siguiente, cuando Teresa pasó frente al negocio, Raoul la vio y se apresuró a salir.

—Buenas tardes, *mademoiselle*. Estaba a punto de tomarme un descanso. Si no tiene nada que hacer, ¿le molestaría acompañarme a tomar el té?

—Yo... eh... sí, gracias.

Cuando estaba con él, Teresa se quedaba muda, y sin embargo Raoul se mostraba lo más agradable. Hacía todo lo posible por lograr que ella se sintiera cómoda, y pronto Teresa se encontró contando a ese extraño cosas que jamás le había dicho a nadie. Hablaron de la soledad.

—Las multitudes me hacen sentir sola —dijo Teresa—. Siempre me siento como una isla en un mar de gente.

Él sonrió.

—Comprendo.

—Oh, pero usted debe de tener muchos amigos...

—Conocidos. Al fin y al cabo, ¿hay alguien que realmente tenga muchos amigos?

Era como si ella estuviera hablando con el reflejo de su propia imagen. La hora pasó con demasiada rapidez y pronto llegó el momento de que él retornara al trabajo.

Al levantarse, Raoul preguntó:

—¿Vendrá a almorzar conmigo mañana?

Lo decía por cortesía, desde luego. Teresa sabía que ningún hombre podía sentirse atraído por ella. Sobre todo un hombre tan maravilloso como Raoul Giradot. Seguramente mostraría la misma cortesía para con todos.

—Me encantaría —respondió Teresa.

Al día siguiente, cuando se encontraron, Raoul le dijo:

—Tengo la tarde libre. Si no está muy ocupada, ¿le gustaría ir en coche a Niza?

Fueron pór la Moyenne Corniche, con la capota del auto baja, y allá abajo la ciudad se desplegaba como una alfombra mágica. Teresa se echó atrás en el asiento y pensó: *Nunca he sido tan feliz.* Y luego, llena de culpa: *Soy feliz por Monique.*

Monique regresaba de París al día siguiente. Teresa la esperaba con un regalo de bienvenida: Raoul. Teresa era lo bastante realista como para saber que los Raoules de este mundo no eran para ella. Ya había sufrido suficiente. Hacía tiempo que había aprendido qué era lo real y qué era lo imposible. El apuesto hombre sentado a su lado que conducía el auto era un sueño imposible en el que ella ni siquiera se había atrevido a pensar.

Almorzaron en Le Chantecler, en el Hotel Negresco de Niza. Una comida soberbia, aunque después Teresa no logró recordar ninguno de sus platos. Le parecía que ella y Raoul no habían dejado de conversar. Tenían tanto que decirse... Él era ingenioso y fascinante y daba la impresión de que Teresa le resultaba interesante... realmente interesante. Le pidió su opinión sobre muchas cosas y escuchó con atención las respuestas de ella. Como si fueran almas gemelas. Si Teresa albergaba algún remordimiento por lo que estaba a punto de ocurrir, lo borró resueltamente de sus cabeza.

—¿Quisiera venir a cenar a casa mañana a la noche? Mi hermana regresa de París y me gustaría presentársela.

—Con mucho gusto, Teresa.

Al día siguiente, cuando Monique volvió, Teresa se apresuró a ir a recibirla a la puerta.

Pese a su resolución, no pudo evitar preguntar:

—¿Conociste a alguien interesante en París? —y contuvo el aliento, esperando la respuesta de su hermana.

—No, los mismos hombres aburridos de siempre —respondió Monique.

De modo que Dios había tomado la decisión definitiva.

—Invité a alguien a cenar esta noche —dijo Teresa—. Creo que te va a gustar.

Jamás debo permitir que alguien sepa cuánto me atrae, pensó Teresa.

Esa noche, a la siete en punto, el mayordomo condujo a Raoul Giradot al salón donde Teresa, Monique y sus padres aguardaban.

—Le presento a mi madre y mi padre. *Monsieur* Raoul Giradot.

Teresa respiró hondo.

—Y a mi hermana, Monique.

—¿Cómo está usted? —La expresión de Monique era cortés, nada más.

Teresa miró a Raoul, esperando su estupor ante la belleza de Monique.

—Encantado.

Meramente cortés.

Teresa permaneció inmóvil, conteniendo el aliento, aguardando el momento en que comenzaran a volar entre Raoul y su hermana las chispas que ella tan bien conocía. Pero Raoul miraba a Teresa.

—Qué linda está esta noche, Teresa.

Ella se ruborizó y balbuceó:

—G... gracias.

Todo lo planeado para aquella velada salió al revés. El plan de Teresa para unir a Monique y Raoul, lograr que se casaran, tener de cuñado a Raoul Giradot... nada de ello llegó a ocurrir. Resultaba increíble, pero la atención de Raoul se centraba por entero en Teresa. Como si un sueño imposible se hiciera realidad. Se sentía como la Cenicienta, con la diferencia de que ella era la hermana fea y el príncipe la había elegido a ella. Era irreal, pero estaba sucediendo, y Teresa se descubrió obligándose a resistirse a Raoul y su encanto porque sabía que aquello no podía ser cierto y temía volver a sufrir. Durante muchos años había ocultado sus emociones, resguardándose del dolor que acarreaba el rechazo. Ahora, por instinto, trataba de hacer lo mismo. Pero Raoul era irresistible.

—Escuché cantar a su hija —comentó Raoul—. ¡Es un milagro!

Teresa se ruborizó.

—Todos adoran la voz de Teresa —dijo Monique con dulzura.

Fue una velada embriagadora. Pero aún no había llegado lo mejor.

Cuando concluyó la cena, Raoul propuso:

—El parque de la casa parece muy hermoso. ¿Quiere mostrarme los jardines, Teresa?

Teresa miró a Monique, intentando leer los sentimientos de su hermana, pero ésta daba la impresión de total indiferencia.

Debe de estar sorda, muda y ciega, pensó Teresa.

Y entonces recordó cuántas veces Monique había ido y venido de París y St. Tropez en busca de su príncipe perfecto sin encontrarlo nunca.

La culpa no es de los hombres, sino de mi hermana. No tiene idea de lo que quiere.

Teresa se dirigió a Raoul:

—Claro, me encantaría.

Afuera, no pudo evitar sacar el tema:

—¿Qué le pareció Monique?

—Parece muy agradable —respondió Raoul—. Ahora pregúnteme cuánto me gusta la hermana de Monique.

Y tomó a Teresa entre sus brazos y la besó.

Aquello no se parecía a nada de lo que Teresa hubiera experimentado antes. Estremeciéndose en los brazos de él, pensó:

Gracias, Dios mío. Oh, gracias.

—¿Mañana cenarás conmigo? —le preguntó Raoul.

—Sí —contestó Teresa con voz entrecortada—. Claro que sí.

Cuando las dos hermanas se encontraron a solas, Monique comentó:

—Parecería que de verdad le gustas.

—Creo que sí —respondió Teresa con timidez.

—¿Y a ti te gusta él?

—Sí.

—Cuidado —rió Monique—. Que no se te suba a la cabeza.

Demasiado tarde, pensó Teresa, impotente. *Demasiado tarde.*

A partir de esa noche Teresa y Raoul se encontraban todos los días. Casi siempre los acompañaba Monique. Los tres caminaban por los paseos y las playas de Niza y se reían de los hoteles de varios pisos, que semejaban tortas de bodas. Almorzaban en el Hotel du Cap, en Cap d'Antibes, y visitaban la capilla de Matisse, en Vence. Cenaban en el Château de la Chèvre d'Or y en el fabuloso La Ferme St. Michel. Una mañana, a las cinco, fueron los tres al mercado de productos de granja que invadía las calles de Montecarlo y compraron pan fresco, verdura y fruta.

Los domingos, cuanto Teresa cantaba en la iglesia, Raoul y Monique se quedaban a escucharla, y después Raoul abrazaba a Teresa y le decía:

—Realmente eres un milagro. Podría escucharte cantar el resto de mi vida.

Cuatro semanas después de conocerse, Raoul se le declaró:

—Estoy seguro de que podrías conquistar al hombre que desearas, Teresa —le dijo—, pero me sentiría honrado si me eligieras a mí.

Por un momento terrible Teresa pensó que se estaba burlando de ella, pero antes de que pudiera responder, él prosiguió:

—Querida, debo decirte que he conocido a muchas mujeres, pero tú eres la más sensible, la más talentosa, la más cálida...

Cada palabra sonaba como música en los oídos de Teresa. Tenía ganas de reír; tenía ganas de llorar. *Qué bienaventurada soy*, pensó, *qué bendición amar y ser amada.*

—¿Te casarás conmigo?

Y ella lo miró de un modo que fue respuesta suficiente.

Cuando Raoul se fue, Teresa voló a la biblioteca, donde su hermana, su padre y su madre tomaban café.

—Raoul me pidió que nos casáramos.

Su rostro resplandecía y había en ella una especie de belleza. Sus padres se quedaron mirándola, perplejos. La primera en hablar fue Monique.

—Teresa, ¿estás segura de que ese hombre no anda tras el dinero de la familia?

Fue como una bofetada.

—No quiero ser grosera —continuó Monique—, pero todo parece tan apresurado...

Teresa estaba resuelta a no permitir que nada estropeara su felicidad.

—Sé que deseas protegerme —le respondió a su hermana—, pero Raoul tiene dinero. Su padre le dejó una pequeña herencia y no tiene miedo de ganarse la vida trabajando. —Tomó una mano de su hermana entre las suyas y rogó: —Por favor, ponte contenta por mí, Monique. Nunca pensé que llegaría a conocer este sentimiento. Estoy tan feliz que podría morirme ya mismo.

Entonces los tres la abrazaron y le dijeron que estaban muy complacidos y comenzaron a hablar con entusiasmo sobre los planes para la boda.

A la mañana siguiente, muy temprano, Teresa fue a la iglesia y se arrodilló a rezar.

—Gracias, Padre. Gracias por darme tanta felicidad. Haré todo lo que sea para merecer Tu amor y el de Raoul. Amén.

Teresa entró en el almacén general, casi flotando, y dijo:

—Por favor, señor, quisiera encargar materiales para un vestido de novia.

Raoul se echó a reír y la tomó en sus brazos.

—Serás una novia hermosa.

Y Teresa sabía que lo decía sinceramente. Ése era el milagro.

La fecha de la boda se dispuso para un mes después, en la iglesia del pueblo. Monique, por supuesto, iba a ser la dama de honor. El viernes a las cinco de la tarde Teresa habló con Raoul por última vez. A las doce y media del sábado, mientras esperaba en la sacristía a Raoul, que llevaba media hora de atraso, Teresa vio que el sacerdote se le acercaba. La tomó de un brazo y la llevó aparte, mientras ella se preguntaba cuál sería el motivo de la agitación que notaba en el cura. El corazón comenzó a latirle con fuerza.

—¿Qué sucede? ¿Pasa algo malo? ¿Le ha ocurrido algo a Raoul?

—Oh, querida mía —dijo el sacerdote—. ¡Pobre Teresa mía!

Comenzaba a aterrarse.

—¿Qué pasa, padre? ¡Dígamelo!

—Yo... Acabo de enterarme hace un momento. Raoul...

—¿Hubo un accidente? ¿Está herido?

—...Giradot se marchó del pueblo esta mañana temprano.

—¿*Cómo?* Seguramente habrá surgido una emergencia para que él...

—Se marchó con tu hermana. Los vieron tomando el tren a París.

La habitación comenzó a dar vueltas. *No*, pensó Teresa. *No debo desmayarme. No debo avergonzar a Dios.*

Sólo conservó un recuerdo brumoso de lo que sucedió a continuación. Desde muy lejos oyó que el cura comunicaba algo a las personas presentes para la boda, y luego el eco apagado del fuerte murmullo que se elevaba en la iglesia.

La madre de Teresa rodeó a su hija con los brazos y exclamó:

—¡Mi pobre Teresa! Que tu propia hermana haya podido ser tan cruel... Lo lamento tanto...

Pero Teresa sintió una súbita calma. Sabía lo que debía hacer para poner todo en orden.

—No te preocupes, mamá. Raoul no tiene la culpa de haberse enamorado de Monique. A cualquier hombre le pasaría lo mismo. Yo tendría que haber sabido que ningún hombre puede amarme.

—Te equivocas —le dijo su padre, entre sollozos—. Tú vales más que diez Moniques juntas.

Pero su compasión llegaba con muchos años de atraso.

—Ahora quisiera ir a casa, por favor.

Se abrieron paso entre la multitud. Los invitados a la iglesia se apartaron para dejarlos pasar, los ojos fijos en ellos.

Cuando regresaron a la mansión, Teresa dijo tranquila:

—Por favor, no se preocupen por mí. Les prometo que todo va a salir bien.

Luego subió a la habitación de su padre, tomó una hoja de afeitar y se cortó las muñecas.

Capítulo doce

Cuando Teresa abrió los ojos, el médico de la familia y el sacerdote del pueblo se hallaban de pie junto a su cama.

—¡No! —gritó—. No quiero volver. Déjenme morir. ¡Déjenme morir!

El sacerdote le dijo:

—El suicidio es un pecado mortal. Dios te dio la vida, Teresa. Sólo Él puede decidir cuándo ha de terminar. Eres joven. Tienes toda una vida por delante.

—¿Para hacer qué? —sollozó Teresa—. ¿Para seguir sufriendo? Ya no puedo soportar más dolor. ¡No puedo tolerarlo!

—Jesús soportó el dolor y murió por el resto de nosotros —le dijo el cura con suavidad—. No Le des la espalda.

El médico terminó de examinarla.

—Necesitas descansar. Le he dicho a tu madre que te someta a una ligera dieta por un tiempo. —La reprendió: —Una dieta que no incluye hojas de afeitar.

A la mañana siguiente Teresa se levantó con gran esfuerzo. Al ver que se dirigía al salón, su madre le preguntó alarmada:

—¿Qué haces fuera de la cama? El doctor dijo...

Teresa replicó con voz áspera:

—Tengo que ir a la iglesia. Tengo que hablar con Dios.

Su madre vaciló.

—Iré contigo.

—No. Debo ir sola.

El padre asintió.

—Déjala.

Ambos se quedaron contemplando a la desanimada silueta que salía de la casa.

—¿Qué va a ser de ella? —gimió la madre.

—Sólo Dios lo sabe.

Teresa entró en la iglesia, subió hasta el altar y se arrodilló.

—He venido a Tu casa a decirte algo, Dios. Te desprecio. Te desprecio por hacerme nacer fea. Te desprecio por hacer que mi hermana naciera hermosa. Te desprecio por permitir que ella se llevara al único hombre que he amado. Te escupo.

Las últimas palabras las pronunció en voz tan alta que la gente que allí rezaba se dio vuelta a mirarla, mientras ella salía tambaleante de la iglesia.

Teresa no había creído que pudiera existir un dolor semejante. Era insoportable. Resultaba imposible pensar en cualquier otra cosa. No podía comer ni dormir. El mundo le parecía apagado y lejano. Los recuerdos no cesaban de acudirle a la mente, como las escenas de una película.

Recordaba el día en que ella, Raoul y Monique habían paseado por la playa de Niza.

—Es un hermoso día para nadar —dijo Raoul.

—A mí me encantaría, pero no podemos. Teresa no sabe nadar.

—A mí no me molesta si quieren ir ustedes dos. Los esperaré en el hotel.

Y a ella la había complacido tanto que Raoul y Monique se llevaran tan bien...

Otro día estaban almorzando en Hotel Du Cap. El maître dijo:

—Hoy la langosta está especialmente buena.

—Bueno, yo pediré eso —repuso Monique—. Pero la pobre Teresa no puede. Los crustáceos le causan urticaria.

St. Tropez:

—Tengo ganas de andar a caballo. Antes solía hacerlo todas las mañanas. ¿Quieres acompañarme, Teresa?

—Eh... Disculpa, pero no sé montar, Raoul.

—¿Quieres que vaya yo? —dijo Monique—. A mí me encanta la equitación.

Y desaparecieron la mañana entera.

Había tenido cien indicios para darse cuenta, y no había advertido uno solo. Estaba ciega porque quería. Las miradas que intercambiaban Raoul y Monique, los inocentes roces de manos, los susurros, las risas.

¿Cómo pude haber sido tan estúpida?

Por la noche, cuando al fin lograba dormirse, Teresa soñaba. Siempre un sueño diferente. Siempre el mismo.

Raoul y Monique se hallaban en un tren, desnudos, haciendo el amor, y el tren cruzaba un puente en lo alto del cañón, y el puente se derrumbaba y todos los que iban en el tren morían aplastados.

Raoul y Monique se encontraban en una habitación de hotel, desnudos, en la cama, y Raoul encendía un cigarrillo y el cuarto estallaba en llamas y ambos morían quemados, y sus gritos despertaban a Teresa.

Raoul y Monique se caían de una montaña, se ahogaban en un río, perecían en un accidente de avión.

Era siempre un sueño diferente.

Siempre el mismo sueño.

Los padres de Teresa estaban desesperados. Veían que su hija se extinguía y no podían hacer nada para ayudarla. Hasta que de repente Teresa empezó a comer. Comía constantemente. No había comida que le resultara suficiente. Recuperó el peso perdido y luego fue engordando y engordando hasta volverse obesa.

Continuaba con su vida como si todo anduviera bien. Seguía yendo al pueblo a hacer las compras que había hecho siempre. Todas las noches se reunía con sus padres a cenar, y después leía o cosía. Había construido una fortaleza emocional que la rodeaba, y estaba decidida a no permitir que nadie la traspasara jamás. *No volverá a haber un hombre que quiera mirarme. Nunca más.*

Por fuera, Teresa parecía estar bien. En su interior, se hallaba hundida en un abismo de profunda y desesperada soledad. Aun cuando se encontraba rodeada de gente, se sentaba en un sillón solitario en un cuarto solitario, en una casa solitaria, en un mundo solitario.

Poco más de un año después del abandono de Raoul, el padre de Teresa preparaba las valijas para partir rumbo a Ávila.

—Tengo que arreglar unos negocios —le dijo a Teresa—. Pero después quedaré libre. ¿Por qué no vienes conmigo? Ávila es una ciudad fascinante. Te hará bien alejarte de aquí por un tiempo.

—No, gracias, padre.

El hombre miró a su esposa y suspiró.

—Está bien.

En ese momento entró el mayordomo.

—Disculpe, señorita DeFosse. Acaba de llegar esta carta para usted.

Ya antes de abrirla, Teresa se sintió embargada por el presentimiento de algo terrible que se cernía sobre ella.

La carta decía:

"Teresa, mi querida Teresa:
Dios sabe que no tengo derecho a llamarte 'querida' después del terrible daño que te hice, pero te prometo compensarte por ello aunque me lleve toda una vida. No sé por dónde empezar.
Monique huyó y me dejó con nuestra hijita de dos meses. Francamente, me siento aliviado. Debo confesar que desde el día en que te abandoné he vivido en el infierno. Nunca comprenderé por qué lo hice. Es como si me hubiera dejado atrapar en una especie de conjuro mágico de Monique, pero desde el principio supe que mi matrimonio con ella era un tremendo error. Fue a ti a quien amé siempre. Ahora sé que el único lugar donde puedo encontrar la felicidad es a tu lado. Cuando recibas esta carta ya estaré en camino, volviendo a ti.
Te amo, y te he amado siempre, Teresa. En nombre del resto de nuestras vidas juntos, te ruego perdón. Quiero..."

No pudo terminar de leer. La idea de volver a ver a Raoul y al bebé que había tenido con Monique le resultaba inconcebible, obscena.

Arrojó la carta al piso, histérica.

—¡Debo irme de aquí! —exclamó gritando—. Esta noche. Ya. Por favor... ¡Por favor!

Los padres no conseguían calmarla.

—Si Raoul viene hacia aquí —le dijo su padre—, al menos deberías hablar con él.

—¡No! Si lo veo, lo mataré. —Se aferró a los brazos de su padre, con el rostro cubierto de lágrimas. —Llévame contigo —le suplicó.

Iría a cualquier parte, mientras lograra escapar de allí.

Y así fue como esa noche Teresa y su padre emprendieron el viaje a Ávila.

El padre de Teresa estaba enloquecido por la infelicidad de su hija. No era un hombre compasivo por naturaleza, pero en los últimos meses Teresa se había ganado su admiración, por su valentía. Ella había enfrentado a la gente del pueblo con la frente alta, sin quejarse nunca. Él se sentía impotente, incapaz de consolarla.

Recordó el solaz que en otros tiempos Teresa había encontrado en la iglesia, y al llegar a Ávila le dijo:

—El padre Berrendo, el sacerdote de aquí, es un viejo amigo mío. Quizás él pueda ayudarte. ¿Querrías hablar con él?

—No.

No quería tener nada que ver con Dios.

Mientras su padre se ocupaba de sus negocios, Teresa se quedó sola en la habitación del hotel. Cuando él regresó, la encontró sentada en la misma silla, con la vista fija en las paredes.

—Teresa, por favor acepta ver al padre Berrendo.

—No.

El hombre estaba desesperado. Teresa se negaba a salir del hotel y se negaba a volver a Eze.

Por último, el sacerdote fue a ver a Teresa.

—Tu padre me ha dicho que antes ibas a la iglesia con regularidad.

Teresa miró a los ojos a aquel sacerdote de aspecto frágil y respondió con frialdad:

—Ya no me interesa. La iglesia no tiene nada que ofrecerme.

El padre Berrendo sonrió.

—La iglesia tiene algo que ofrecer a todos, hija mía. La iglesia nos da esperanzas y sueños...

—Ya tuve bastantes sueños. Nunca más.

Él tomó las manos de ella en las suyas, muy delgadas, y vio

las cicatrices de la hoja de afeitar en las muñecas, leves como un recuerdo lejano.

—Dios no cree lo mismo. Habla con Él y Él te guiará.

Teresa se quedó inmóvil, sentada, mirando las paredes, y cuando al fin el cura se marchó ella ni siquiera lo percibió.

A la mañana siguiente se dirigió a la fría iglesia abovedada y casi de inmediato la invadió aquella vieja y familiar sensación de paz. La última vez que había pisado una iglesia fue para maldecir a Dios. Sintió una profunda vergüenza. Era su propia debilidad lo que la había traicionado, no Dios.

—Perdóname —susurró—. He pecado. He vivido en el odio. Ayúdame. Por favor, ayúdame.

Levantó la vista y vio al padre Berrendo, parado a su lado. La condujo hasta su oficina, detrás de la sacristía.

—No sé qué hacer, padre. Ya no creo en nada. He perdido la fe.

Su voz emanaba desesperanza.

—¿Tenías fe cuando eras niña?

—Sí. Mucha.

—Entonces aún la tienes, hija mía. La fe es real y permanente. Lo perecedero es todo lo demás.

Aquel día hablaron durante horas.

Cuando Teresa regresó al hotel, casi al anochecer, su padre le dijo:

—Debo volver a Eze. ¿Estás dispuesta a acompañarme?

—No, papá. Déjame quedarme un tiempo aquí.

El hombre vaciló.

—¿Te sentirás bien?

—Sí, padre. Te lo prometo.

Teresa y el padre Berrendo se encontraban todos los días. El padre Berrendo sentía un gran afecto por ella. No la veía como a una mujer gorda y desprovista de atractivos, sino como a un espíritu hermoso y desdichado. Hablaron de Dios y de la creación y del significado de la vida, y lentamente, casi a pesar de sí misma, Teresa volvió a encontrar consuelo. Un día el padre Berrendo dijo algo que desató una profunda reacción.

142

—Hija, si no crees en este mundo, entonces cree en el otro. Cree en el mundo donde Jesús espera recibirte.

Y por primera vez desde aquello tan terrible que le había ocurrido, Teresa comenzó a sentirse nuevamente en paz. La iglesia se había convertido en su refugio, como antes. Pero debía pensar en su futuro.

—No tengo adonde ir.

—Podrías volver a tu casa.

—No. Es imposible. No podría volver a ver a Raoul. No sé qué hacer. Quiero esconderme, y no tengo dónde.

El padre Berrendo guardó silencio un largo rato. Al fin habló.

—Podrías quedarte aquí.

Teresa miró alrededor, perpleja.

—¿Aquí?

—Cerca de aquí hay un convento cisterciense. —Se inclinó hacia ella. —Es un mundo dentro de un mundo, donde todos se dedican a Dios. Es un lugar de paz y serenidad.

El corazón de Teresa comenzó a animarse.

—Parece maravilloso.

—Pero debo advertirte: es una de las órdenes más estrictas del mundo. Las que logran ser admitidas toman los votos de castidad, silencio y obediencia. Nadie que entre allí vuelve a salir jamás.

Las palabras hicieron estremecer a Teresa.

—No querré irme nunca, eso es lo que yo estaba buscando, padre. Desprecio al mundo en que vivo.

Pero el padre Berrendo seguía preocupado. Sabía que en el convento Teresa se vería enfrentada a una vida totalmente diferente de cualquier otra cosa que hubiera experimentado hasta ese momento.

—No podrás echarte atrás.

—No lo haré.

Al día siguiente, muy temprano, el padre Berrendo llevó a Teresa al convento, a conocer a la reverenda madre Betina. Las dejó solas para que pudieran conversar.

En el momento en que Teresa entró en el convento, supo cuál sería su decisión. *Al fin*, pensó con júbilo. *Al fin*.

Después llamó por teléfono a sus padres.

—Estábamos muy preocupados —le dijo su madre—. ¿Cuándo vuelves a casa?

—Ya estoy en casa.

El Obispo de Ávila ejecutó el ritual.

—Creador, Señor, envía tu bendición sobre Tu sierva para fortalecerla con la virtud celestial, para que conserve la fe total y la fidelidad inquebrantable.

Teresa respondió:

—Al reino de este mundo y todos sus adornos seculares, los desprecio por el amor de nuestro Señor, Jesucristo.

El obispo hizo la señal de la cruz por encima de ella.

—*De largitatis tuae fonte defluxit ut cum honorem nupiarum nulla interdicta minuissent ac super sanctum conjugium nuptialis benedictio permaneret existerent connubium, concupiscerent sacramentum, nec imitarentur quod nuptiis agitur, sed diligerent quod nuptiis praenotatur. Amén.*

—Amén.

—Yo te desposo con Jesucristo, el hijo del Padre Supremo. Por lo tanto recibe el sello del Espíritu Santo, para que puedas llamarte la esposa de Dios, y si lo sirves fielmente serás coronada por siempre. —El obispo se puso de pie. —Dios, el Padre Todopoderoso, Creador del cielo y de la tierra, que se ha dignado elegirte para concederte una relación matrimonial como la de la bendita María, madre de nuestro Señor, Jesucristo —*ad beatae Mariae matris Domini nostri Jesus Christ consortium*—, te consagra, para que, en presencia de Dios y Sus ángeles, puedas perseverar, inmaculada e intacta, y aferrarte a tu propósito, al amor, la castidad, y conservar la paciencia para que puedas merecer la corona de Su bendición, mediante el mismo Cristo nuestro Señor. Dios te fortalece en la debilidad, alivia y gobierna tu mente con Su piedad y guía tu camino. Amén.

Ahora, treinta años después, echada en el bosque contemplando el cielo a la espera de que el sol apareciera en el horizonte, la hermana Teresa pensaba: *Entré en el convento por razones completamente equivocadas. No procuraba a Dios. Escapaba del mundo. Pero Dios me leyó el alma.*

Tenía sesenta años, y los últimos treinta habían sido los más felices que hubiera experimentado. Y ahora, de pronto, se veía sumergida nuevamente en el mundo del que había huido. Y su mente le jugaba extrañas malas pasadas.

¿Qué es lo que Dios ha planeado para mí?

Capítulo trece

Para la hermana Megan, el viaje era una aventura. Ya se había acostumbrado a las nuevas imágenes y los nuevos sonidos que la rodeaban, y la velocidad con que se había adaptado la sorprendía.

Sus compañeras le resultaban fascinantes. Amparo Jirón era una mujer vigorosa, capaz de mantener con facilidad el mismo ritmo de marcha que los dos hombres, y sin embargo, al mismo tiempo era también muy femenina.

Félix Carpio, el hombre hosco de barba rojiza y una cicatriz en el rostro, parecía amistoso y agradable.

Pero para Megan el más imponente del grupo era Jaime Miró. Emanaba una suerte de fuerza inexorable, una fe inquebrantable en sus creencias que recordaba a Megan las monjas del convento.

Cuando emprendieron el viaje, Jaime, Amparo y Félix llevaban en los hombros bolsas de dormir y rifles.

—Permítanme llevar una de esas bolsas de dormir —se ofreció Megan.

Jaime Miró la contempló con gesto de sorpresa y luego se encogió de hombros.

—Está bien, hermana.

Le alcanzó la bolsa. Era más pesada que lo que Megan esperaba, pero no se quejó. *Mientras esté con ellos, cumpliré con mi parte.*

Tenía la impresión de que caminaban desde siempre, avanzando a los tropezones en medio de la oscuridad, golpeados por las ramas, arañados por los matorrales, atacados por los insectos, guiados sólo por la luz de la luna.

¿Quién es esta gente?, se preguntaba Megan. *¿Y por qué los persiguen?* Y como ella y las otras monjas también eran víctimas de una persecución, Megan sentía una intensa afinidad con sus nuevos compañeros.

146

Hablaban muy poco, pero de tanto en tanto sostenían conversaciones crípticas.

—¿En Valladolid está todo listo?

—Sí, Jaime. Rubio y Tomás se encontrarán con nosotros en el Banco, durante la corrida de toros.

—Bien. Avísale a Largo Cortez que nos espere. Pero no le digas la fecha.

—Comprendo.

¿Quiénes eran Largo Cortez y Rubio y Tomás?, se preguntaba Megan. ¿Y qué era lo que iba a ocurrir en la corrida de toros y el Banco? Estuvo a punto de preguntarlo, pero lo pensó mejor. *Tengo la sensación de que no quieren que se les hagan preguntas.*

Cerca del amanecer olfatearon humo que provenía del valle más abajo.

—Esperen aquí —susurró Jaime—. Quédense quietos.

Jaime avanzó hasta el borde del bosque y desapareció de la vista de los otros.

Megan dijo:

—¿Qué es...?

—¡Cállense! —ordenó Amparo Jirón.

Jaime Miró volvió quince minutos después.

—Soldados. Los rodearemos.

Volvieron sobre sus pasos alrededor de un kilómetro, y luego avanzaron cautelosamente a través de los bosques hasta llegar a un camino lateral. Frente a ellos se extendía un campo plano, impregnado de los aromas de la cosecha y los frutos maduros.

Megan no pudo con su curiosidad.

—¿Por qué los buscan los soldados? —preguntó.

—Digamos que porque ellos y nosotros no nos llevamos muy bien —respondió Jaime Miró.

Y ella tuvo que contentarse con eso. *Por ahora*, pensó. Estaba decidida a saber más acerca de ese hombre.

Media hora más tarde llegaron a un claro donde podrían refugiarse. Jaime dijo:

—El sol está alto. Nos quedaremos aquí hasta el anochecer. —Miró a Megan: —Esta noche vamos a tener que viajar más rápido.

Ella asintió.

—Muy bien.

Jaime tomó las bolsas de dormir y las desenrolló.

Félix Carpio se dirigió a Megan:

—Usted duerma en la mía, hermana. Yo estoy habituado a dormir en el suelo.

—Es suya —le dijo Megan—. Yo no podría...

—Por el amor de Dios —interrumpió Amparo—. Métase en la bolsa. No queremos que se ponga a gritar por las malditas arañas.

En su voz había cierta animosidad que Megan no comprendió.

Sin decir una sola palabra más, Megan se introdujo en la bolsa de dormir. *¿Qué es lo que le molesta a esta mujer?*, se preguntó.

Megan se quedó mirando a Jaime, que preparó su bolsa de dormir y la ubicó a unos pocos metros de donde estaba ella. Se acostó. Amparo Jirón se acomodó a su lado. *Ya entiendo*, pensó Megan.

Jaime se dirigió a Megan:

—Será mejor que duerma un poco. Tenemos un largo camino por delante.

Un gemido despertó a Megan en medio de la noche. Sonaba como si alguien estuviera sufriendo un dolor terrible. Se incorporó, preocupada. Los sonidos provenían de la bolsa de dormir de Jaime. *Debe de estar tremendamente enfermo*, fue lo primero que pensó.

El gemido se hacía más fuerte, y después Megan oyó la voz de Amparo Jirón que decía:

—Sí, sí. ¡Dámelo, querido! ¡Más fuerte! ¡Sí! ¡Ahora! ¡Ahora!

Megan se ruborizó. Trató de cerrar su mente a lo que oía, pero era imposible. Y se preguntó qué sentiría si Jaime Miró le hiciera el amor.

Al instante se persignó y comenzó a rezar: *Perdóname, Padre. Haz que mis pensamientos sólo estén llenos de Ti. Permite que mi espíritu Te busque y encuentre su origen y su bien en Ti.*

Y los ruidos se apagaron. Por fin, cuando Megan pensaba que ya no podía soportarlos un instante más, cesaron. Pero había otros sonidos que la mantenían despierta. Los ruidos del bosque rebotaban alrededor. Una cacofonía de gorjeos de pájaros y cantos de grillos, y el murmullo de los animales pequeños y los gruñidos guturales de los animales más grandes. Megan había olvidado lo ruidoso que podía ser el mundo exterior. Extrañaba el maravilloso silencio del convento. Para su gran sorpresa, hasta echaba de menos al orfanato. El orfanato terrible, maravilloso...

Capítulo catorce

Ávila   1957

La llamaban "Megan, el Terror".
La llamaban "Megan, el Diablo de Ojos Azules".
La llamaban, "Megan, la Imposible".
Tenía diez años.

La habían llevado al orfanato cuando aún era un bebé de brazos, abandonada en el umbral de la casa de un matrimonio de granjeros que no podían hacerse cargo de ella.

El orfanato era un edificio austero, de dos pisos y paredes blanqueadas, situado en las afueras de Ávila, en la zona pobre de la ciudad, próximo a la Plaza de San Vicente, dirigido por Mercedes Ángeles, una amazona de modales bruscos que contradecían la simpatía que sentía por sus pupilos.

Megan era diferente de los demás chicos, una extraña de cabello rubio y brillantes ojos azules, que contrastaba violentamente con los niños morenos, de pelo y ojos oscuros. Pero desde el principio Megan se mostró diferente también en otros aspectos. Era una niña tremendamente independiente, una líder, una buscapleitos. Cada vez que surgían problemas en el orfanato, Mercedes Ángeles no dudaba de que Megan tenía algo que ver en ello.

A través de los años, Megan dirigió disturbios de protesta por la comida, intentó que los pupilos se unieran en un sindicato, y encontró varios modos ingeniosos de atormentar a los celadores, además de fraguar media docena de fugas. No hace falta decir que Megan era inmensamente popular entre los demás niños. Era más chica que la mayoría, pero todos procuraban sus consejos y su guía. Era una líder natural. Y los niños menores adoraban que Megan les contara cuentos. Tenía una vívida imaginación.

—¿Quiénes eran mis padres, Megan?

—Ah... Tu padre era un hábil ladrón de joyas. Una noche trepó por los techos de un hotel para robar un diamante que pertenecía a una actriz famosa. Pero justo cuando se lo estaba guardando en el bolsillo la actriz se despertó. Encendió la luz y lo vio.

—¿Y ella lo hizo arrestar?

—No, porque él era muy buen mozo.

—¿Y qué pasó?

—Se enamoraron y se casaron. Después naciste tú.

—¿Pero por qué me mandaron al orfanato? ¿No me querían?

Ésa era siempre la parte difícil.

—Por supuesto que te querían. Pero... bueno... una vez que estaban esquiando en Suiza murieron en un terrible alud...

—¿Qué es un terrible alud?

—Es un montón muy grande de nieve que cae de repente y te sepulta.

—¿Y murieron los dos, mi papá y mi mamá?

—Sí. Y las últimas palabras que dijeron fueron que te querían mucho. Pero no quedaba nadie que pudiera cuidar de ti, así que te enviaron aquí.

Megan tenía tanta ansiedad como los otros por saber quiénes eran sus padres, y a la noche solía dormirse inventándose historias: "Mi padre era soldado de la Guerra Civil", pensaba. "Era capitán, y muy valiente. Lo hirieron en acción, y mi madre era la enfermera que lo cuidó. Se casaron, él volvió al frente y lo mataron. Mi madre era demasiado pobre para mantenerme, así que tuvo que dejarme en la granja, y eso le destrozó el corazón." Y sollozaba de piedad por su valeroso padre muerto y su desolada madre.

O: "Mi padre era torero. Uno de los grandes Matadores. La gloria de España. Todos lo adoraban. Mi madre era una hermosa bailarina de flamenco. Se casaron, pero a él lo mató un toro enorme y peligroso. Mi madre se vio obligada a abandonarme."

O:"Mi padre era un espía muy inteligente de otro país...".

Las fantasías eran infinitas.

En el orfanato había treinta niños, desde recién nacidos a adolescentes de catorce años. La mayoría eran españoles, pero también había pupilos de media docena de otros países, y Megan llegó a hablar con fluidez varios idiomas. Dormía en un amplio dormitorio junto con otras doce niñas. Por las noches conversaban hasta muy tarde, en susurros, de muñecas y ropa y, cuando fueron haciéndose mayores, de sexo, que pronto se convirtió en el tema principal.

—Me dijeron que duele mucho.

—A mí no me importa. No veo la hora de hacerlo.

—Yo me voy a casar, pero nunca voy a permitir que mi esposo me lo haga. Me parece una cosa sucia.

Una noche, cuando todos estaban dormidos, Primo Conde, uno de los muchachitos del orfanato, se introdujo en el dormitorio de las chicas. Se acercó a la cama de Megan.

—Megan... —susurró.

Ella se despertó al instante.

—¿Primo? ¿Qué ocurre?

El chico sollozaba, asustado.

—¿Puedo meterme en la cama contigo?

—Sí. No hagas ruido.

Primo tenía trece años, lo mismo que Megan, pero era menudo para su edad, y había sido vejado. Sufría pesadillas terribles y se despertaba gritando en medio de la noche. Los otros niños lo atormentaban, y Megan era la única que siempre lo protegía.

Primo se ubicó a su lado y Megan sintió las lágrimas que le corrían por las mejillas. Lo estrechó en sus brazos.

—No pasa nada —susurró Megan—. Todo está bien.

Lo meció suavemente hasta que los sollozos de él se apaciguaron. Tenía el cuerpo apretado contra el de ella, y Megan percibió la creciente excitación del muchachito.

—Primo...

—Disculpa. Yo... no puedo evitarlo.

Su erección hacía presión contra Megan.

—Te quiero, Megan. Tú eres la única persona que me importa en el mundo entero.

—Todavía no sabes nada del mundo.

—Por favor, no te rías de mí.

—No lo hago.

—No tengo a nadie más que a ti.

—Lo sé.

—Te quiero.

—Yo también te quiero, Primo.

—Megan... ¿quisieras... que te haga el amor? Por favor...

—No.

Se hizo silencio.

—Disculpa por haberte molestado. Volveré a mi cama —dijo con voz llena de dolor, y comenzó a bajarse.

—Espera. —Megan lo abrazó, con el deseo de calmar el sufrimiento del chico, sintiendo que ella misma se excitaba. —Primo... no... no puedo dejar que me hagas el amor, pero puedo hacer algo para que te sientas mejor. ¿Quieres?

—Sí —respondió él con un murmullo.

El chico llevaba piyama. Megan desató la cuerda que mantenía los pantalones en su lugar e introdujo la mano. *Es un hombre*, pensó. Lo tomó suavemente en una mano y se puso a acariciarlo. Primo gimió y dijo:

—Oh, qué sensación maravillosa —y un poco después: —Por Dios, cuánto te quiero, Megan.

Ella tenía el cuerpo en llamas, y si en ese momento él le hubiera propuesto hacerle el amor, ella habría aceptado.

Pero el chico permanecía quieto, callado, y unos minutos más tarde volvió a su cama.

Aquella noche Megan no durmió. Y jamás le permitió a Primo que volviera a su cama.

La tentación era demasiado grande.

Cada tanto los niños eran llamados a la oficina del supervisor para conocer a algún probable padre o madre. Era siempre un momento de gran emoción para los pupilos, pues podía significar la oportunidad de escapar a la horrible rutina del orfanato, la posibilidad de tener un hogar de verdad, de pertenecer a alguien.

Durante años Megan vio cómo elegían a otros. Se marchaban a casas de comerciantes, labradores, banqueros, tenderos. Pero eran siempre los otros niños, no Megan. Su reputación la perjudicaba. Oía la conversación con los posibles padres:

—Es una niña muy linda, pero me dijeron que tiene un carácter difícil.

—¿No es la que el año pasado entró de contrabando en el orfanato a doce perros?

—Dicen que es la cabecilla de todos los líos. Temo que no se va a llevar bien con nuestros hijos.

Esa gente no tenía idea de cuánto la adoraban los demás niños.

El padre Berrendo iba al orfanato una vez por semana a visitar a los pupilos, y Megan lo esperaba con ansiedad. Megan era un lectora voraz, y el cura y Mercedes Ángeles se encargaban de que tuviera a su disposición una buena provisión de libros. Con el sacerdote podía conversar de cosas que no se atrevía a hablar con ningún otro. Era al padre Berrendo a quien había acudido la pareja de granjeros para entregarle la bebita.

—¿Por qué no quisieron quedarse conmigo? —preguntó Megan.

El viejo sacerdote respondió amablemente:

—Claro que querían, Megan, y mucho, pero eran viejos y estaban enfermos.

—¿Por qué supone usted que mis padres verdaderos me abandonaron en esa granja?

—Sin duda porque eran pobres y no podían mantenerte.

A medida que crecía, Megan iba tornándose más y más devota. La atraían los aspectos intelectuales de la Iglesia católica. Leía las Confesiones de San Agustín, los escritos de San Francisco de Asís, a Thomas Merton, Tomás Moro y una docena de otros autores. Iba a la iglesia con regularidad y le gustaban los rituales solemnes, el gloria Patri, recibir la eucaristía, la doxología, la bendición. Y tal vez más que todo le encantaba la maravillosa sensación de serenidad que siempre la embargaba en la iglesia.

—Quiero hacerme católica —le dijo un día al padre Berrendo.

—Quizá ya lo eres, Megan, pero por las dudas tomaremos las precauciones del caso.

La instruyó en el catecismo católico:

—*Quid petis ab Ecclesia dei?*

—*Fidem!*

—*Fides quid tibi praestat?*

—*Vitam Aeternam.*

—*Abrenuntias Satanae?*

—*Sic.*

—¿Crees en Dios Padre Todopoderoso, creador del cielo y de la tierra?

154

—*Credo!*

—¿Crees en Jesucristo, su único Hijo, que nació y sufrió?

—*Credo!*

—¿Crees en el Espíritu Santo y en la Santa Iglesia Católica, la comunión de los santos, el perdón de los pecados, la resurrección del cuerpo y la vida eterna?

—*Credo!*

El sacerdote le sopló suavemente la cara.

—*Exi ab eo spiritus inmunde.* ¡Salgan de ella, espíritus inmundos, y dejen lugar al Espíritu Santo! —Le sopló la cara otra vez.

—Megan, recibe al Espíritu Santo en este aliento y recibe la bendición de Dios. Que la paz sea contigo.

A los quince años Megan se había convertido en una hermosa jovencita, de largos cabellos rubios y un cutis blanco que la distinguía aún más de entre sus compañeros.

Un día la llamaron a la oficina de Mercedes Ángeles. Con ella se encontraba el padre Berrendo.

—Hola, padre.

—Hola, querida Megan.

Mercedes Ángeles le dijo:

—Temo que tenemos un problema, Megan.

—¿Sí? —Se devanó los sesos tratando de recordar su última infracción.

La directora prosiguió:

—Este instituto establece para sus pupilos la edad límite de quince años, y tú ya has cumplido esa edad.

Desde luego, hacía tiempo que Megan conocía esa regla. Pero la había sepultado en su mente, pues no quería enfrentar el hecho de que no tenía adónde ir en el mundo, nadie que la quisiera, y que iba a ser abandonada una vez más.

—¿T... tengo que marcharme?

La amable amazona estaba desolada, pues no tenía elección.

—Lamentablemente, debo atenerme a las reglas. Podemos encontrarte trabajo de sirvienta.

Megan no podía hablar.

Lo hizo el padre Berrendo:

—¿Adónde te gustaría ir?

Al pensarlo, a Megan se le ocurrió una idea. *Había* un lugar adonde ir.

Desde los doce años, contribuía a su sustento en el orfanato haciendo pequeños mandados en el pueblo, y muchos de ellos la llevaban al convento cisterciense. Siempre había que entregarlos a la reverenda madre Betina. Megan espiaba entonces a las monjas que rezaban o caminaban por los corredores, y en esas ocasiones experimentaba una serenidad casi abrumadora. Envidiaba la dicha que irradiaban las monjas. Para Megan, el convento parecía una casa de amor.

La Reverenda Madre había llegado a sentir cierto afecto por la muchachita rubia, y a lo largo de los años mantuvieron extensas conversaciones.

—¿Cómo se hace para ingresar en un convento? —le había preguntado Megan.

—La gente acude a nosotras por diversas razones. La mayoría viene a consagrarse a Dios. Pero otras lo hacen porque ya no tienen esperanza alguna. Nosotras se la damos. Algunas vienen porque sienten que ya no tienen motivos para vivir. Nosotras les mostramos que esa razón es Dios. Otras vienen porque huyen de algo; otras, porque no pertenecen a ninguna parte y quieren tener un lugar en el mundo.

Aquello fue lo que hizo vibrar una intensa cuerda en la jovencita. *Nunca he pertenecido a ninguna parte*, pensó Megan. *Ésta es mi oportunidad.*

—Creo que quisiera entrar en el convento, padre.

Seis semanas después, Megan tomó los votos.

Y al fin encontró aquello que había buscado durante tanto tiempo. Un lugar al que pertenecer. Aquéllas eran sus hermanas, la familia que nunca había tenido, y eran todas una bajo el Padre.

En el convento, Megan llevaba los libros y mantenía al día los registros. La fascinaba el antiguo idioma de señas que empleaban las hermanas cuando necesitaban comunicarse con la Reverenda Madre. Eran cuatrocientas setenta y dos señas, suficientes para transmitir entre ellas todo lo que les era necesario expresar.

Cuando una hermana debía barrer los largos corredores, la priora Betina levantaba la mano derecha y un pie y soplaba por debajo de éste. Si una monja tenía fiebre, acudía a la Reverenda Madre y presionaba su muñeca izquierda con los dedos índice y medio de la mano derecha. Si había que demorar un pedido, la priora Betina se llevaba el puño derecho al mismo hombro y lo empujaba levemente hacia adelante y abajo. *Mañana.*

Una mañana de noviembre Megan presenció por primera vez los ritos de la muerte. Una monja agonizaba, y en el claustro resonaba una matraca de madera, la señal que marcaba el comienzo de un ritual que permanecía idéntico desde el año 1030. Todas aquellas que podían responder al llamado se apresuraron a arrodillarse en la enfermería para la unción y los salmos. Rezaban en silencio para que los santos intercedieran por el alma de esa hermana que partía. Para significar que ya era hora de administrar los últimos sacramentos, la Madre Priora levantó la mano izquierda con la palma hacia arriba y con la punta de su pulgar derecho dibujó sobre ella una cruz.

Por último, se hizo la señal de la muerte misma; una hermana colocó la punta de su pulgar derecho bajo el mentón y lo alzó ligeramente.

Cuando se dijeron las últimas plegarias, dejaron al cuerpo solo durante una hora, para que el alma pudiera marcharse en paz. A los pies de la cama ardía en su cuenco de madera el gran cirio Pascual, símbolo cristiano de la luz eterna.

La encargada de la enfermería lavó el cuerpo y amortajó a la monja en su hábito, túnica negra sobre otra blanca, medias rústicas y sandalias hechas a mano. Una monja trajo flores frescas del jardín, entretejidas en una corona. Una vez vestida la muerta, una procesión de seis hermanas la llevó hasta la iglesia y la colocó sobre un féretro cubierto por un lienzo blanco, frente al altar. No la dejarían sola ante su Dios, y dos monjas permanecieron el resto del día y toda la noche siguiente rezando a su lado, mientras seguía ardiendo el cirio Pascual.

A la tarde siguiente, después de la misa de réquiem, las monjas la llevaron atravesando el claustro hasta el cementerio amurallado y privado donde, aun en la muerte, las monjas conservaban su encierro. Las hermanas, tres y tres, la bajaron con cuidado dentro de la tumba, cuyo fondo estaba cubierto por blancos lienzos de lino. La costumbre cisterciense indicaba que sus muertos debían yacer solos en la tierra, sin la cubierta de un ataúd. Después realizaron el último servicio por su hermana: dos monjas comenzaron a echar suavemente puñados de tierra sobre su cuerpo tieso, antes de regresar todas a la iglesia a decir los salmos de penitencia. Tres veces rogaron que Dios se apiadara de su alma:

Domine miserere super peccatrice.
Domine miserere super peccatrice.
Domine miserere super peccatrice.

En ocasiones Megan se sentía invadida de melancolía. El convento le brindaba serenidad, y sin embargo no se hallaba completamente en paz. Como si le faltara una parte de sí misma. Sentía anhelos que debía haber olvidado largo tiempo atrás. Se descubría pensando en los amigos que había dejado en el orfanato, preguntándose qué habría sido de ellos. Y también se preguntaba qué ocurriría en el mundo exterior, el mundo al que ella había renunciado, un mundo donde había música, baile y risas.

Megan acudió a la hermana Betina.

—A todas nosotras nos ocurre de vez en cuando —la tranquilizó la Priora—. La iglesia lo llama "acedía"; es un malestar espiritual, un instrumento de Satán. No te preocupes, hija. Ya pasará.

Y así fue.

Pero lo que no pasó fue el intenso anhelo, grabado en sus huesos, de saber quiénes eran sus padres. *No lo sabré nunca*, pensaba Megan con desesperación. *No lo sabré mientras viva.*

Capítulo quince

Nueva York

Los periodistas se concentraban ante la fachada gris del hotel Waldorf Astoria de Nueva York, contemplando el desfile de celebridades vestidas de gala que bajaban de sus limusinas, entraban por las puertas giratorias y se dirigían al Gran Salón de Baile en el tercer piso. Los invitados llegaban de todas partes del mundo.

Las cámaras relampagueaban mientras los fotógrafos pedían en voz fuerte:

—Señor Vicepresidente, ¿podría mirar hacia acá, por favor?

—Gobernador Adams, ¿me permite tomarle otra foto?

Había senadores y representantes de varios países extranjeros, magnates del comercio y personas famosas. Y se hallaban todos allí para celebrar el sexagésimo cumpleaños de Ellen Scott. En realidad, no honraban tanto a Ellen Scott como a la filantropía de las Industrias Scott, uno de los conglomerados más poderosos del mundo, un enorme imperio que abarcaba empresas petroleras, fábricas de acero, sistemas de comunicaciones y Bancos. Todo el dinero que se recaudara esa velada se destinaría a obras internacionales de caridad.

Las Industrias Scott poseían intereses en muchos lugares del mundo. Veinticinco años antes, su presidente, Milo Scott, había muerto inesperadamente de un ataque al corazón, y su esposa, Ellen, se había hecho cargo de la dirección y administración del inmenso conglomerado; en los años siguientes demostró ser una brillante ejecutiva que aumentó los bienes de la compañía en más del triple.

El Gran Salón de Baile del Waldorf Astoria es un recinto amplísimo, decorado en beige y dorado, con un escenario alfombrado

159

en rojo en un extremo y completamente rodeado por una galería dividida en treinta y tres palcos sobre cada uno de los cuales cuelga una araña. En el palco central se sentaba el invitado de honor. Había por lo menos seiscientos hombres y mujeres presentes, que cenaban en mesas que despedían destellos de plata.

Cuando terminó la cena, el Gobernador de Nueva York subió al escenario.

—Señor Vicepresidente, damas y caballeros, estimados invitados, nos hallamos todos aquí esta noche con un propósito: rendir homenaje a una mujer extraordinaria y a la inmensa generosidad que ha demostrado a través de los años. Ellen Scott es una persona que podría haber alcanzado un gran éxito en cualquier campo. Habría sido una gran científica o médica. También podría haber sido una gran política, y debo decirles que si Ellen Scott decide postularse para Presidente de los Estados Unidos yo sería el primero en votarla. No en las próximas elecciones, por supuesto, pero sí en las siguientes.

Hubo carcajadas y aplausos.

"Pero Ellen Scott es mucho más que una mujer brillante. Es un ser humano caritativo y compasivo que jamás vacila en involucrarse en los problemas que enfrenta el mundo de hoy...

El discurso prosiguió diez minutos más, pero Ellen Scott ya no lo escuchaba. *Qué equivocado está*, pensó con ironía. *Qué equivocados están todos. Las Industrias Scott ni siquiera son de mi propiedad. Milo y yo las robamos. Y también soy culpable de un crimen mucho peor que ése. Pero ya no importa. Porque pronto estaré muerta.*

Recordó las palabras exactas del médico cuando terminó de leer el último informe, que era su sentencia a muerte.

—Lo lamento muchísimo, señora Scott, pero temo que no hay modo de darle esta noticia con palabras suaves. El cáncer se ha extendido por todo su sistema linfático. Es inoperable.

Ella sintió un súbito peso de plomo en el estómago.

—¿Cuánto... cuánto tiempo me queda?

El médico vaciló.

—Un año... tal vez.

No es tiempo suficiente. No con todo lo que hay que hacer todavía.

—Usted no dirá nada de esto —dijo con voz tranquila.

160

—Por supuesto que no.

—Gracias, doctor.

No recordaba cómo había salido del Centro Médico Presbiteriano o conducido el auto hasta su casa. Lo único que pensaba era: *Debo encontrarla antes de morir.*

Ahora el gobernador había concluido su discurso.

—Damas y caballeros, tengo el honor y el privilegio de presentarles a la señora Ellen Scott.

Ellen Scott se levantó y la gente la ovacionó de pie. Ella avanzó hacia el escenario. Era una mujer delgada, de cabellos grises y espalda recta, vestida con elegancia; proyectaba una vitalidad que ya no sentía.

Mirarme es como ver la luz distante de una estrella que ha muerto hace tiempo, pensó con amargura. *En realidad ya no estoy aquí.*

Ya en el escenario, esperó que se apagaran los aplausos. *Esta gente está aplaudiendo a un monstruo. ¿Qué harían si lo supieran?* Cuando habló, lo hizo con voz firme.

—Señor Vicepresidente, senadores, gobernador Adams...

Comenzó a hablar, diciendo automáticamente todo lo que el público esperaba oír.

—Acepto con gusto este homenaje no para mí sino para todos aquellos que han trabajado tanto para aliviar la carga que llevan los que son menos afortunados que nosotros...

Su mente se remontaba en el tiempo, pensaba en lo que era su vida cuarenta y dos años antes, en Gary, Indiana...

A los dieciocho años, Ellen Dudash era empleada de la sección automotriz de las Industrias Scott en Gary, Indiana. Era una muchacha atractiva, sociable, popular entre sus compañeras. El día que Milo Scott fue a inspeccionar la planta, la eligieron a ella para que lo guiara en la visita.

—¡Eh! ¿No quieres ir tú, Ellen? Quizá te cases con el hermano del dueño y entonces todas trabajaremos para ti.

Ellen Dudash rió.

—Sí, claro. Eso ocurrirá cuando a los chanchos les crezcan alas.

Milo Scott no era en absoluto lo que Ellen esperaba. Tenía unos treinta años, era alto y delgado. *No está mal,* pensó Ellen. El hombre era tímido y casi deferente.

161

—Es muy amable de su parte acompañarme a recorrer el lugar, señorita Dudash. Espero no estar robándole tiempo de su trabajo.

Ella sonrió.

—Yo espero que sí.

Era sencillo dirigirse a él.

No puedo creer que estoy bromeando con el hermano del gran jefe. No veo la hora de contárselo a mamá y papá.

Milo Scott parecía genuinamente interesado por los trabajadores y sus problemas. Ellen lo llevó a ver la sección donde se fabricaban los engranajes; le mostró la sala de endurecimiento, donde las piezas blandas eran sometidas a un proceso de templado, y también los departamentos de embalaje y embarque. Él parecía apropiadamente impresionado.

—Es un proceso muy largo, ¿no, señorita Dudash?

Este hombre es el dueño de todo esto, y actúa como un chico asustado. ¿Será siempre así?

Fue en la sección de armado donde ocurrió el accidente. Un carro aéreo que llevaba barras de metal hasta la sala de máquinas se rompió y su carga de hierro cayó. Milo Scott se hallaba directamente debajo. Ellen vio las barras que caían una fracción de segundo antes de que lo golpearan y, sin pensarlo, empujó a Milo para que no se lastimara. Dos de las pesadas barras de hierro la golpearon antes de que ella pudiera escapar, y cayó inconsciente.

Despertó en la suite privada de una clínica. La habitación estaba literalmente llena de flores. Cuando Ellen abrió los ojos y miró alrededor, pensó: *He muerto y estoy en el cielo.*

Había orquídeas y rosas y azucenas y crisantemos y flores raras que ni siquiera podía identificar.

Tenía el brazo derecho enyesado y las costillas vendadas; se sentía magullada.

Entró una enfermera.

—Ah, está despierta, señorita Dudash. Se lo informaré al doctor.

—¿Dónde... dónde estoy?

—En el Centro Blake... es una clínica privada.

Ellen contempló la enorme suite. *Jamás podré pagar todo esto.*

—No le hemos pasado las llamadas.

—¿Qué llamadas?

—La prensa intentó entrevistarla. También llamaron sus amigos. El señor Scott telefoneó varias veces...

¡Milo Scott!

—¿Él se encuentra bien?

—¿Cómo?

—¿Se lastimó en el accidente?

—No. Estuvo aquí esta mañana temprano, pero usted dormía.

—¿Vino a verme a mí?

—Sí. —La enfermera recorrió la habitación con la mirada. —Casi todas estas flores las envió él.

Increíble.

—Su madre y su padre están en la sala de espera. ¿Se siente bien como para recibirlos ahora?

—Por supuesto.

—Gracias. Los haré entrar.

Dios, jamás me han tratado así en un hospital, pensó Ellen.

Sus padres entraron y se acercaron a la cama. Ambos eran polacos de nacimiento y el inglés que hablaban era vacilante. El padre de Ellen era mecánico, un hombre corpulento de aspecto tosco, de unos cincuenta años; y su madre, una enhiesta campesina del norte de Europa.

—Te traje un poco de sopa, Ellen.

—Mamá... en los hospitales dan de comer a la gente.

—Pero no te dan mi sopa... Tómala y te recuperarás más rápido.

Su padre dijo:

—¿Viste el diario? Te traje uno.

Le alcanzó el periódico. En la primera plana se leía: OPERARIA DE FÁBRICA ARRIESGA LA VIDA PARA SALVAR AL DUEÑO.

Ellen leyó la nota dos veces.

—Lo que hiciste para salvarlo fue muy valiente.

¿Valiente? Si hubiera tenido tiempo para pensarlo, me habría salvado yo. Fue lo más idiota que hice en mi vida. ¡Santo cielo, podría haberme muerto!

Milo Scott fue a ver a Ellen aquella mañana, un poco más tarde. Llevaba otro ramo de flores.

—Son para ti —le dijo torpemente—. El médico me dijo que te pondrás bien. Yo... no puedo decirte lo agradecido que me siento.

—No hay por qué.

—Fue lo más valiente que he visto. Me salvaste la vida.

Ella intentó moverse pero eso le causó un dolor intenso en el brazo.

—¿Te sientes bien?

—Sí. —El costado comenzaba a latirle. —¿Qué es lo que dijo el doctor que me sucede?

—Tienes un brazo y tres costillas rotos.

Las noticias no podían ser peores. Los ojos de Ellen se llenaron de lágrimas.

—¿Qué ocurre?

¿Cómo podía decírselo? Scott no haría otra cosa que reír. Ellen había ahorrado el dinero para unas largas vacaciones en Nueva York, en una excursión con algunas de las chicas de la fábrica. Era su sueño. *Ahora no podré trabajar por un mes o más. Adiós Manhattan.*

Ellen trabajaba desde los quince años. Siempre había sido ferozmente independiente y autosuficiente, pero ahora pensaba: *Quizá, si se siente tan agradecido, Scott pague parte de la cuenta de la clínica. Pero ni pienso pedírselo.* Comenzaba a sentirse soñolienta. *Debe de ser por los remedios.*

Dijo con voz amodorrada:

—Gracias por todas las flores, señor Scott. Me agradó haberlo conocido.

Por la cuenta del hospital me preocuparé después.

Ellen Dudash se durmió.

A la mañana siguiente entró en la suite de Ellen un hombre alto de aspecto distinguido.

—Buenos días, señorita Dudash. ¿Cómo se siente hoy?

—Mejor, gracias.

—Soy Sam Norton, encargado de relaciones públicas de las Industrias Scott.

—Oh. —Jamás lo había visto antes. —¿Vive usted aquí?

—No. Volé desde Washington.

—¿Para verme?

—Para ayudarla.

—¿Para ayudarme en *qué*?

—Afuera está la prensa, señorita Dudash. Pensé que quizá podría servirle de algo.

—¿Qué quiere esa gente?

—Sobre todo, le van a pedir que les cuente cómo y por qué salvo al señor Scott.

—Oh, eso es fácil. Si me hubiera detenido a pensar, habría echado a correr como loca.

Norton se quedó mirándola.

—Señorita Dudash... si yo fuera usted, no diría eso...

—¿Por qué? Es la verdad.

Aquello no era en absoluto lo que el hombre había esperado. La chica parecía no tener idea de cuál era su situación.

Había algo que preocupaba a Ellen y decidió soltarlo.

—¿Usted va a ver al señor Scott?

—Sí.

—¿Me haría un favor?

—Si puedo, desde luego.

—Sé que el accidente no fue culpa de él, y que él no me pidió que yo lo empujara de donde iban a caer las barras, pero... —Su aspecto fuerte e independiente la hizo vacilar. —Bah, no importa...

Ah, conque se trata de eso, pensó Norton. *¿Cuánta recompensa va a tratar de extraer? ¿Querrá dinero? ¿Un trabajo mejor? ¿Qué?*

—Por favor, continúe, señorita Dudash.

Las palabras le salieron abruptamente.

—La verdad es que yo no tengo mucho dinero y a causa de esto voy a perder mi sueldo por un tiempo, y creo que no voy a poder pagar las cuentas de esta clínica. No quiero molestar al señor Scott, pero si pudiera conseguirme un préstamo, yo se lo devolvería después. —Vio la expresión del rostro de Norton y la interpretó mal. —Disculpe. Me parece que lo que dije sonó a mercenario. Lo que pasa es que estaba ahorrando para un viaje y... bueno, esto lo estropea todo. —Tomó aliento. —No es problema de él. Ya me las arreglaré.

Norton por poco la besó. *¿Cuánto tiempo hacía que no me topaba con la verdadera inocencia? Esto es suficiente para devolverme la fe en las mujeres.*

Se sentó a un lado de la cama y sus modales profesionales se desvanecieron. La tomó de una mano.

—Ellen, tengo la sensación de que tú y yo vamos a ser grandes amigos. Te prometo que no tendrás que preocuparte por el dinero. Lo primero que debemos hacer es enfrentar esta conferencia de prensa. Queremos que luzcas bien, así que... —Se interrumpió. —Voy a ser honesto. Mi trabajo consiste en ocuparme de que Industrias Scott salga bien parada de esto. ¿Entiendes?

—Creo que sí. ¿Usted quiere decir que no quedaría muy bien que yo dijera que realmente no me interesaba demasiado salvarle la vida a Milo Scott? Quedaría mejor si yo dijera algo así como: "Me gusta tanto trabajar para las Industrias Scott que cuando vi que Milo Scott estaba en peligro supe que debía tratar de salvarlo, incluso si con eso arriesgaba mi propia vida", ¿no?

—Sí.

Ella rió.

—Muy bien. Si eso lo ayuda... Pero no quiero engañarlo, señor Norton. No sé por qué lo hice.

El hombre sonrió.

—Ése será un secreto entre tú y yo. Bien, voy a hacer entrar a los leones.

Había más de dos docenas de periodistas y fotógrafos de la radio, diversas revistas y diarios. Era una noticia fuera de lo común y la prensa se disponía a extraerle todo el jugo posible. No todos los días una linda empleadita arriesgaba su vida para salvar a su jefe. Y el hecho de que su empleador resultara ser Milo Scott no hacía más que mejorar la nota.

—Señorita Dudash, ¿qué fue lo primero que pensó cuando vio que todo ese hierro se precipitaba hacia abajo?

Ellen miró a Sam Norton con cara seria y respondió:

—Pensé: "Tengo que salvar al señor Scott; nunca me perdonaré si no hago algo para impedir que muera".

La conferencia de prensa prosiguió sin inconvenientes, y cuando Sam Norton vio que Ellen comenzaba a cansarse, dijo:

—Bueno, eso es todo, damas y caballeros. Muchas gracias.

—¿Lo hice bien?

—Estuviste magnífica. Ahora duerme un poco.

Ellen durmió de a ratos. Soñó que estaba en el vestíbulo del edificio Empire State y no la dejaban pasar porque no tenía dinero suficiente para comprar la entrada.

Milo Scott fue a visitar a Ellen aquella tarde. Ella se sorprendió de verlo. Según sabía, él vivía en Nueva York.

—Me enteré de que la conferencia de prensa salió muy bien. Eres toda una heroína.

—Señor Scott... tengo que decirle algo. Yo no soy una heroína. No me detuve a pensar en salvarlo a usted. Yo... eh... simplemente lo hice.

—Lo sé. Sam Norton me lo dijo.

—Bueno, entonces...

—Ellen, hay muchas clases de heroísmo. Tú no pensaste en salvarme, pero lo hiciste instintivamente, en lugar de salvarte tú.

—Yo... solamente quería que usted lo supiera.

—Sam me dijo también que estás preocupada por la cuenta de la internación.

—Bueno...

—Ya nos hemos ocupado de eso. Y en cuanto a que vas a perder varios sueldos... —Sonrió. —Señorita Dudash, yo... eh... creo que no sabes cuánto te debo.

—Usted no me debe nada.

—El médico me dijo que mañana te dan de alta. ¿Me permites que te invite a cenar?

Este hombre no entiende, pensó Ellen. *Yo no quiero su caridad. Ni su lástima.*

—Cuando le dije que no me debe nada, hablé en serio. Gracias por pagar las cuentas de la clínica. Estamos a mano.

—Bien. ¿Pero puedo invitarte a cenar?

Así fue como empezó. Milo Scott se quedó en Gary una semana, y salió con Ellen todas las noches.

Los padres de Ellen le advirtieron:

—Ten cuidado. Los patrones no salen con las chicas de la fábrica a menos que quieran algo.

Ésa había sido la actitud de Ellen Dudash al principio. Pero Milo Scott la hizo cambiar de parecer. Era un perfecto caballero y al fin Ellen percibió la verdad: *A él le gusta realmente estar conmigo.* Mientras que Milo era tímido y reservado, Ellen era directa y abierta. Durante toda su vida Milo había estado rodeado de mujeres cuya ardiente ambición consistía en formar parte de la poderosa dinastía Scott. Y sus maniobras eran calculadoras. Ellen Dudash era la primera mujer totalmente honesta que Milo había conocido. Decía exactamente lo que pensaba. Era inteligente, atractiva, y, sobre todo, divertida. Al cabo de aquella semana, los dos comenzaban a enamorarse.

—Quiero casarme contigo —le dijo Milo Scott—. No puedo pensar en ninguna otra cosa. ¿Aceptarás?

—No.

Tampoco Ellen había podido pensar en otra cosa. Lo cierto es que estaba aterrada. Los Scott eran lo más cercano a la realeza que podía encontrarse en los Estados Unidos. Eran famosos, ricos y poderosos. *Yo no pertenezco a su círculo. No haría más que ponerme en ridículo. Y también a Milo.* Pero sabía que libraba una batalla en la que iba a perder.

Los casó un juez de paz en Greenwich, y regresaron a Manhattan para que ella conociera a sus suegros.

Byron Scott saludó a su hermano con estas palabras:

—¿Qué diablos has hecho al casarte con una prostituta polaca? ¿Estás loco?

Susan Scott se mostró igualmente grosera.

—Por supuesto que esta chica se casó con Milo por el dinero. Cuando descubra que él no tiene nada, arreglaremos la anulación. Este matrimonio no durará.

Ambos subestimaron a Ellen Dudash.

—Tu hermano y tu cuñada me odian, pero yo no me casé con ellos, sino contigo. No quiero interferir entre tú y Byron. Si esto te entristece demasiado, Milo, dímelo, y yo me iré.

Él tomó a su esposa en los brazos y susurró.

—Te adoro, y cuando Byron y Susan lleguen a conocerte bien, también te adorarán.

Ella lo estrechó con fuerza y pensó: *Qué inocente es. Y cuánto lo amo.*

Byron y Susan no eran descorteses con su cuñada. La trataban con aires de superioridad. Para ellos, ella sería siempre una muchachita polaca que trabajaba en una de las fábricas Scott.

Ellen estudiaba, leía, observaba cómo se vestían las esposas de los amigos de Milo y las imitaba. Estaba resuelta a convertirse en la esposa adecuada para Milo Scott, y al fin lo consiguió. Pero no ante los ojos de su familia política. Y así, lentamente, su candor se convirtió en cinismo. *Los ricos y poderosos no son tan magníficos*, pensaba. *Lo único que quieren es ser más ricos y más poderosos.*

Ellen protegía celosamente a Milo, pero no podía hacer mucho para ayudarlo. Las Industrias Scott eran uno de los pocos conglomerados privados del mundo, y todas las acciones pertenecían a Byron. El hermano menor de Byron era un empleado asalariado, y nunca permitía que lo olvidara. Byron trataba a su hermano de manera miserable. Encargaba a Milo las peores tareas, y jamás le reconocía nada.

—¿Por qué lo soportas, Milo? Tú no lo necesitas. Podríamos irnos de aquí. Tú podrías emprender tus propios negocios.

—No sería capaz de dejar las Industrias Scott. Byron me necesita.

Pero con el tiempo Ellen llegó a conocer la verdadera razón de la actitud de su marido. Milo era débil. Necesitaba alguien fuerte en quien apoyarse. Entonces Ellen supo que él jamás tendría el coraje para dejar la empresa.

Está bien, pensó. *Un día la empresa será de él. Byron no puede vivir para siempre. Milo es su único heredero.*

Cuando Susan Scott anunció que estaba embarazada, Ellen sufrió un golpe. *El bebé lo va a heredar todo.*

Cuando el bebé nació, Byron Scott dijo:

—Es una niña, pero le enseñaré a dirigir la empresa.

Bastardo, pensó Ellen. Su corazón sufría por Milo.

Milo se limitó a decir.

—¿No es una niñita hermosa?

Capítulo dieciséis

El piloto del Lockheed Lodestar estaba preocupado.

—Se acerca un frente malo. Su aspecto no me gusta nada. —Hizo una seña al copiloto. —Hágase cargo. —Salió de la cabina del piloto para dirigirse a la de los pasajeros.

Además del piloto y el copiloto, viajaban cinco pasajeros: Byron Scott, el brillante y dinámico fundador y administrador principal de las Industrias Scott; su atractiva esposa, Susan; su hijita de un año, Patricia; Milo Scott, el hermano menor de Byron, y la esposa de Milo, Ellen Scott. Volaban de París a Madrid en uno de los aviones de la empresa. Llevaban con ellos a la nena a causa de un impulso de último momento de Susan Scott.

—Detesto estar lejos de ella tanto tiempo —le dijo a su marido.

—¿Tienes miedo de que nos olvide? —bromeó él—. Está bien, la llevaremos con nosotros.

Ahora que había terminado la Segunda Guerra Mundial, las Industrias Scott se expandían rápidamente en el Mercado Europeo. En Madrid, Byron Scott investigaría las posibilidades de abrir una nueva fábrica de acero.

El piloto se acercó a él.

—Discúlpeme, señor. Nos aproximamos a una zona de nubes de tormenta. La ruta no parece muy buena. ¿Quiere que regresemos?

Byron Scott miró por la ventanilla. Volaban a través de una masa gris de cúmulus, y por momentos unos relámpagos distantes los iluminaban.

—Tengo una cita en Madrid esta noche. ¿No puede rodear la tormenta?

—Lo intentaré. Si no lo logro, tendremos que volver.

Byron Scott asintió.

—Está bien.

—¿Pueden ajustarse los cinturones, por favor?

El piloto volvió apresuradamente a la cabina.

Susan Scott había oído la conversación. Levantó a su hija y la estrechó en sus brazos, deseando de repente no haberla llevado con ellos. *Debo decirle a Byron que le ordene al piloto que regresemos*, pensó.

—Byron...

De pronto fueron atrapados en el ojo de la tormenta y el avión comenzó a corcovear hacia arriba y hacia abajo, presa del viento enfurecido. Las sacudidas se hacían más violentas. La lluvia golpeaba contra las ventanillas. La tormenta había borrado toda visibilidad. Los pasajeros se sentían como si cabalgaran en un mar de algodón vibrante.

Byron Scott tomó el intercomunicador.

—¿Dónde estamos, Blake?

—A unos ciento sesenta kilómetros al noroeste de Madrid, encima de la ciudad de Ávila.

Byron Scott volvió a mirar por la ventanilla.

—Esta noche nos olvidaremos de Madrid. Demos la vuelta y salgamos de aquí.

—Correcto.

Scott había dado la orden una fracción de segundo demasiado tarde. Cuando el piloto comenzaba a maniobrar el avión, el pico de una montaña se apareció de repente frente a él. No hubo tiempo para evitar el choque. El cielo explotó mientras el avión se quebraba contra la ladera de la montaña, destrozado; partes del fuselaje y las alas cayeron por una alta meseta.

Hubo un silencio antinatural que se prolongó una eternidad. Lo rompió el crepitar de las llamas que comenzaban a devorar el tren de aterrizaje.

—Ellen...

Ellen Scott abrió los ojos. Yacía bajo un árbol. Su marido se inclinaba sobre ella, palmeándole la cara. Cuando vio que estaba viva, dijo:

—Gracias a Dios.

Ellen Scott se incorporó, aturdida, con la cabeza pulsante; le dolían todos los músculos del cuerpo. Miró los terribles restos del accidente, de aquello que había sido un avión lleno de cuerpos humanos, y se estremeció.

—¿Y los otros? —preguntó con voz ronca.

—Están muertos.

Ella miró a su esposo con ojos fijos.

—¡Oh, Dios mío! ¡No!

Él asintió, el rostro tenso de dolor.

—Byron, Susan, la nena, los pilotos, todos.

Ellen Scott cerró otra vez los ojos y rezó una plegaria en silencio. *¿Por qué Milo y yo nos salvamos?*, se preguntó. Resultaba difícil pensar con claridad. *Debemos bajar y pedir ayuda. Pero ya es demasiado tarde. Están todos muertos.* Era imposible de creer. Estaban tan llenos de vida apenas unos minutos antes...

—¿Puedes pararte?

—Creo... creo que sí.

Milo Scott ayudó a su esposa a ponerse de pie. Ella sintió una ola de náuseas y se quedó quieta, esperando que le pasara.

Milo se dio vuelta para ver el avión. Las llamas comenzaban a hacerse más altas.

—Salgamos de aquí —dijo—. Esta maldita cosa va a explotar en cualquier momento.

Se alejaron lentamente y lo contemplaron arder. Unos minutos después los tanques de combustible explotaron y el avión fue tragado por el fuego.

—Es un milagro que estemos vivos —dijo Milo Scott.

Sí, fue un milagro. Pero no para los otros.

Ellen Scott miró el avión en llamas. Algo la molestaba en un lugar de su mente, pero le costaba pensar con claridad. Algo referente a las Industrias Scott. Y de pronto lo supo.

—¿Milo?

—¿Sí?

En realidad, él no estaba escuchándola.

—Es el destino.

El fervor de la voz de ella lo obligó a darse vuelta.

—¿Qué?

—Las Industrias Scott... ahora son tuyas.

—Yo no...

—Milo, te las ha dado Dios. —Su voz estaba llena de ardiente

172

intensidad. —Toda tu vida viviste a la sombra de tu hermano mayor. —Ahora ella pensaba con toda claridad, con coherencia, y olvidó el dolor. Las palabras le salían en un torrente que le sacudía todo el cuerpo. —Durante años trabajaste para Byron, ayudándolo a construir la empresa. Tú eres tan responsable de su éxito como él, pero él... ¿alguna vez te lo reconoció? No. Siempre fue la empresa *de él*, el éxito de él, las ganancias de él. Bueno, ahora... ahora finalmente tú tienes la oportunidad de salir adelante solo.

Él la miraba horrorizado.

—Ellen... sus cuerpos están... ¿cómo puedes pensar...?

—Lo sé. Pero no los matamos nosotros. Ahora nos toca a nosotros, Milo. Por fin podremos tener algo propio. No hay nadie con vida que pueda reclamar la empresa, sólo nosotros. ¡Es nuestra! ¡Tuya!

Y en ese momento oyeron el llanto de la niña. Ellen y Milo Scott se miraron incrédulos.

—¡Es Patricia! Está *viva*. ¡Oh, Dios mío!

Encontraron a la nena cerca de unos arbustos. Por milagro, no estaba herida.

Milo Scott la levantó con suavidad y la estrechó.

—Shhh, está bien, querida —susurró—. Todo va a salir bien.

Ellen se hallaba parada a su lado, con una expresión de conmoción en la cara.

—Tú... dijiste que estaba muerta.

—Debe de haberse golpeado y quedado inconsciente.

Ellen Scott contempló un largo rato a la niña.

—Podría haberse matado junto con los otros —dijo con voz estrangulada.

Él la miró, asombrado.

—¿Qué estás diciendo?

—El testamento de Byron le deja todo a Patricia. Lo único que puedes esperar es pasarte veinte años trabajando de tutor para que, cuando ella crezca, te trate tan miserablemente como su padre. ¿Eso es lo que quieres?

Él permanecía en silencio.

—Nunca volveremos a tener una oportunidad como ésta.

Ellen seguía mirando a la niña, y en su rostro había una mirada salvaje que Milo nunca había visto antes. Era casi como si ella deseara...

No, ella no es así. Está alterada por el accidente.

—Por el amor de Dios, Ellen, ¿qué estás pensando?

Ella miró a su marido un largo instante, y la mirada salvaje desapareció de sus ojos.

—No lo sé —respondió con calma, y al cabo de una pausa dijo: —Hay algo que podemos hacer. Podemos dejarla en algún lugar, Milo. El piloto dijo que estábamos cerca de Ávila. Allí debe de haber muchos turistas. No hay razón para que alguien relacione a la niña con el accidente de avión.

Él sacudió la cabeza.

—Los amigos de Byron y Susan sabían que ellos iban a llevar a la niña.

Ellen Scott miró el avión que se quemaba.

—Eso no es problema. Todos murieron quemados en el accidente. Haremos un servicio fúnebre aquí.

—Ellen —protestó él—. No podremos hacer esto. Jamás nos lo perdonaríamos.

—Dios lo hizo por nosotros. Y ya lo hemos olvidado.

Milo Scott miró a la niña.

—Pero ella es tan...

—Estará bien —dijo Ellen con tono conciliador—. La dejaremos en una linda granja en las afueras de la ciudad. La adoptarán, crecerá y tendrá una linda vida aquí.

Scott sacudió la cabeza.

—No puedo hacerlo. No.

—Si me quieres, lo harás por nosotros. Tienes que elegir, Milo. Puedes quedarte conmigo, o de lo contrario pasar el resto de tu vida trabajando para la hija de tu hermano.

—Por favor, yo...

—¿Me amas?

—Más que a mi vida —respondió él simplemente.

—Entonces demuéstralo.

Se abrieron paso cuidadosamente bajando por la ladera de la montaña en la oscuridad, azotados por el viento. Como el avión se había estrellado en una zona boscosa, el ruido quedó amortiguado y por lo tanto la gente del pueblo aún no se había enterado de lo ocurrido.

Tres horas más tarde, en las afueras de Ávila, Ellen y Milo llegaron a una granja. Todavía no había amanecido.

—La dejaremos aquí —susurró Ellen.

Él hizo un último intento.

—Ellen, ¿no podríamos...?

—¡Hazlo! —contestó ella con ferocidad.

Sin decir una palabra más, él llevó a la niña hasta la puerta de la granja. Sólo tenía puesto un rasgado camisoncito rosa y la frazada que la envolvía.

Milo Scott miró a Patricia un largo instante, con los ojos llenos de lágrimas, y luego la depositó con suavidad en el suelo.

Murmuró:

—Que tengas una buena vida, querida.

El llanto despertó a Asunción Moras. Por un momento, soñolienta, pensó que se trataba del balido de una cabra o un cordero. ¿Cómo habían salido del corral?

Rezongando, se levantó de la cama tibia, se puso una bata vieja y descolorida, y fue hasta la puerta.

Cuando vio a la niñita que chillaba y pataleaba en el suelo, dijo:

—¡Madre de Dios! —y llamó a los gritos a su marido.

Llevaron a la nena adentro y la miraron. No cesaba de llorar y parecía que se iba poniendo azul.

—Tenemos que llevarla al hospital.

Apresuradamente la envolvieron en otra frazada y la llevaron al hospital en una vieja *pick-up*. Se sentaron en un banco en un largo corredor, esperando que alguien los atendiera, y treinta minutos después apareció un médico y se llevó a la nena para examinarla.

Cuando regresó, les dijo:

—Tiene neumonía.

—¿Va a vivir?

El médico se encogió de hombros.

Milo y Ellen Scott llegaron tambaleantes a la comisaría de Ávila. El sargento que atendía miró a los dos embarrados turistas.

—Buenos días. ¿En qué puedo ayudarlos?

—Ha ocurrido un terrible accidente —dijo Milo Scott—. Nuestro avión se estrelló en las montañas y...

Una hora después una partida de rescate se dirigía hacia las sierras. Cuando llegaron ya no había más que los restos chamuscados y humeantes de un avión y sus pasajeros.

La investigación del accidente efectuada por las autoridades españolas fue superficial.

—El piloto no debería haber intentado volar en medio de semejante tormenta. Debemos atribuir el accidente a un error del piloto.

No había razón para que nadie de Ávila asociara lo ocurrido al avión con la niñita abandonada en la puerta de una granja.

Todo había concluido.

Lo demás recién comenzaba.

Milo y Ellen Scott celebraron un oficio fúnebre privado para Byron Scott, Susan y Patricia. Cuando volvieron a Nueva York celebraron un segundo oficio fúnebre, al cual asistieron los conmocionados amigos de los Scott.

—Qué terrible tragedia. Y pobrecita Patricia...

—Sí —dijo Ellen con tristeza—. La única bendición es que todo sucedió tan rápido que ninguno de ellos sufrió.

La comunidad financiera fue sacudida por la muerte de Byron Scott. Las acciones de las Industrias Scott cayeron como plomo. Ellen Scott no se perturbaba. Tranquilizaba a su marido:

—No te preocupes. Volverán a subir. Tú eres mucho mejor que Byron. Él frenaba a la empresa, Milo. Tú la vas a hacer ir hacia adelante.

Milo la tomó en sus brazos.

—No sé qué haría sin ti.

Ella sonrió.

—Nunca necesitarás averiguarlo. A partir de ahora vamos a tener todo aquello con lo que soñamos.

Lo abrazó más fuerte y pensó: *¿Quién habría creído que Ellen Dudash, nacida en una pobre familia polaca de Gary, Indiana, un*

*día iba a decir: "A partir de ahora, vamos a tener todo aquello con
lo que soñamos"?*

Y lo había dicho en serio.

Durante diez días la niña permaneció en el hospital, luchando
contra la muerte, y cuando pasó la crisis el padre Berrendo fue a
ver al granjero y su mujer.

—Tengo buenas noticias para ustedes —les dijo con voz feliz—.
La niña va a ponerse bien.

Los Moras intercambiaron una mirada incómoda.

—Me alegro por ella —respondió el hombre, evasivamente.

El padre Berrendo resplandecía.

—Esta niña es un regalo del Dios.

—Por supuesto, padre. Pero mi mujer y yo hemos conversado
al respecto y hemos decidido que Dios es demasiado generoso con
nosotros. A ese regalo hay que alimentarlo. No podemos mantenerla...

—Pero es una niña tan hermosa —señaló el padre Berrendo—.
Y...

—Sí, claro. Pero mi mujer y yo estamos viejos y enfermos, y
no podemos asumir la responsabilidad de criar a una niña. Dios tendrá que llevarse su regalo de vuelta.

Y así fue cómo, sin tener otro lugar adonde ir en Ávila, la niña
fue enviada al orfanato.

Se hallaban sentados en las oficinas del abogado de Byron Scott,
leyendo el testamento. Además del abogado, sólo estaban presentes
Milo y Ellen Scott. Ellen se sentía rebosante de una excitación casi
insoportable. Unas cuantas palabras escritas en un papel iban a con-
vertirlos a ella y a su marido en personas mucho más ricas de lo imaginable.

*Compraremos pinturas clásicas y una casa en Southampton y
un castillo en Francia. Y eso no es nada más que el principio.*

El abogado comenzó a hablar y Ellen desvió su atención hacia
él. Unos meses antes había visto una copia del testamento de Byron
Scott y sabía exactamente lo que decía:

En el caso de que mi esposa y yo perezcamos, lego todas mis acciones de las Industrias Scott a mi única hija, Patricia, y designo a mi hermano, Milo, ejecutor de mis propiedades hasta que ella alcance la edad legal y sea capaz de hacerse cargo, etcétera, etcétera.

Bien, ahora todo eso ha cambiado, pensó excitada Ellen Scott.

El abogado, Lawrence Gray, dijo con aire solemne:

—Éste ha sido un golpe terrible para todos nosotros. Sé cuánto amaba usted a su hermano, Milo, y en cuanto a la chiquita... —Sacudió la cabeza. —Bueno, la vida debe proseguir. Quizás usted no sepa que su hermano había cambiado el testamento. No lo importunaré con los detalles legales. Sólo le leeré lo más importante. —Recorrió el texto con el dedo hasta llegar al párrafo que buscaba: —Enmiendo este testamento para que mi hija, Patricia, reciba la suma de cinco millones de dólares más una cuota de un millón de dólares por año durante el resto de su vida. Todas las acciones de las Industrias Scott a mi nombre pasarán a mi hermano, Milo, como recompensa por los valiosos y fieles servicios que ha brindado a la empresa a través de los años.

Milo Scott sentía que la habitación daba vueltas.

El abogado lo miró.

—¿Se siente bien?

A Milo le costaba respirar. *Dios, Dios, ¿qué hemos hecho? Le hemos quitado a esa niña sus derechos, y no era en absoluto necesario. Ahora podremos devolverle todo.*

Se dio vuelta para decir algo a Ellen, pero ella lo miró de una manera que lo contuvo.

—Tiene que haber *algo* que podamos hacer, Ellen. No podemos dejar a Patricia allá. Ya no.

Estaban en su departamento de la Quinta Avenida, preparándose para una cena de caridad.

—Eso es exactamente lo que vamos a hacer —respondió Ellen—. A menos que quieras traerla de vuelta aquí y tratar de explicar por qué dijimos que había muerto quemada en el accidente.

Para eso, él no tuvo respuesta. Pensó un momento.

—Está bien. Le enviaremos dinero todos los meses para que...

—No seas tonto, Milo. —Su voz era tajante. —¿Enviarle dinero? ¿Y que la policía empiece a investigar quién es el que manda ese dinero y averigüe que somos nosotros? No. Si la conciencia te molesta, haremos que la empresa done dinero a obras de caridad. Olvídate de la niña, Milo. Está muerta. ¿Recuerdas...?

—Recordar... Recordar... Recordar...

Las palabras resonaban en la mente de Ellen Scott mientras contemplaba al público reunido en el salón de baile del Waldorf Astoria y concluía su discurso. Otra vez la gente la ovacionó de pie. *Están aplaudiendo a una mujer muerta*, pensó.

Esa noche regresaron los fantasmas. Ella pensaba que los había exorcizado largo tiempo atrás. Al principio, después del servicio fúnebre en honor de sus cuñados y Patricia, los visitantes nocturnos aparecían con frecuencia. Pálidas brumas rondaban su cama y le susurraban en el oído. Ella se despertaba, con el pulso acelerado, pero no había nada. No contó nada de eso a Milo. Él era débil y se habría aterrado al extremo de hacer algo alocado, algo que perjudicara a la compañía. Si se revelaba la verdad, el escándalo destruiría a las Industrias Scott, y Ellen Scott había decidido que eso no ocurriría jamás. Y así sufría los fantasmas en silencio, hasta que al fin se fueron y la dejaron en paz.

Ahora, la noche del banquete, regresaron. Se despertó y se incorporó en la cama, mirando alrededor. La habitación estaba vacía y silenciosa, pero ella sabía que había estado allí. ¿Qué trataban de decirle? ¿Sabrían que pronto se reuniría con ellos?

Ellen Scott se levantó y entró en el espacioso salón, lleno de antigüedades, de la hermosa casa que compró después de la muerte de Milo. Contempló el bello cuarto y pensó: *Pobre Milo*. No había tenido tiempo de disfrutar ninguno de los beneficios de la muerte de su hermano. Había muerto de un ataque al corazón un año después del accidente del avión, y Ellen Scott tuvo que hacerse cargo de la empresa, dirigiéndola con una eficiencia y una pericia que llevó a las Industrias Scott a la mayor prominencia internacional.

La empresa pertenece a la familia Scott, pensó. *No se la voy a entregar a extraños de rostro desconocido.*

Y eso llevó sus pensamientos hacia la hija de Byron y Susan. La verdadera heredera del trono que se le había robado. ¿Le causaba miedo pensar en ello? ¿Deseaba expiar sus culpas antes de morir?

Ellen Scott pasó toda aquella noche sentada en el salón, mirando la nada, pensando y planeando. ¿Cuánto tiempo había transcurrido? Veintiocho años. Patricia sería ya una mujer adulta, suponiendo que aún viviera. ¿Qué habría sido de su vida? ¿Se habría casado con un granjero o un comerciante del pueblo? ¿Tendría hijos? ¿Viviría aún en Ávila, o se habría mudado a algún otro lugar?

Debo encontrarla, pensó Ellen Scott. *Y rápido. Si Patricia está viva, tengo que verla, hablar con ella. Tengo que arreglar cuentas, al fin. El dinero puede convertir a las mentiras en verdad. Hallaré un modo de solucionar esta situación sin siquiera permitirle saber qué ocurrió en realidad.*

A la mañana siguiente Ellen Scott mandó llamar a Alan Tucker, el jefe de seguridad de las Industrias Scott. Era un ex detective de unos cuarenta años, delgado, algo calvo, trabajador y brillante.

—Quiero encomendarle una misión.

—Sí, señora Scott.

Ella lo estudió un momento, preguntándose cuánto podía contarle. *No puedo decirle nada*, decidió. *Mientras viva, me niego a ponerme en peligro a mí misma o a la empresa. Primero haré que encuentre a Patricia, y después decidiré cómo manejarla.*

Se echó hacia adelante.

—Hace veintiocho años, abandonaron a una huérfana en la puerta de una granja en Ávila, España. Quiero que averigüe dónde está hoy esa niña y me la traiga aquí lo antes posible.

El rostro de Alan Tucker permaneció impasible. A la señora Scott no le agradaba que sus empleados demostraran emociones.

—Sí, señora. ¿Sabe usted el nombre?

—Patricia. Se llama Patricia.

Capítulo diecisiete

El coronel Ramón Acoca se hallaba eufórico. Finalmente todas las piezas iban cayendo en su lugar.

Un ordenanza entró en la oficina.

—Ha llegado el coronel Sostelo.

—Hágalo pasar.

Ya no voy a necesitarlo más, pensó Acoca. *Podrá volver con sus soldaditos de plomo.*

Entró el coronel Fal Sostelo.

—Buenos días, coronel.

—Buenos días.

Qué ironía, pensó Sostelo. *Los dos tenemos el mismo rango, pero el gigante de la cicatriz tiene poder para partirme en dos. Debe de estar conectado con ese maldito OPUS MUNDO.*

Para Sostelo era una indignidad tener que responder a las conminaciones de Acoca, como si fuera un subordinado sin importancia. Pero se las ingenió para no demostrar lo que sentía.

—¿Quería verme?

—Sí. —Acoca le indicó una silla. —Siéntese. Tengo noticias para usted. Jaime Miró tiene a las monjas.

—¿Qué?

—Como lo oye. Las monjas viajan con Miró y sus hombres. Se dividieron en tres grupos.

—¿Có... cómo lo sabe?

Ramón Acoca se acomodó en la silla.

—¿Usted juega al ajedrez?

—No.

—Qué pena. Es un juego muy educativo. Para ser un buen jugador, es necesario colocarse en la mente de su rival. Jaime Miró y yo jugamos al ajedrez el uno con el otro.

Fal Sostelo lo miraba fijo.

—No entiendo cómo...

—No lo digo en un sentido literal, coronel. No usamos un tablero de ajedrez, sino nuestras mentes. Es probable que yo entienda a Jaime Miró mejor que nadie en el mundo. Sé cómo funciona su mente. Yo sabía que él trataría de volar el dique del Puente de la Reina. Capturamos a dos de sus lugartenientes ahí, y Miró se escapó sólo porque tuvo suerte. Yo sabía que iba a tratar de rescatar a sus hombres, y Miró sabía que yo lo sabía. —Ramón Acoca se encogió de hombros. —Lo que no imaginé fue que iba a utilizar a los otros para cubrir la huida de sus dos secuaces. —En su voz había un matiz de admiración.

—Parecería como si usted...

—¿Como si yo lo admirara? Sí, admiro su mente. Y lo desprecio como hombre.

—¿Sabe hacia dónde se dirige Miró?

—Viaja hacia el norte. Lo atraparé dentro de los próximos tres días.

El coronel Sostelo lo miraba boquiabierto.

—Por fin le haré jaque mate.

Era cierto que el coronel Acoca entendía a Jaime Miró y el modo como funcionaba su mente, pero eso no era suficiente para él. El coronel quería algo que le asegurara la victoria, y lo había encontrado.

—¿Cómo...?

—Uno de los terroristas de Miró —respondió el coronel Acoca— es un soplón.

Rubio, Tomás y las dos hermanas evitaron las grandes ciudades y tomaron por los caminos laterales, pasando viejas aldeas de piedra en las que pacían ovejas y cabras y los pastores escuchaban música y partidos de fútbol en radios de transistores. Era una pintoresca yuxtaposición del pasado y el presente, pero Lucía tenía otras cosas en la mente.

Permanecía próxima a la hermana Teresa, atenta a las primera oportunidad de apoderarse de la cruz e irse. Los dos hombres se hallaban siempre al lado de ellas. Rubio Arzano era el más considerado de los dos; un hombre alto, alegre, de aspecto agradable. *Un campesino de mente simple*, decidió Lucía.

Tomás Sanjuro era flaco y bastante calvo. *Parece más un vendedor de zapatos que un terrorista. Será fácil burlarlos a los dos.*

Por la noche atravesaron las planicies al norte de Ávila, refrescados por los vientos que soplaban desde las estepas de Guadarrama. La luz de la luna otorgaba a aquellas mesetas una suerte de vacío inquietante. Pasaron por granjas de trigo y olivares, viñas y maizales, y buscaban afanosamente papas, frutas, huevos y gallinas.

—Todo el campo de España es un gran mercado —dijo Rubio Arzano.

Tomás Sanjuro sonrió.

—Y todo es gratis.

La hermana Teresa no prestaba ninguna atención a lo que la rodeaba; su único pensamiento era llegar al convento de Mendavia. La cruz se le hacía pesada, pero estaba decidida a no soltarla. *Pronto*, pensó, *llegaremos pronto. Huimos de Gethsemaní y nuestros enemigos, y marchamos hacia la nueva morada que Dios nos ha preparado.*

—¿Qué? —dijo Lucía.

La hermana Teresa no había advertido que había hablado en voz alta.

—Eh... nada —balbuceó.

Lucía la miró con más atención. La anciana parecía distraída y vagamente desorientada, inconsciente de lo que ocurría alrededor.

Lucía señaló con la cabeza el paquete que llevaba la hermana Teresa.

—Debe de pesarle —le dijo con simpatía—. ¿No quiere que se lo lleve un rato?

La hermana Teresa aferró con más fuerza la cruz contra su cuerpo.

—Jesús soportó una carga más pesada. Yo también puedo llevar esto para Él.

¿Acaso Lucas no decía: "Si cualquier hombre me persiguiera, déjenlo que se niegue a sí mismo y cargue con su cruz diariamente y me siga"?

—Yo la llevaré —dijo con obstinación la hermana Teresa.

En su tono había algo raro.

—¿Se siente bien, hermana?

—Por supuesto.

La hermana Teresa estaba muy lejos de hallarse bien. No había podido dormir. Se sentía mareada y afiebrada. Su mente volvía a jugarle malas pasadas. *No debo permitirme enfermar*, pensó. *La hermana Betina me reprenderá.* Pero la hermana Betina no estaba allí. Resultaba todo tan confuso. ¿Y quiénes eran esos hombres? *No confío en ellos. ¿Qué es lo que quieren de mí?*

Rubio Arzano había intentado entablar conversación con la hermana Teresa, para que se sintiera más cómoda.

—Debe de resultarle extraño, hermana, estar de vuelta en el mundo. ¿Cuánto tiempo estuvo en el convento?

¿Qué quería saber ese hombre?

—Treinta años.

—Vaya, es mucho tiempo. ¿De dónde es usted?

A ella, el solo pronunciar esa palabra le causaba dolor.

—De Eze.

El rostro de él se iluminó.

—¿Eze? Una vez pasé un verano ahí, de vacaciones. Es un pueblo hermoso. Lo conozco bien. Recuerdo...

Lo conozco bien. ¿Cuánto? ¿Conocería él a Raoul? ¿Lo había enviado Raoul? Y la verdad la golpeó como la descarga de un relámpago. A esos extraños los habían enviado para que la llevaran de regreso a Eze, a Raoul Giradot. La estaban secuestrando. Dios la castigaba por haber abandonado al bebé de Monique. Ahora ella estaba segura de que el bebé que había visto en la plaza de Villacastin era el hijo de su hermana, Monique. *Pero es imposible, ¿no? Eso ocurrió hace treinta años*, murmuró Teresa para sus adentros. *Estos hombres me están mintiendo.*

Rubio Arzano la observaba, escuchaba su farfullar.

—¿Le pasa algo hermana?

La hermana Teresa se apartó de él.

—No.

Ahora ya sabía lo que esos hombres pretendían. No iba a permitir que la llevaran de vuelta con Raoul y el bebé. Tenía que llegar al convento de Mendavia y entregar el crucifijo de oro, y entonces Dios la perdonaría por el terrible pecado que ella había cometido. *Debo ser astuta. No debo permitir que sepan que he averiguado su secreto.*

184

La hermana Teresa miró a Rubio Arzano.

—Estoy bien —le dijo.

Avanzaron por entre la llanura seca, abrasada por el sol. Llegaron a un pueblito donde unas campesinas vestidas de negro lavaban la ropa en un arroyo, cubiertas por un toldo sostenido por cuatro viejas vigas. El agua entraba y salía de una larga batea de madera, de modo que siempre estaba fresca y limpia; las mujeres fregaban sus prendas sobre planchas de piedra y la enjuagaban en el agua que corría.

Qué escena tan apacible, penso Rubio. Le recordaba a la granja que había dejado atrás. *Así es como era España en otros tiempos. Nada de bombas, ni de matanzas. ¿Alguna vez volveremos a conocer la paz?*

—Buenos días.

—Buenos días.

—¿Podremos tomar algo? Viajar da mucha sed.

—Por supuesto. Por favor, sírvanse.

El agua era refrescante.

—Gracias. Adiós.

—Adiós.

Rubio detestó tener que irse de allí.

Las dos mujeres y sus escoltas prosiguieron la marcha, pasando por olivares y alcornoques; el aire estival rebosaba del aroma de las uvas y las naranjas maduras. Pasaron por huertos de manzanas, cerezas y ciruelas, y por granjas bulliciosas de sonidos de las gallinas, los cerdos y las cabras.

Rubio y Tomás iban adelante, conversando tranquilamente. *Están hablando de mí. Creen que no sé cuáles son sus planes.* La hermana Teresa se aproximó a ellos para poder oír lo que decían.

—...una recompensa de quinientas mil pesetas por nuestras cabezas. Por supuesto que el coronel Acoca pagaría más por Jaime, pero no quiere la cabeza de él. Quiere sus cojones.

Los hombres rieron.

Mientras la hermana Teresa los escuchaba hablar, su convicción se tornaba más fuerte. *Estos hombres son asesinos que trabajan para Satanás, son mensajeros del demonio enviados para condenarme al infierno eterno. Pero Dios es más fuerte que ellos.*

Él no permitirá que me lleven de vuelta a casa.

Raoul Giradot se hallaba a su lado, sonriendo con esa sonrisa que ella conocía tan bien.

¡La voz!

¿Cómo dice?

Ayer la escuché cantar. Es usted magnífica.

¿En qué puedo servirla?

Quisiera tres metros de muselina, por favor.

Cómo no. Por aquí... La propietaria de este negocio es mi tía, y como necesita ayuda pensé en trabajar un tiempo para ella.

Estoy seguro de que tú podrías tener al hombre que quisieras, Teresa, pero espero que me elijas a mí.

Era tan buen mozo.

Nunca he conocido a alguien como tú, querida.

Raoul la tomaba en sus brazos y la besaba.

Serás una novia hermosa.

Pero ahora soy la novia de Cristo. No puedo volver a Raoul.

Lucía la observaba atentamente. La hermana Teresa hablaba sola, pero Lucía no conseguía descifrar sus palabras.

Está perdiendo la razón, pensó Lucía. *No va a lograr llegar. Tengo que apoderarme pronto de esa cruz.*

Atardecía cuando divisaron la población de Olmedo a la distancia.

Rubio se detuvo.

—Allá habrá soldados. Subamos a las sierras y rodeemos la ciudad.

Se apartaron del camino y salieron de la planicie en dirección a las sierras que se elevaban encima de Olmedo. El sol se resbalaba por entre las cimas de las colinas y el cielo comenzaba a oscurecerse.

—Nos quedan apenas unos kilómetros —dijo Rubio con tono tranquilizador—. Dentro de poco podremos descansar.

Habían llegado a lo alto de una elevada sierra cuando de pronto Tomás Sanjuro levantó una mano:

—Paren —susurró.

Rubio Arzano se le acercó y avanzaron hasta el borde para contemplar el valle que se extendía más abajo. Había un campamento de soldados.

—¡Mierda! —murmuró Rubio—. Debe de ser todo un pelotón. Nos quedaremos aquí arriba el resto de la noche. Quizás a la maña-

186

na se vayan y podamos seguir camino. —Se volvió hacia la hermana Teresa, tratando de no demostrar lo preocupado que estaba. —Pasaremos la noche aquí, hermanas. Debemos quedarnos muy quietos. Allá abajo hay soldados y no queremos que nos encuentren.

Aquello era lo mejor que podría haber oído Lucía. *Perfecto*, pensó. Desapareceré con la cruz durante la noche. No se atreverán a seguirme para no alertar a los soldados.

Para la hermana Teresa, la noticia tenía un significado diferente. Había oído decir a los hombres que alguien llamado coronel Acoca los estaba buscando. *Dijeron que el coronel Acoca era su enemigo. Pero ellos son el enemigo, de modo que el coronel Acoca tiene que ser mi amigo. Gracias, Dios mío, por enviarme al coronel Acoca.*

El hombre alto llamado Rubio le estaba hablando.

—¿Entiende, hermana? Debemos quedarnos muy, muy quietos y callados.

—Sí, entiendo.

Entiendo mucho más de lo que te imaginas. Ellos no tenían idea de que Dios le había permitido espiar el interior de sus malvados corazones.

Tomás Sanjuro dijo con amabilidad.

—Sé lo difícil que todo esto debe de ser para ustedes, hermanas, pero no se preocupen. Nosotros nos encargaremos de que las dos lleguen sanas y salvas al convento.

A Eze, quiere decir. Ah, pero es astuto. Habla con las palabras melosas del demonio. Pero Dios está dentro de mí y me guía. Ella sabía lo que debía hacer. Pero debía tener mucho cuidado.

Los dos hombres dispusieron las bolsas de dormir para las mujeres, una junto a la otra.

—Ahora duerman un poco.

Las mujeres se introdujeron en las bolsas. La noche estaba increíblemente clara y el cielo rutilaba de estrellas. Lucía las miró y pensó con felicidad: *Dentro de unas pocas horas me hallaré en camino hacia mi libertad. En cuanto se duerman todos.*

Bostezó. No se había dado cuenta de lo cansada que estaba. El largo y agotador viaje y la tensión emocional habían causado su efecto. Los ojos le pesaban. *Descansaré un ratito*, pensó.

Se durmió.

La hermana Teresa yacía junto a Lucía, completamente despierta, luchando para que los demonios no la poseyeran, tratando de que no enviarán su alma al infierno. *Debo ser fuerte. El Señor me está probando. Me ha exiliado, para que pueda encontrar el camino de regreso a Él. Y estos hombres intentan impedírmelo. No debo permitirles que lo logren.*

A las cuatro de la mañana, la hermana Teresa se incorporó en silencio y miró alrededor. Tomás Sanjuro dormía a unos pasos de ella. El hombre alto y moreno llamado Rubio vigilaba al borde del claro, de espaldas a ella, que alcanzaba a distinguir su silueta contra los árboles.

Muy calladamente, la hermana Teresa se levantó. Vaciló, pensando en la cruz. *¿Debo llevarla conmigo? Pero estaré de vuelta muy pronto. Debo encontrar un lugar donde guardarla a salvo hasta que regrese.* Miró hacia donde dormía Lucía. *Sí. Estará segura con mi hermana en Dios,* decidió la hermana Teresa.

En silencio se acercó a la bolsa de dormir y con cuidado introdujo en ella la cruz envuelta. Lucía no se movió. La hermana Teresa se volvió y avanzó hacia el bosque, fuera de la vista de Rubio Arzano, y cautelosamente inició la marcha cuesta abajo por la colina hacia el campamento de los soldados. La sierra era escarpada y estaba resbaladiza por el rocío, pero Dios le dio alas y ella bajó sin tambalearse ni caer, apresurada, rumbo a su salvación.

Más adelante, en la oscuridad, se materializó de pronto la figura de un hombre.

—¿Quién anda ahí? —gritó una voz.

—La hermana Teresa.

Se acercó al centinela. El hombre llevaba uniforme del ejército y un rifle, con el que le apuntaba.

—¿De dónde salió, vieja? —le preguntó.

Ella lo miró con ojos dorados.

—Me envió Dios.

El centinela se quedó mirándola.

—¿Ah, sí?

—Sí. Me envió a ver al coronel Acoca.

El guardia sacudió la cabeza.

—Dígale a Dios que usted no es del tipo de mujeres que le gustan al coronel. Adiós, señora.

—Usted no entiende. Soy la hermana Teresa, del convento cisterciense. Jaime Miró y sus hombres me tomaron prisionera.

Observó la expresión perpleja que cubrió la cara del hombre.

—¿Usted... estaba en el convento?

—Sí.

—¿El de Ávila?

—Sí —respondió Teresa con impaciencia. ¿Qué le pasaba a ese hombre? ¿No se daba cuenta de lo importante que era que ella fuera rescatada de esos malvados?

El soldado contestó con cautela:

—El coronel Acoca no se encuentra aquí, hermana...

Un golpe inesperado.

—...pero está a cargo el coronel Sostelo. Puedo llevar ante él.

—¿Él podrá ayudarme?

—Claro, por supuesto que sí. Sígame, por favor.

El centinela apenas lograba creer su buena suerte. El coronel Fal Sostelo había enviado escuadrones de soldados a registrar todo el campo en busca de las cuatro monjas, y no habían tenido éxito. Ahora una de ellas aparecía en el campamento y se entregaba. El coronel iba a irse muy complacido.

Llegaron a la tienda en la que el coronel Fal Sostelo y su segundo a cargo examinaban un mapa. Ambos hombres levantaron la mirada cuando entraron el centinela y la mujer.

—Disculpe, coronel. Ésta es la hermana Teresa, del convento cisterciense.

El coronel Sostelo la miró, sin poder creerlo. Durante los tres últimos días todas sus energías habían estado centradas en la búsqueda de Jaime Miró y las monjas, y ahora, frente a él, se encontraba una de ellas. Sí, *había* un Dios.

—Siéntese, hermana.

No hay tiempo para eso, pensó la hermana Teresa. Tenía que hacerle entender al coronel lo urgente de todo aquello.

—Debemos apresurarnos. Ellos tratan de llevarme de vuelta a Eze.

El coronel estaba desconcertado.

—¿*Quién* trata de llevarla de vuelta a Eze?

—Los hombres de Jaime Miró.

El hombre se puso de pie.

—Hermana... ¿por casualidad sabe usted dónde se encuentran esos hombres?

La hermana Teresa respondió con impaciencia:

—Por supuesto. —Se dio vuelta y señaló: —Están arriba de aquellas sierras, escondiéndose de usted.

Capítulo dieciocho

Alan Tucker llegó a Ávila el día después de su conversación con Ellen Scott. El vuelo había sido largo pero, en lugar de agotado, Tucker se sentía alegre. Ellen Scott no era una mujer de caprichos. *Hay algo extraño detrás de todo esto*, pensó Alan Tucker, *y tengo la corazonada de que, si juego bien mis cartas, podría resultarme muy provechoso.*

Se registró en el hotel Cuatro Postes y preguntó al empleado que atendía:

—¿Hay algún diario que tenga oficinas por aquí?

—Bajando por esta calle, señor. Doblando a la izquierda, dos cuadras. No puede perderse.

—Gracias.

—De nada.

Mientras caminaba por la calle principal, contemplando el despertar de la ciudad después de la siesta, Tucker pensaba en la misteriosa muchacha que lo habían enviado a buscar. Tenía que tratarse de algo importante. ¿Pero importante *por qué*? Oía la voz de Ellen Scott.

Si está con vida, tráigamela. No debe hablar de esto con nadie.

No, señora. ¿Y qué le digo a ella?

Sencillamente dígale que una amiga de su padre desea conocerla. La chica vendrá.

Tucker encontró la oficina del diario. Ya adentro, se acercó a una de la media docena de personas que trabajaban detrás de sus escritorios.

—Perdón, quisiera ver al jefe de redacción.

El hombre señaló una oficina.

—Ahí, señor.

—Gracias.

Se dirigió a la puerta abierta y miró hacia el interior. Detrás del escritorio había un hombre de unos treinta y cinco años, ocupado con su trabajo.

—Disculpe —le dijo Tucker—. ¿Podría hablar un momento con usted?

El hombre levantó la vista.

—¿En qué puedo servirle?

—Estoy buscando a una señorita.

El jefe de redacción sonrió.

—Todos andamos tras lo mismo, ¿no, señor?

—La abandonaron en una granja cerca de aquí cuando era un bebé.

La sonrisa desapareció.

—Oh. ¿Una niña abandonada?

—Sí.

—¿Y usted trata de encontrarla?

—Sí.

—¿Y cuántos años hace de eso, señor?

—Veintiocho.

El periodista se encogió de hombros.

—En esa época yo todavía no trabajaba en esto...

Tal vez no va a resultar tan fácil.

—¿Por casualidad usted no sabrá algo de esa mujer o podrá indicarme alguna persona que pueda ayudarme? —preguntó Tucker.

El jefe de redacción se echó atrás en la silla, pensando.

—En realidad, sí. Le sugiero que hable con el padre Berrendo.

El padre Berrendo escuchaba al forastero sentado en su estudio, con una manta sobre las delgadas piernas.

Cuando Alan Tucker finalizó su relato, el padre Berrendo dijo:

—¿Qué es lo que desea saber sobre este asunto, señor? Sucedió hace mucho tiempo. ¿Cuál es su interés en esto?

—No estoy en libertad de decirlo. Sólo puedo asegurarle que no tengo malas intenciones para con esa mujer. Si usted pudiera al menos decirme dónde queda la granja donde la abandonaron...

La granja. Como una marea, volvían los recuerdos del día en que los Moras habían acudido a él después de llevar a la niña al hospital.

Creo que se está muriendo, padre. ¿Qué haremos?

El padre Berrendo había hablado con su amigo, don Morago, el jefe de Policía.

—Creo que la niña fue abandonada por algún turista de visita en Ávila. ¿Podrías averiguar en los hoteles y las posadas para ver si alguien llegó con un bebé y se fue sin él?

La policía revisó los registros de todos los hoteles pero no sirvió de nada.

—Es como si el bebé hubiera caído del cielo —dijo don Morago.

Y no tenía idea de lo cerca que había estado de resolver el misterio.

Cuando el padre Berrendo llevó a la beba al orfanato, Mercedes Ángeles preguntó:

—¿La niña tiene nombre?

—No lo sé.

—¿No había una frazada o cualquier otra cosa en la que figurara su nombre?

—No.

Mercedes Ángeles miró a la niña que el sacerdote sostenía en sus brazos.

—Bueno, tendremos que ponerle un nombre, ¿no?

La mujer acababa de leer una novela romántica, y le había gustado el nombre de la heroína.

—Megan —dijo—. La llamaremos Megan.

Y catorce años más tarde el padre Berrendo había llevado a Megan al convento cisterciense.

Y muchos años después de aquello, ese forastero la buscaba. *La vida siempre termina en el punto de partida*, pensó el padre Berrendo. *De algún modo misterioso, para Megan se ha completado el círculo.* No, Megan no. Ése era el nombre que le habían puesto en el orfanato. Preguntó al forastero:

—¿Cómo se llama la muchacha?

—Patricia.

—Siéntese, señor —dijo el padre Berrendo—. Tengo mucho que decirle.

Y se lo dijo.

Cuando el cura terminó, Alan Tucker permaneció sentado en silencio, la mente acelerada. Tenía que haber una razón muy fuerte que justificara el interés de Ellen Scott por una niña abandonada en una granja de España hacía veintiocho años. Una niña que ya era una mujer y se llamaba Megan, según el sacerdote.

Dígale que una amiga de su padre desea conocerla.

Si él recordaba bien, Byron Scott y su mujer y su hijita habían muerto en un accidente de avión muchos años atrás en algún lugar de España. ¿Podría haber una relación? Alan Tucker sentía una agitación creciente.

—Padre... Me gustaría ir a verla al convento. Es muy importante.

El cura sacudió la cabeza.

—Temo que ya sea demasiado tarde. Hace dos días el convento fue atacado por agentes del gobierno.

Alan Tucker lo miró desconcertado.

—¿Atacado? ¿Qué pasó con las monjas?

—Las arrestaron y las llevaron a Madrid.

Alan Tucker se puso de pie.

—Gracias, padre.

Tomaría el primer vuelo a Madrid.

El padre Berrendo prosiguió:

—Cuatro de las monjas escaparon. Megan era una de ellas.

Las cosas se ponían complicadas.

—¿Y dónde está ahora?

—Nadie lo sabe. La policía y el ejército las están buscando; a ella y a las otras tres hermanas.

—Ya veo.

En circunstancias comunes, Alan Tucker habría telefoneado a Ellen Scott para informarle que había llegado a un callejón sin salida. Pero todos sus instintos de detective le decían que allí había algo que merecía una investigación más profunda.

Llamó a Ellen Scott.

—Surgió una complicación, señora Scott.

Le repitió su conversación con el sacerdote.

Se produjo un largo silencio.

—¿Nadie sabe dónde está?

—Ella y las otras están fugitivas, pero no podrán ocultarse mucho tiempo más. La policía y la mitad del ejército español las buscan. Cuando aparezcan, yo estaré allí.

Otro silencio.

—Esto es muy importante para mí, Tucker.

—Sí, señora Scott.

Alan Tucker regresó a la oficina del periódico. Estaba de suerte: aún no habían cerrado.

Habló con el jefe de redacción:

—Quisiera ver sus archivos, si es que puedo.

—¿Busca algo en particular?

—Sí. En esta zona hubo un accidente de avión.

—¿Hace cuánto tiempo, señor?

Si no me equivoco...

—Hace veintiocho años. En 1948.

Alan Tucker demoró quince minutos en encontrar lo que buscaba. El titular le saltó a los ojos.

"Octubre 1, 1948.

Byron Scott, presidente de las Industrias Scott, su esposa, Susan, y la hija de ambos, Patricia, de un año de edad, murieron quemados en un accidente de avión..."

¡Me saqué la grande! Sentía que el pulso se le aceleraba. *Si esto es lo que yo pienso, voy a ser un hombre rico, un hombre MUY rico.*

Capítulo diecinueve

Estaba desnuda en su cama y sentía la dureza viril de Benito Patas en la ingle. Se acercó más al magnífico cuerpo de él, acariciándolo con las caderas, gozando del calor creciente que le subía por la espalda. Comenzó a tocarlo, para excitarlo. Pero algo no funcionaba. *A Patas lo maté*, pensó. *Está muerto.*

Lucía abrió los ojos y se incorporó, temblando, mirando alocadamente alrededor. Benito no estaba allí. Ella se encontraba en el bosque, en una bolsa de dormir. Algo hacía presión contra uno de sus muslos. Introdujo una mano en la bolsa de dormir y sacó la cruz envuelta en lona. La contempló incrédula. *Dios me ha obsequiado con un milagro*, pensó Lucía.

No tenía idea de cómo la cruz había ido a parar allí, ni le importaba. Por fin la tenía en su poder. Todo lo que debía hacer a continuación era escabullirse de los otros.

Salió furtivamente de la bolsa de dormir y miró hacia el lugar donde debía estar durmiendo la hermana Teresa. No estaba. Escudriñó la oscuridad y apenas pudo distinguir la silueta de Tomás Sanjuro al borde del claro, de espaldas a ella. No sabía con certeza dónde se hallaba Rubio. *No importa. Ya es hora de que me vaya de aquí*, pensó Lucía.

Comenzó a avanzar hacia el bosque, apartándose de Sanjuro, agachada para que no la vieran.

En ese instante se desató el infierno.

El coronel Fal Sostelo había tenido que tomar una decisión. El Primer Ministro en persona le había dado órdenes de que trabajara en estrecha colaboración con el coronel Acoca para capturar a Jaime Miró y las monjas. Pero el destino lo había bendecido enviándole una de las monjas en sus propias manos. ¿Por qué compartir los méritos con el coronel Acoca si él podía atrapar a los terroristas y obtener toda la gloria? *Al carajo con el coronel Acoca*, pensó Fal Sostelo. *Ésta es la mía. Tal vez el OPUS MUNDO me emplee a mí en lugar de Acoca y toda su mierda de partidos de ajedrez y meterse en la cabeza de la gente. No, es hora de darle una lección a ese gigante de la cicatriz.*

El coronel Sostelo impartió órdenes específicas a sus hombres.

—No tomen ningún prisionero. Van a enfrentarse con terroristas. Tiren a matar.

El mayor Ponte vaciló.

—Coronel, allá arriba, con los hombres de Miró, hay monjas. ¿No deberíamos...?

—Les haremos un favor. Las ayudaremos a encontrarse con su Dios.

Fal Sostelo escogió a una docena de hombres para que lo acompañaran en el ataque, y se encargó de supervisar que fueran todos fuertemente armados. Se movieron silenciosamente en la oscuridad, subiendo por la ladera de la sierra. La luna se había ocultado tras unas nubes. Casi no había visibilidad. *Muy bien. No podrán vernos llegar.*

Cuando sus hombres se ubicaron en sus puestos, el coronel Sostelo gritó, como para cumplir con las reglas:

—Tiren sus armas. Están rodeados. —Y sin tomar aliento ordenó: —¡Fuego! ¡No dejen de tirar!

Una docena de armas automáticas comenzó a disparar sobre el claro.

Tomás Sanjuro no tuvo la más mínima posibilidad de nada. Una lluvia de balas de ametralladora le dio en el pecho y murió antes de caer al suelo. Rubio Arzano se encontraba en el extremo opuesto del claro cuando empezó el fuego. Vio caer a Sanjuro, se dio vuelta rápidamente y comenzó a levantar el arma para contestar al tiroteo, pero se detuvo. El claro estaba oscuro como boca de lobo y los soldados tiraban a ciegas. Si él les contestaba el fuego delataría su posición.

Para su sorpresa, vio que Lucía estaba agazapada a pocos pasos de él.

—¿Dónde está la hermana Teresa? —le preguntó en un susurro.

—Ella... se fue.

—No se levante, quédese agachada —le dijo Rubio.

Tomó a Lucía de una mano y avanzaron en zigzag en dirección al bosque, alejándose del fuego enemigo. Los disparos les pasaban muy cerca, silbando, mientras ellos corrían, pero unos momentos después Lucía y Rubio se hallaban entre los árboles. Siguieron corriendo.

—Agárrese de mí, hermana —dijo Rubio.

Detrás de ellos oían el ruido de sus atacantes, pero poco a poco se desvaneció. Era imposible perseguir a alguien a través de la impenetrable negrura del bosque.

Rubio se detuvo para que Lucía tomara aliento.

—Por ahora los hemos perdido —le dijo—. Pero debemos seguir avanzando.

Lucía jadeaba.

—¿Quiere descansar un poco...?

—No —respondió Lucía. Estaba exhausta pero no tenía intención de permitir que la atraparan. Y menos en ese momento, cuando al fin tenía la cruz. —Estoy bien —agregó—. Salgamos de aquí.

El coronel Fal Sostelo enfrentaba el desastre. Un terrorista estaba muerto, pero sólo Dios sabía cuántos habían escapado. No había atrapado a Jaime Miró y tenía a una sola de las monjas. Sabía que debía informar al coronel Acoca de lo ocurrido. Pero no esperaba ese momento con gran ansiedad.

El segundo llamado de Alan Tucker a Ellen Scott fue aún más inquietante que el anterior.

—He descubierto una información bastante interesante, señora Scott —le dijo con cautela.

—¿Sí?

—Estuve revisando ediciones viejas de un diario de aquí, con la esperanza de conseguir más datos sobre la chica.

—¿Y?

Ellen se preparó para oír lo que sabía vendría a continuación.

Tucker habló con tono casual.

—Parece que la chica fue abandonada más o menos en la misma fecha en que ustedes tuvieron el accidente de avión.

Silencio.

Tucker prosiguió:

—El accidente en que murieron su cuñado, su cuñada y la hija de ambos, Patricia.

Chantaje. No había otra explicación. De modo que él lo había averiguado.

—Así es —dijo Ellen Scott, también con tono casual—. Debería habérselo mencionado. Le explicaré todo cuando regrese. ¿Tiene alguna otra información sobre la muchacha?

—No, pero no puede ocultarse mucho tiempo más. Todo el país la está buscando.

—Llámeme en cuanto la hayan encontrado.

La línea quedó muda.

Alan Tucker permaneció sentado, mirando con ojos fijos el tubo del teléfono que aún sostenía en la mano. *Es una mujer de sangre fría,* pensó con admiración. *¿Cómo tomará la idea de tener un socio?*

Cometí un error al enviarlo allá, pensaba Ellen Scott. *Ahora tendré que detenerlo. ¿Y qué iba a hacer con la chica? ¡Una monja! No la juzgaré hasta que la vea.*

La secretaria le habló por el intercomunicador.

—La esperan en la sala de reuniones, señora Scott.

—Ya voy.

Lucía y Rubio Arzano seguían avanzando por el bosque, tropezando y resbalando, lastimándose con las ramas de los árboles y los arbustos y atacados por los insectos, pero cada paso los alejaba un poco más de sus perseguidores.

Al fin, Rubio Arzano dijo:

—Podemos parar aquí. No nos encontrarán.

Se hallaban en lo alto de las montañas, en medio de una densa foresta.

Lucía se echó en el suelo, respirando con dificultad. Recordaba las terribles escenas que había presenciado un rato antes. Tomás había caído muerto, completamente desprevenido. *Y los bastardos se proponían asesinarnos a todos*, pensó Lucía. La única razón de que ella estuviera aún con vida era ese hombre sentado junto a ella.

Mientras él se ponía de pie y registraba la zona que los rodeaba, Lucía lo miró.

—Podemos pasar el resto de la noche aquí, hermana.

—Está bien.

Ella tenía impaciencia por proseguir la marcha, pero sabía que necesitaba descansar.

Como si le leyera la mente, Rubio Arzano le dijo:

—Cuando amanezca seguiremos camino.

Lucía sintió un crujido en el estómago. Aun antes de que se pusiera a pensar en ello, Arzano habló:

—Debe de tener hambre. Iré a buscar algo de comida para los dos. ¿Podrá quedarse sola un rato?

—Sí, estaré bien.

El hombre se agachó a su lado.

—Por favor, trate de no asustarse. Sé lo difícil que será para usted volver al mundo después de pasar tantos años en el convento. Todo le parecerá muy extraño...

Lucía lo miró y repuso con voz neutra:

—Trataré de acostumbrarme.

—Es usted muy valiente, hermana. —Rubio se levantó. —Volveré pronto.

Contempló a Rubio desaparecer entre los árboles. Era hora de tomar una decisión, y tenía dos alternativas: podía escaparse ya, intentar llegar a algún pueblo cercano y cambiar la cruz de oro por un pasaporte y dinero suficiente para el viaje a Suiza, o podía quedarse con ese hombre hasta que ambos se alejaran lo suficiente para saberse a salvo de los soldados. *Esto será lo más seguro*, decidió Lucía.

Oyó un ruido y se dio vuelta. Era Rubio Arzano. Se acercó a ella, sonriendo. En las manos llevaba su boina, repleta de tomates, uvas y manzanas.

Se sentó en el suelo, junto a ella.

—Aquí está la cena. Había un pollo lindo y gordo, pero el fuego que tendríamos que haber encendido para cocerlo nos habría delatado... Hay una granja bajando la ladera.

Lucía miraba el contenido de la boina.

—Qué maravilla. Me muero de hambre.

Terminaron de comer. Rubio Arzano hablaba, pero Lucía no le prestaba atención, absorta en sus propios pensamientos.

—¿Así que estuvo diez años en el convento, hermana?

La pregunta arrancó a Lucía de sus ensueños.

—¿Qué?

—¿Pasó diez años en el convento?

—Ah, sí.

Rubio sacudió la cabeza.

—Entonces no tiene idea de lo que ha ocurrido en todo ese tiempo.

—Eh... No.

—En los últimos diez años el mundo ha cambiado mucho, hermana.

—¿Sí?

—Sí —dijo Rubio y agregó con gravedad: —Murió Franco.

—¡No!

—Sí. El año pasado.

Y designó a don Juan Carlos como heredero.

—Quizá le cueste creerlo, pero un hombre caminó en la Luna. Así como lo oye.

—¿En serio?

En realidad fueron dos hombres, pensó Lucía. *¿Cómo se llamaban? Neil Armstrong y Buzz No-se-cuánto.*

—Sí, estadounidenses. Y ahora hay aviones de pasajeros que van más rápido que el sonido.

—Increíble.

No veo la hora de tomar el Concorde, pensó Lucía.

Rubio era infantil en su actitud complacida de ponerla al día sobre los sucesos mundiales.

—En Portugal hubo una revolución y en los Estados Unidos el presidente Nixon se envolvió en un gran escándalo y tuvo que renunciar.

Rubio es muy dulce, decidió Lucía.

Él sacó un atado de Ducados, cigarrillos españoles de tabaco negro muy fuerte.

—Espero que no le moleste si fumo, hermana...

—No —respondió Lucía—. Fume tranquilo.

Lo miró encender uno y cuando el humo le llegó a la nariz se desesperó por fumar ella también.

—¿Le importa si pruebo uno?

Él la miró sorprendido.

—¿Quiere probar un cigarrillo?

—Sólo para ver cómo es —respondió Lucía con rapidez.

—Ah. Por supuesto.

Le extendió el atado. Ella sacó un cigarrillo, se lo puso entre los labios y él se lo encendió. Lucía inhaló profundamente y cuando el humo le llenó los pulmones se sintió espléndidamente.

Rubio la contemplaba azorado.

Lucía tosió.

—Ahora ya sé cómo es el sabor de un cigarrillo.

—¿Le gusta?

—La verdad que no, pero...

Aspiró otra bocanada, honda, gratificante. Sólo Dios sabía cuánto había extrañado ese placer. Pero sabía que debía ser cautelosa. No quería que el hombre sospechara. Apagó el cigarrillo que sostenía con torpeza entre los dedos. Había pasado apenas unos cuantos meses en el convento, y sin embargo Rubio estaba en lo cierto. Le resultaba extraño volver al mundo. Lucía se preguntó cómo les estaría yendo a Graciela y Megan. ¿Y qué le habría ocurrido a la hermana Teresa? ¿La habrían capturado los soldados?

Los ojos de Lucía comenzaban a entrecerrarse. La noche había sido larga y tensa.

—Creo que voy a dormir un poco.

—No se preocupe. Yo la cuidaré, hermana.

—Gracias —le dijo sonriendo. Se durmió enseguida.

Rubio Arzano la contempló y pensó: *Nunca he visto una mujer como ésta. Es tan espiritual como para haber dedicado su vida a Dios, y sin embargo al mismo tiempo posee una especie de terrenalidad. Y esta noche se comportó con tanta valentía como un hombre. Es usted una mujer muy especial*, dijo Rubio Arzano para sus adentros mientras la miraba dormir. *Hermanita de Jesús*.

Capítulo veinte

El coronel Fal Sostelo fumaba su décimo cigarrillo. *No puedo seguir posponiendo este asunto*, decidió. *A las malas noticias es mejor sacárselas de encima enseguida.*

Respiró hondo varias veces, para calmarse, y después discó un número. Cuando atendió Ramón Acoca, dijo:

—Coronel, anoche allanamos un campamento terrorista, donde se me informó estaba Jaime Miró, y consideré que usted debía saberlo.

Se produjo un peligroso silencio.

—¿Lo agarró?

—No.

—¿Y usted acometió esa operación sin consultarme?

—No había tiempo para...

—Pero sí hubo tiempo para dejar huir a Miró. —La voz de Ramón Acoca estaba llena de furia. —¿Qué fue lo que lo indujo a decidir esa operación magníficamente ejecutada?

El coronel Sostelo tragó saliva.

—Atrapamos a una de las monjas del convento. Ella nos llevó hasta Miró y sus hombres. Matamos a uno de ellos en el ataque.

—¿Y todos los demás escaparon?

—Sí, coronel.

—¿Dónde está la monja ahora? ¿O también la dejó escapar? —preguntó Acoca con mordacidad.

—No, coronel —repuso rápidamente Sostelo—. Está aquí, en el campamento. La hemos interrogado y...

—No lo hagan. La interrogaré yo. Estaré allí en una hora. Vea si puede arreglárselas para mantenerla ahí hasta que yo llegue.

Colgó de un golpe.

Exactamente una hora más tarde, el coronel Ramón Acoca llegó al campamento donde retenían a la hermana Teresa. Con él iba una docena de hombres del GOE.

—Tráiganme a la monja —ordenó el coronel Acoca.

Llevaron a la hermana Teresa a la tienda que hacía de cuartel general, donde la esperaba el coronel Acoca. Cuando la vio entrar se puso de pie con cortesía y sonrió.

—Soy el coronel Acoca.

¡Por fin!

—Sabía que usted iba a venir. Me lo dijo Dios.

El militar asintió gentilmente.

—¿Ah, sí? Muy bien. Por favor, siéntese, hermana.

La hermana Teresa estaba demasiado nerviosa como para sentarse.

—Tiene que ayudarme.

—Vamos a ayudarnos mutuamente —le aseguró el coronel—. Usted escapó del convento cisterciense de Ávila, ¿correcto?

—Sí. Fue terrible. Todos esos hombres... Hicieron cosas impías y...

Y también cosas estúpidas. Por ejemplo, dejar que tú y las otras escaparan.

—¿Cómo llegó aquí, hermana?

—Me trajo Dios. Me está probando como antes probó a...

El coronel Acoca la interrumpió para decir con tono paciente:

—Además de Dios, ¿también la trajeron hasta aquí algunos hombres, hermana?

—Sí. Me secuestraron. Tuve que huir de ellos.

—Usted le dijo al coronel Sostelo dónde podía encontrar a esos hombres.

—Sí. Los malvados. Detrás de todo esto está Raoul, ¿sabe? Me mandó una carta y me dijo...

—Hermana, el hombre al que buscamos en particular se llama Jaime Miró. ¿Usted lo ha visto?

Ella se estremeció.

—Sí. Oh, sí. Él...

El coronel se inclinó hacia adelante.

—Excelente. Ahora debe decirme dónde puedo encontrarlo.

—Él y los otros van camino a Eze.

El militar frunció el entrecejo, perplejo.

—¿A Eze? ¿A Francia?

Las palabras de la monja se tornaron un barboteo sin sentido.

—Sí. Monique abandonó a Raoul y él ordenó que me secuestraran a causa del bebé, así...

Acoca trataba de controlar su impaciencia creciente.

—Miró y sus hombres se dirigen al norte. Eze queda en el este.

—...Usted debe impedir que me lleven de vuelta con Raoul. No quiero verlo otra vez. Entienda... No podría enfrentarlo...

El coronel Acoca dijo con voz áspera:

—Ese Raoul no me importa un bledo. Quiero saber dónde encontrar a Jaime Miró.

—Ya se lo dije. Está en Eze, esperándome. Él quiere...

—Está mintiendo. Creo que trata de proteger al Miró. No quiero lastimarla, así que voy a preguntárselo una vez más: ¿dónde está Jaime Miró?

La hermana Teresa lo miró con expresión impotente.

—No lo sé —murmuró. Miró alrededor, desesperada. —No lo sé.

—Hace un momento me dijo que estaba en Eze. —La voz de Acoca era como un latigazo.

—Sí. Me lo dijo Dios.

El coronel Acoca ya no aguantaba más. Esa mujer era una demente o una brillante actriz. En cualquiera de ambos casos, lo enfermaba con toda esa charlatanería sobre Dios.

Se volvió hacia Patricio Arrieta, su asistente.

—La memoria de la hermana necesita que la estimulen. Llévela a la tienda del comisario general. Tal vez usted y sus hombres puedan ayudarla a recordar dónde está Jaime Miró.

—Sí, coronel.

Patricio Arrieta y sus hombres formaban parte del grupo que había atacado el convento de Ávila. Se sentían responsables de la huida de las cuatro monjas. *Bien, ahora podremos desquitarnos*, pensó Arrieta.

Se dirigió a la hermana Teresa.

—Venga conmigo, hermana.

—Sí. —*Bendito Jesús amado, gracias.* Enseguida balbuceó: —¿Nos vamos? No van a permitir que ellos me lleven a Eze, ¿no?

—No —le aseguró Arrieta—. Ni irá a Eze.

El coronel tiene razón, pensó el hombre. *Esta mujer está jugando con nosotros. Bueno, le mostraremos algunos juegos nuevos. ¿Se quedará quieta, o se pondrá a chillar?*

Cuando llegaron a la tienda del comisario general, Arrieta dijo:

—Hermana, le vamos a dar una última oportunidad. ¿Dónde está Jaime Miró?

¿Eso no me lo preguntaron antes? ¿O se trataba de otra persona? ¿Fue aquí o...? Todo esto es tan terriblemente confuso...

—Él me raptó por órdenes de Raoul porque Monique lo abandonó y él pensó...

—Bueno. Ya que usted lo quiere así —dijo Arrieta—, veremos si podemos refrescarle la memoria.

—Sí, por favor. Me siento muy confundida.

En la tienda habían entrado varios de los hombres de Acoca y algunos soldados uniformados de Sostelo.

La hermana Teresa los miró. Parpadeó, aturdida.

—¿Estos hombres me llevarán al convento?

—Van a hacer algo mucho mejor —repuso Patricio Arrieta con una sonrisa irónica—. La van a llevar al paraíso, hermana.

Los hombres se le acercaron y la rodearon.

—Lleva un vestido muy lindo —dijo un soldado—. ¿Estás segura de que eres monja, querida?

—Claro —respondió Teresa. Raoul también la llamaba "querida". *¿Ese hombre era Raoul?* —Lo que pasa es que tuvimos que cambiarnos de ropa para huir de los soldados. —Pero ésos eran soldados. Todo aquello era un embrollo.

Uno de los hombres empujó a Teresa y la tiró sobre el catre.

—No eres ninguna belleza, pero vamos a ver cómo luces debajo de esa ropa.

—¿Qué hace?

El hombre se agachó y le arrancó la blusa, mientras otro le rasgaba la pollera.

—No tiene tan mal cuerpo para ser una vieja, ¿no, compañeros? Teresa gritó.

Miró el círculo de hombres que la rodeaba. *Dios los fulminará a todos y los matará. No permitirá que me toquen, pues yo soy Suya. Soy una con el Señor y bebo de Su fuente de pureza.*

Uno de los soldados se desabrochó el cinturón. Un instante después Teresa sintió unas manos toscas que le separaban las piernas

206

y, cuando el soldado se tendió sobre ella, una carne dura que la penetraba. Gritó otra vez.

—¡Ahora, Dios! ¡Castígalos ahora!

Esperó el retumbar del trueno, la luz brillante del relámpago que los destruiría a todos.

No ocurrió nada.

Otros soldado montó sobre ella. Los ojos de Teresa se cubrieron con una neblina roja. Seguía esperando que Dios atacara, casi inconsciente de los hombres que la vejaban. Ya no sentía el dolor.

El lugarteniente Arrieta permanecía parado a un lado del catre. Cuanto todos los hombres terminaron con Teresa, dijo:

—¿Le basta con esto, hermana? Puede parar cuando usted quiera. Lo único que debe hacer es decirme dónde está Jaime Miró.

La hermana Teresa no lo oyó. En su mente, gritaba: *Aniquílalos con Tu poder, Señor. Destrúyelos como destruiste a los malvados de Sodoma y Gomorra.*

Increíblemente, Él no respondía. No era posible, pues Dios estaba en todas partes. Y entonces Teresa lo supo. Cuando el sexto hombre penetraba en su cuerpo, de pronto se le presentó la revelación.

Dios no la escuchaba porque *no había* Dios. Durante todos esos años ella se había engañado con la adoración a un poder Supremo al que había servido fielmente. Pero no existía ningún Poder Supremo. *Si Dios existiera, me habría salvado.*

La neblina roja abandonó los ojos de la hermana Teresa y por primera vez vio con claridad lo que la rodeaba. Había allí por lo menos una docena de soldados que esperaban su turno para violarla. El lugarteniente Arrieta observaba parado a un lado del catre. Los soldados hacían fila con el uniforme puesto, sin molestarse en desvestirse.

Cuando un soldado se levantaba de encima de Teresa, el siguiente se abría la bragueta y sacaba el pene; se echaba sobre ella y enseguida la penetraba.

No habrá Dios, pero sí hay un Satanás, y éstos son sus ayudantes, pensó la hermana Teresa. *Y deben morir. Todos.*

Cuando el soldado se hundió en ella, la hermana Teresa le sacó la pistola que llevaba al cinto y antes de que cualquiera tuviera tiempo de reaccionar apuntó a Arrieta. La bala le dio en la garganta.

La hermana Teresa apuntó a los demás soldados y siguió tirando. Cuatro cayeron al piso, muertos, antes de que los otros consiguieran reaccionar. A causa del soldado que la cubría, les costó apuntar.

La hermana Teresa y su último violador murieron en el mismo momento.

Capítulo veintiuno

Jaime Miró se despertó instantáneamente al oír un movimiento en el borde del claro. Salió sin hacer ruido de la bolsa de dormir y se levantó, con el arma en la mano. Vio a Megan de rodillas, rezando. Se quedó estudiándola. Había una belleza sobrenatural en la imagen de esa hermosa mujer que rezaba en el bosque en medio de la noche, y Jaime se sintió mal por ello. *Si a Félix Carpio no se le hubiera escapado que nos dirigimos a San Sebastián, yo no tendría que cargar con la monja.*

Era imperativo que llegara a San Sebastián lo antes posible. El coronel Acoca y sus hombres y el ejército estaban todos tras él, rodeándolo, y ya le habría resultado bastante difícil escurrirse de esa red yendo solo. Con la carga extra de esa mujer que lo obligaba a aminorar la marcha, el peligro aumentaba diez veces.

Se acercó a Megan, enojado, y su voz sonó más dura que lo que se había propuesto:

—Le dije que durmiera. No quiero que mañana nos retrasemos por culpa suya.

Megan lo miró y le dijo tranquila:

—Lamento haberlo hecho enojar.

—Hermana, yo me guardo los enojos para cosas más importantes. Las mujeres como usted sencillamente me aburren. Se pasan la vida escondidas detrás de unos muros de piedra esperando un viaje gratis al otro mundo. Me descomponen el estómago, todas ustedes.

—¿Porque creemos en el otro mundo?

—No, hermana. Porque no creen en éste. Huyen de él.

—Para orar por ustedes. Nos pasamos la vida orando por ustedes.

—¿Y creen que eso solucionará los problemas del mundo?

—A su tiempo, sí.

—No hay tiempo. Su Dios no puede oír sus plegarias a causa del ruido de los cañones y los gritos de los niños destrozados por las bombas.

—Cuando se tiene fe...

—Oh, yo tengo muchísima fe, hermana. Tengo fe en la causa por la que lucho. Tengo fe en mis hombres, y en mis armas. En lo que no tengo fe es en la gente que camina sobre el agua. Si usted cree que ahora Dios está escuchando, dígale que nos haga llegar al convento de Mendavia, así puedo librarme de usted.

Miró se enojó consigo mismo por haber perdido el control. La monja no tenía la culpa de que la Iglesia se hubiera quedado de brazos cruzados mientras los falangistas de Franco torturaban y asesinaban a vascos y catalanes. *Ella no tiene la culpa*, se dijo Jaime, *de que mi familia formara parte de las víctimas.*

En ese entonces Jaime era apenas un muchacho, pero aquél era un recuerdo grabado para siempre en su cerebro...

El ruido de las bombas que caían lo había despertado en medio de la noche. Caían del cielo como flores mortíferas que plantaban en todas partes sus semillas de destrucción.

—Levántate, Jaime. ¡Apúrate!

Para el muchacho, el miedo que advirtió en la voz de su padre fue más aterrador que el terrible rugido del bombardeo aéreo.

Guernica era una plaza fuerte de los vascos y el general Franco había decidido utilizarla como lección práctica.

—Destrúyanla.

La temida Legión Cóndor Nazi y media docena de aviones italianos habían preparado un ataque concentrado, y no mostraron ninguna piedad. Los habitantes del pueblo intentaron huir de la lluvia mortal que caía del cielo, pero no había escape.

Jaime, su madre, su padre y dos hermanas mayores huyeron con los demás.

—A la iglesia —dijo el padre de Jaime—. Allí no van a bombardear.

Tenía razón. Todos sabían que la Iglesia estaba de parte del Caudillo y hacía la vista gorda ante el trato salvaje que daba a sus enemigos.

La familia Miró se dirigió a la iglesia, abriéndose paso entre la multitud presa del pánico que trataba de huir.

El muchachito se aferraba de la mano de su padre y se esforzaba por no oír los ruidos terribles que lo cercaban. Recordaba tiempos en que su padre no tenía miedo, no escapaba.

—¿Va a haber una guerra, papá?

—No, Jaime. Eso es sólo lo que dicen los periódicos. Lo único que nosotros pedimos es que el gobierno nos otorgue un grado razonable de independencia. Los vascos y los catalanes tenemos derecho a nuestro propio idioma, nuestra bandera y nuestras festividades. Seguimos siendo una sola nación. Y los españoles no pelearán jamás contra los españoles.

En ese entonces Jaime era demasiado joven para comprenderlo, pero por supuesto se hallaba en juego algo más que el tema de los catalanes y los vascos. Existía un profundo conflicto ideológico entre el gobierno republicano y los nacionalistas de la derecha, y lo que comenzó como una chispa de disensión se convirtió rápidamente en una conflagración incontrolable en la que participaron una docena de potencias extranjeras.

Cuando las fuerzas de Franco, que eran superiores, derrotaron a los republicanos y los nacionalistas obtuvieron el firme control de España, Franco volvió su atención hacia los intransigentes vascos.

—Castíguenlos.

Y la sangre siguió fluyendo.

Un núcleo duro de líderes vascos formó el ETA, un movimiento en pro del Estado Libre Vasco, y le pidieron al padre de Jaime que se uniera a ellos.

—No. Ustedes se equivocan. Debemos ganar lo que nos pertenece por derecho, pero mediante métodos pacíficos. Con la guerra no se consigue nada.

Pero los halcones resultaron ser más fuertes que las palomas y el ETA se convirtió rápidamente en un blanco de primera importancia.

Jaime tenía amigos cuyos padres eran miembros del ETA, y escuchaba los relatos de sus heroicas hazañas.

—Mi padre y un grupo de amigos suyos bombardearon el cuartel general de la Guardia Civil —contaban.

O:

—¿Te enteraste del robo al Banco en Barcelona? Lo hizo mi

padre. Ahora podrán comprar armas para luchar contra los fascistas.

Y el padre de Jaime decía:

—La violencia no es lo correcto. Debemos negociar.

—Volamos una de las fábricas de nuestros enemigos en Madrid. ¿Por qué tu padre no está de nuestro lado? ¿Es cobarde?

—No escuches a tus amigos, Jaime —le aconsejaba su padre—. Lo que están haciendo es criminal.

—Franco ordenó la ejecución de una docena de vascos, sin siquiera juzgarlos. Estamos preparando una huelga nacional. ¿Tu padre se unirá a nosotros?

—¿Papá...?

—Somos todos españoles, Jaime. No debemos permitir que nadie nos divida.

El muchachito se sentía tironeado por ambos lados. *¿Mis amigos tienen razón? ¿Mi padre es un cobarde?* Jaime creía en su padre.

Y ahora... Armagedón. El mundo se desplomaba en torno a él. Las calles de Guernica estaban atestadas de gente que gritaba y trataba de escapar a las bombas. En todas partes, los edificios y las estatuas y las veredas explotaban en lluvias de cemento y sangre.

Jaime, su madre, su padre y sus hermanas llegaron a la gran iglesia, el único edificio de la manzana que aún se mantenía en pie. Una docena de personas se agolpaban ante la puerta.

—¡Déjennos entrar! ¡En nombre de Jesús, abran!

—¿Qué es lo que ocurre? —preguntó gritando el padre de Jaime.

—Los curas han cerrado la iglesia. No nos dejarán entrar.

—¡Derriben la puerta!

—¡No!

Jaime miró a su padre con sorpresa.

—No entraremos por la fuerza en la casa de Dios —dijo su padre—. Él nos protegerá en cualquier lugar donde estemos.

Demasiado tarde ya, vieron al pelotón de falangistas que aparecía por una esquina y abría sobre ellos fuego de sus ametralladoras, segando a la multitud de hombres, mujeres y niños reunidos en la plaza, desarmados. El padre de Jaime sintió las balas que lo desgarraban, pero aun así logró tomar a su hijo de un brazo y empujarlo hacia un lugar seguro, resguardando a Jaime con su propio cuerpo, para que no lo alcanzara la mortal ráfaga de balas.

Parecía que un silencio espectral había cubierto el mundo. El ruido de las armas y de los pies que corrían y de los alaridos se desvaneció como por arte de magia. Jaime abrió los ojos y se quedó inmóvil un largo tiempo, sintiendo sobre él el peso del cuerpo muerto de su padre como una manta de afecto. Su padre, su madre y sus hermanas habían muerto, junto con cientos de otras personas. Y frente a sus cadáveres se levantaban las puertas cerradas de la iglesia.

Aquella misma noche, un poco más tarde, Jaime logró salir de la ciudad y dos días después, cuando llegó a Bilbao, se unió al ETA.

El oficial de reclutamiento lo miró y le dijo:

—Eres demasiado joven para unirte a nosotros, hijo. Deberías ir a la escuela.

—Mi escuela van a ser ustedes —repuso tranquilamente Jaime Miró—. Ustedes me van a enseñar a luchar para vengar el asesinato de mi familia.

Nunca titubeó. Peleaba por él y por su familia, y sus proezas se volvieron legendarias. Jaime planeaba y realizaba temerarios ataques a fábricas y Bancos y se encargaba de las ejecuciones de los opresores. Cuando capturaban a algunos de sus hombres, dirigía osadas misiones para rescatarlos.

Cuando Jaime se enteró de que se había formado el GOE para perseguir a los vascos, sonrió y dijo:

—Muy bien. Se han dado cuenta.

Jaime nunca se preguntó si los riesgos que corría tenían alguna relación con aquella acusación de "Tu padre es un cobarde", o si con ello trataba de probarse algo a sí mismo y a los demás. Bastaba con probar su valentía una y otra vez, con no temer arriesgar su vida por aquello en lo que creía.

Ahora, debido a la imprudencia de uno de sus hombres que había hablado demasiado, Jaime se encontraba cargando con una monja.

Qué ironía: ahora la Iglesia de ella está de nuestro lado. Pero ya es demasiado tarde, a menos que puedan disponer un Segundo Advenimiento que incluya a mi padre, mi madre y mis hermanas, pensó con amargura.

Por la noche avanzaron a través del bosque, salpicado por la luz de la luna. Evitaban los pueblos y los caminos principales, atentos por si surgía cualquier señal de peligro. Jaime ignoraba a Megan. Caminaba con Félix, hablando de aventuras pasadas, y Megan se sentía intrigada. Nunca había conocido a alguien como Jaime Miró. Un hombre tan seguro de sí mismo.

Si hay alguien que puede llevarme a Mendavia, pensó Megan, *es este hombre.*

Por momentos Jaime sentía pena por la monja, e incluso una renuente admiración por cómo se las arreglaba en ese arduo viaje. Se preguntaba cómo les estaría yendo a sus hombres con sus respectivas cargas de Dios.

Al menos él tenía a Amparo Jirón, que por las noches le proporcionaba gran consuelo.

Ella se consagra a esto tanto como yo, pensó Jaime. *Tiene muchos más motivos que yo para odiar al gobierno.*

El ejército nacionalista había asesinado a toda la familia de Amparo. Ella era una mujer ferozmente independiente, provista de una profunda pasión.

Al amanecer se acercaban a Salamanca, sobre las orillas del río Tormes.

—Aquí vienen estudiantes de toda España —explicó Félix Carpio a Megan— para asistir a esta universidad. Quizá sea la mejor de toda España.

Jaime no escuchaba. Estaba concentrado en su próximo movimiento. *Si yo fuera el cazador, ¿dónde colocaría la trampa?*

Se volvió hacia Félix.

—No entraremos en Salamanca. En las afueras hay un parador; nos quedaremos allí hasta que oscurezca.

El parador era una pequeña posada fuera de la ruta principal del tránsito de turistas. Unos escalones llevaban al vestíbulo, custodiado por un antiguo caballero de armadura.

Cuando el grupo se acercó, Miró dijo a las dos mujeres:

—Esperen aquí.

Hizo un gesto a Félix Carpio y los dos hombres desaparecieron.

—¿Adónde van? —preguntó Megan.

Amparo Jirón la miró con desprecio.

—Quizá fueron a buscar a su Dios.

—Espero que Lo encuentren —respondió Megan con tranquilidad.

Diez minutos después los hombres volvieron.

—Todo en orden —dijo Jaime a Amparo—. Tú y la hermana compartirán una habitación; Félix irá conmigo. —Le dio una llave.

Amparo dijo con petulancia:

—Querido, yo quiero estar contigo, no con...

—Haz lo que te digo. Vigílala.

Amparo dijo irritada:

—Está bien. Venga, hermana.

Megan la siguió.

La habitación era igual a otras once dispuestas en hilera a lo largo de un corredor gris y desnudo en el primer piso. Amparo abrió la puerta y ambas mujeres entraron. Era un cuarto pequeño y opaco, escasamente amueblado, con piso de madera, paredes de estuco, una cama, un catrecito, una vieja mesa y dos sillas.

Megan observó el cuarto y exclamó:

—¡Qué lindo!

Amparo Jirón se dio vuelta enojada, pensando que Megan lo había dicho con intención sarcástica.

—¿Quién diablos es usted para quejarse de...?

—Es tan amplio... —siguió Megan.

Amparo la miró un momento y se echó a reír. Por supuesto que debía de parecerle amplio en comparación con las celdas en las que vivían las monjas.

Comenzó a desvestirse.

Megan no pudo evitar mirarla. Era la primera vez que realmente veía a Amparo Jirón a la luz del día. Era una mujer hermosa, de un modo terrenal. Tenía cabello rojo, piel blanca, pechos grandes, cintura estrecha y caderas que se balanceaban al caminar.

Amparo advirtió que Megan la miraba.

—Hermana... ¿Podría decirme algo? ¿Por qué razón la gente entra en un convento?

Era una pregunta sencilla.

—¿Qué puede ser más hermoso que consagrarse a la gloria de Dios?

—Sin pensarlo demasiado, podría enumerarle mil cosas. —Amparo se acercó a la cama y se sentó. —Usted puede dormir en el catre. Por lo que he oído decir de los conventos, su Dios no desea que se sienta demasiado cómoda.

Megan sonrió.

—No importa. Me siento cómoda en mi interior.

En la habitación al otro lado del corredor, Jaime Miró se estiraba en la cama. Félix Carpio procuraba acomodarse en el catre. Ambos hombres estaban completamente vestidos. Jaime guardaba su arma bajo la almohada. La de Félix se hallaba sobre la vapuleada mesita a su lado.

—¿Por qué crees que lo hacen, amigo? —preguntó Félix.

—¿A qué te refieres?

—Se encierran en un convento para toda la vida, como prisioneras...

Jaime Miró se encogió de hombros.

—Pregúntale a la hermana... Ojalá viajáramos solos. Tengo un mal presentimiento con respecto a todo esto.

—Jaime, Dios nos agradecerá esta buena acción.

—¿De veras crees eso? No me hagas reír.

Félix no prosiguió con el tema. No convenía discutir sobre la Iglesia católica con Jaime Miró. Los dos hombres se quedaron en silencio, cada uno ocupado con sus propios pensamientos.

Félix Carpio pensaba: *Dios puso a las hermanas en nuestras manos. Debemos llevarlas al convento sanas y salvas.*

Jaime Miró pensaba en Amparo. En ese momento la deseaba desesperadamente. *La maldita monja.* Comenzaba a taparse con las mantas cuando se dio cuenta de que aún le quedaba algo por hacer.

En el pequeño y oscuro vestíbulo de la planta baja el conserje esperó tranquilamente hasta estar seguro de que sus nuevos huéspedes se hallaban dormidos. El corazón le latía con fuerzas cuando tomó el teléfono y discó un número.

Una voz perezosa atendió:

—Comisaría.

El conserje dijo en voz baja a su sobrino, que lo escuchaba del otro lado de la línea:

—Florian, tengo a Jaime Miró y tres de su gente. ¿Te gustaría tener el honor de capturarlos?

Capítulo veintidós

A cincuenta kilómetros hacia el este, en una zona boscosa en el camino a Peñafiel, Lucía Carmine dormía.

Rubio Arzano la contemplaba, sin ganas de despertarla. *Duerme como un ángel*, pensaba.

Pero ya casi amanecía y era tiempo de proseguir la marcha.

Rubio se agachó y le susurró suavemente al oído:

—Hermana Lucía...

Lucía abrió los ojos.

—Es hora de que nos vayamos.

Ella bostezó y se estiró con pereza. La blusa se le había desabotonado y se le veía parte de un pecho. Rubio se apresuró a desviar la mirada.

Debo controlar mis pensamientos. Ella es la novia de Jesús.

—Hermana...

—¿Sí?

—Eh... Quisiera pedirle un favor —le dijo casi ruborizándose.

—¿Sí?

—Hace mucho tiempo que no rezo, pero me criaron como católico. ¿Le molestaría rezar por mí?

Eso era lo último que Lucía se esperaba.

¿Cuánto hace que no digo una plegaria?, se preguntó.

El convento no había influido. Mientras las otras oraban, la mente de ella se ocupaba con planes de huida.

—Yo... eh...

—Estoy seguro de que nos hará sentir mejor a los dos.

¿Cómo podía ella explicarle que no recordaba ninguna oración?

—Yo...

Sí. Recordaba una. La rezaba de niña, arrodillada junto a su cama, mientras su padre esperaba de pie a su lado, listo para meterla en la cama. Lentamente, las palabras del vigésimotercer salmo comenzaron a fluir.

—El Señor es mi pastor. Nada me faltará. Me hace descansar en verdes pastos, me conduce a lugares de aguas mansas. Él reconforta mi alma, me guía por sendas de justicia por amor a Su nombre...

Los recuerdos la invadían.

Ella y su padre habían sido los dueños del mundo. Y él se sentía tan orgulloso de ella.

Naciste bajo una buena estrella, faccia d'angelo.

Y al oír esas palabras Lucía se sentía afortunada y hermosa. Nada podría dañarla, nunca. ¿Acaso no era la hermosa hija del gran Angelo Carmine?

—...Aunque atraviese el valle de la sombra de la muerte, no temeré ningún mal...

Los malignos eran los enemigos de su padre y sus hermanos. Y ella les había hecho pagar.

—...pues Tú estás conmigo. Tu vara y tu cayado me infunden aliento...

¿Dónde estaba Dios cuando yo necesitaba consuelo?

—Tú preparas la mesa ante mí en presencia de mis enemigos; Tú unges mi cabeza con aceite, mi copa rebosa...

Ahora Lucía hablaba más lentamente, en un susurro. ¿Qué había sido —se preguntaba— de la niñita ataviada con su vestido de comunión? El futuro parecía tan dorado... Pero algo había salido mal. Todo. *Perdí a mi padre y a mis hermanos y a mí misma.*

En el convento no había pensado en Dios. Pero ahora, en ese lugar, con ese campesino simple...

¿Le molestaría rezar por nosotros?

Lucía prosiguió:

—Ciertamente el bien y la misericordia me seguirán todos los días de mi vida, y en la casa de Dios moraré por siempre.

Rubio la contemplaba, conmovido.

—Gracias, hermana.

Lucía hizo un gesto con la cabeza, incapaz de hablar. *¿Qué es lo que me ocurre?*, se preguntaba.

—¿Está lista, hermana?

Ella miró a Rubio Arzano y respondió:

—Sí. Estoy lista.

Cinco minutos después se hallaban nuevamente en camino.

Los sorprendió un chubasco repentino y se refugiaron en una cabaña abandonada. La lluvia golpeaba el techo y los costados de la construcción como puños airados.

—¿Cree que alguna vez parará esta tormenta?

Rubio sonrió.

—No es una verdadera tormenta, hermana. Los vascos lo llamamos *Sirimiri*. Parará tan rápido como empezó. La tierra está muy seca; necesita esta lluvia.

—¿De veras?

—Sí. Lo sé porque soy granjero.

Se nota, pensó Lucía.

—Perdóneme por decirle esto, hermana, pero usted y yo tenemos mucho en común.

Lucía miró con atención al balbuceante campesino y pensó: *Sí, seguro...*

—¿Le parece?

—Sí. Creo sinceramente que en muchos aspectos vivir en una granja se parece mucho a estar en un convento.

Ella no captaba la relación.

—No comprendo.

—Mire, hermana. En un convento uno piensa mucho en Dios y Sus milagros, ¿no es cierto?

—Sí.

—En cierto sentido, una granja es Dios. Uno se siente rodeado por la Creación, todas las cosas que crecen en la tierra de Dios, ya sea trigo u olivos o uvas... Todo viene de Dios, ¿no es así? Todas esas cosas son milagros, y uno los ve ocurrir cada día, y como uno las ayuda a crecer, es parte del milagro.

Lucía no pudo menos que sonreír ante el entusiasmo que embargaba la voz de Rubio.

De pronto la lluvia cesó.

—Ya podemos seguir adelante, hermana.

—Pronto llegaremos al río Duero —dijo Rubio—. Un poco más adelante están las cataratas de Peñafiel. Seguiremos hasta Aranda de Duero y después hasta Logroño, donde nos encontraremos con los demás.

El que irá a esos lugares serás tú, pensó Lucía. *Y que te vaya bien. Yo iré a Suiza, amigo mío.*

Oyeron el ruido de las cataratas media hora antes de llegar a ellas. Las cataratas de Peñafiel formaban una hermosa cascada que caía al río de aguas rápidas. El rugido era casi ensordecedor.

—Quiero bañarme —dijo Lucía. Le parecía que habían pasado años desde la última vez que lo hiciera.

Rubio Arzano la miró asombrado.

—¿Aquí?

No, idiota, en Roma.

—Sí.

—Tenga cuidado. El río está crecido, por la lluvia.

—No se preocupe.

Se quedó esperando, con paciencia.

—Oh. Me alejaré mientras usted se desviste.

—No se aleje mucho —respondió Lucía con rapidez. Tal vez había animales salvajes en el bosque.

Mientras Lucía comenzaba a desvestirse, Rubio avanzó apresuradamente unos cuantos metros y se puso de espaldas.

—No se meta muy adentro, hermana —le gritó—. El río es traicionero.

Lucía depositó en el suelo la cruz envuelta, en un lugar donde pudiera vigilarla. El aire fresco de la mañana despertaba una sensación maravillosa en su cuerpo desnudo. Cuando se desvistió por completo entró en el agua. Estaba fría y vigorizante. Se dio vuelta y vio que Rubio miraba empeñosamente para el otro lado, de espaldas a ella. Sonrió para sus adentros. Todos los otros hombres que había conocido estarían ofreciendo un festín a sus ojos.

Se sumergió más, evitando las rocas que cubrían el fondo, y se echó agua en el cuerpo, mientras sentía el río impetuoso que le golpeaba las piernas.

A unos pasos de distancia, la corriente arrastraba un arbusto.

Lucía se dio vuelta para mirarlo y de pronto perdió pie y se resbaló con un grito. Cayó con fuerza y se golpeó la cabeza contra una piedra.

Rubio se dio vuelta y vio horrorizado que Lucía desaparecía corriente abajo en las aguas turbulentas.

Capítulo veintitrés

En la comisaría de Salamanca, el sargento Florián Santiago colgó el tubo del teléfono con manos temblorosas.

Tengo aquí a Jaime Miró y tres de su gente. ¿Te gustaría tener el honor de capturarlos?

El gobierno había ofrecido una gran recompensa por la cabeza de Jaime Miró, y ahora el bandido vasco estaba en sus manos. El dinero de la recompensa le cambiaría la vida entera. Podría enviar a sus hijos a una escuela mejor, comprar un lavarropas para su esposa y joyas para su amante. Por supuesto que debería compartir el dinero con su tío. *Le daré el veinte por ciento*, pensó Santiago. *O tal vez el diez por ciento.*

Conocía muy bien la reputación de Jaime Miró y no tenía intención de arriesgar su vida tratando de capturar al terrorista. *Que los otros enfrenten el peligro y la recompensa me la den a mí.*

Sentado tras su escritorio, se esforzaba por decidir cuál sería el mejor modo de manejar la situación. El nombre del coronel Acoca le saltó enseguida a la mente. Todo el mundo sabía que entre el bandido y el coronel Acoca existía una especie de sangrienta *vendetta*. Además, el coronel tenía a todo el GOE bajo sus órdenes. Sí, el modo correcto de proceder era ése, sin duda alguna.

Tomó el teléfono y diez minutos después estaba hablando con el coronel en persona.

—Habla el sargento Florián Santiago, de la comisaría de Salamanca. Averigüé dónde está Jaime Miró.

El coronel Ramón Acoca tuvo que hacer un esfuerzo para que su voz sonara serena.

—¿Está seguro de lo que dice?

—Sí, coronel. Está en el Parador Nacional Raimundo de Borgón, en las afueras de la ciudad. Va a pasar la noche ahí. El conserje es mi tío; él mismo fue quien me llamó. Con Miró hay otro hombre y dos mujeres.

—¿Su tío tiene certeza de que se trata de Miró?

—Sí, coronel. Él y los demás están durmiendo en los dos cuartos traseros del primer piso de la posada.

—Escúcheme con atención, sargento —dijo el coronel Acoca—. Quiero que vaya al parador de inmediato y se quede vigilando afuera para asegurarse de que ninguno de ellos se marche. Yo llegaré allá más o menos en tres horas. No entre. Y no permita que lo vean. ¿Está claro?

—Sí, señor. Salgo ya mismo. —Vaciló. —Coronel, con respecto a la recompensa...

—Cuando agarremos a Miró, será suya.

—Gracias coronel. Le agradezco...

—Salga.

—Sí, señor.

Florián Santiago colgó. Se sentía tentado de llamar a su amante para contarle la emocionante noticia, pero no podía esperar. La sorprendería después. Mientras tanto, tenía trabajo que hacer.

Mandó llamar a uno de los agentes de servicio que se hallaban en la planta baja.

—Ocupe mi lugar. Yo tengo que hacer una diligencia. Volveré en unas horas.

Y cuando vuelva seré rico, pensó. *Lo primero que compraré será un auto nuevo, un Seat. Azul. No, tal vez lo elija blanco.*

El coronel Ramón Acoca colocó el tubo del teléfono en la horquilla y permaneció sentado, inmóvil, reflexionando. Esta vez no habría descuidos. Aquélla era la movida definitiva de la partida de ajedrez entre él y su rival. Seguramente Miró habría dispuesto algún hombre de guardia, alerta por si surgían problemas.

Acoca llamó a un asistente.

—¿Sí, coronel?

—Escoja dos docenas de sus mejores tiradores. Encárguese de munirlos de armas automáticas. Dentro de quince minutos salimos hacia Salamanca.

—Sí, señor.

Para Miró no habría escape posible. En su mente, el coronel

ya planeaba el allanamiento. El parador sería completamente rodeado por un cordón de soldados que iría cerrando el círculo rápida y silenciosamente. *Un ataque furtivo que tome a ese carnicero por sorpresa, antes de que tenga oportunidad de asesinar a ninguno más de mis hombres. Los mataremos a todos mientras duermen.*

Quince minutos después, el asistente regresó.
—Ya estamos listos, coronel.

El sargento Santiago no perdió tiempo y se dirigió enseguida al parador. Aunque el coronel no se lo hubiera advertido, no tenía intención alguna de ir tras los terroristas. Pero ahora, obedeciendo las órdenes de Acoca, se hallaba de pie en las sombras, a veinte metros de la posada, en una posición desde la cual veía con claridad la puerta de entrada. El aire nocturno estaba frío, pero el solo hecho de pensar en el dinero de la recompensa era suficiente para que Santiago se sintiera abrigado. Se preguntaba si las dos mujeres que se encontraban adentro serían lindas o feas, y si dormirían solas o compartirían la cama con los hombres. De una cosa Santiago estaba seguro: en unas pocas horas más, todos ellos estarían muertos.

El camión del ejército entró en la ciudad calladamente y se dirigió hacia el parador.
El coronel Acoca encendió una linterna y miró su mapa; cuando se hallaban a menos de dos kilómetros de la posada, dijo:
—Paren aquí. Haremos el resto del trayecto a pie. Guarden silencio.
Florián Santiago no advirtió que los hombres se aproximaban hasta que lo sobresaltó una voz que le preguntó al oído:
—¿Quién es usted?
Se volvió y se encontró frente a frente con el coronel Ramón Acoca. *Dios mío, tiene un aspecto aterrador*, pensó.
—Soy el sargento Santiago, señor.
—¿Alguien ha salido de la posada?
—No, señor. Están todos adentro; probablemente a esta altura estén dormidos.

El coronel se dirigió a su asistente:

—Quiero que la mitad de sus hombres rodee el hotel. Si alguien trata de huir, que tiren a matar. Los otros vendrán conmigo. Los fugitivos están en los dos cuartos traseros, en el piso de arriba. Vamos.

Santiago observó al coronel y sus hombres entrar por la puerta del frente de parador, con movimientos sigilosos. Se preguntó si se produciría un gran tiroteo. Y también se preguntó si, en caso de que eso ocurriera, su tío moriría en el fuego cruzado. Sería una lástima. Pero, por otro lado, él ya no tendría que compartir con nadie el dinero de la recompensa.

Cuando el coronel Acoca y sus hombres llegaron al primer piso, el militar dijo en voz baja:

—No se arriesguen. Abran fuego en cuanto los vean.

Su asistente preguntó:

—Coronel, ¿quiere que yo vaya delante de usted?

—No.

Acoca se proponía tener el placer de matar él mismo a Jaime Miró.

Al final del corredor estaban los dos cuartos en los que se alojaban Miró y su gente. El coronel Acoca indicó en silencio que seis de sus hombres cubrieran una puerta y otros seis, la segunda puerta.

—¡Ahora! —gritó.

Aquél era el momento que él había esperado con tanto ardor. Al oír su señal, los soldados patearon ambas puertas al mismo tiempo y se precipitaron dentro de las habitaciones, con las armas listas para disparar. Se quedaron en medio de los cuartos vacíos, contemplando con ojos fijos las camas deshechas.

—¡Dispérsense y salgan rápido! ¡Búsquenlos abajo! —aulló Acoca.

Los soldados se precipitaron a registrar todos los cuartos del hotel, derribando las puertas, despertando a los anonadados huéspedes. Jaime Miró y los otros no estaban en ningún lugar. El coronel bajó las escaleras como un rayo, para enfrentar al conserje. En la recepción no había nadie.

—¡Eh! —llamó a los gritos—. ¿Quién atiende acá?

No hubo respuesta. El cobarde se escondía.

Uno de los soldados miraba el piso, detrás del mostrador.

—Coronel...

Acoca dio un paso a un lado y miró hacia el piso. El cuerpo atado y amordazado del conserje yacía desplomado contra la pared. Del cuello le colgaba un cartel: "Por favor, no molesten".

Capítulo veinticuatro

Rubio Arzano miraba horrorizado mientras Lucía desaparecía bajo las precipitadas aguas que la arrastraban corriente abajo. En una fracción de segundo se dio vuelta y echó a correr a toda velocidad a lo largo de la orilla, saltando por sobre troncos y arbustos. En la primera curva del río divisó el cuerpo de Lucía que flotaba en dirección a él. Se zambulló y nadó frenéticamente para alcanzarla, luchando contra la corriente poderosa. Era casi imposible. Sentía que el torrente lo llevaba. Lucía estaba a tres metros de él, pero parecían kilómetros. Hizo un último esfuerzo heroico y la aferró por un brazo, tratando de que los dedos no se resbalaran. La apretó con todas sus fuerzas y avanzó trabajosamente hacia la seguridad de la orilla.

Cuando por fin alcanzó la ribera, depositó a Lucía sobre el pasto y descansó unos instantes, para recuperar el aliento. Lucía estaba inconsciente y no respiraba. Rubio la dio vuelta sobre el estómago, se colocó a horcajadas sobre ella y comenzó a presionarle los pulmones. Pasó un minuto, dos, y cuando él ya empezaba a desesperarse, de la boca de ella salió un borbotón de agua y un quejido. Rubio dijo una plegaria de agradecimiento.

Siguió presionándola, con más suavidad, hasta que la respiración de Lucía volvió a la normalidad. Lucía comenzó a temblar, a causa del frío. Rubio corrió a buscar ramas y hojas y le secó el cuerpo con ellas. Él también estaba mojado y tenía frío, y sus ropas estaban empapadas, pero no le prestó atención. Sentía terror de que la hermana Lucía pudiera morir. Mientras le restregaba el cuerpo con las hojas secas, acudieron a su mente pensamientos indignos.

Tiene el cuerpo de una diosa. Perdóname, Dios mío; ella te pertenece a Ti y yo no debo pensar estas cosas sucias...

Con las delicadas caricias de Rubio, Lucía fue despertándose poco a poco. Estaba en la playa con Ivo, que le recorría el cuerpo con su lengua suave. *Sí, sí*, pensaba. *Sí, mi amor. No pares, caro.* Aún no había abierto los ojos, pero ya estaba excitada.

Cuando Lucía cayó al río, lo último que alcanzó a pensar fue que iba a morir. Pero estaba viva, y ante el hombre que la había salvado. Sin siquiera pensarlo, Lucía estiró los brazos y atrajo a Rubio hacia sí. Él la miró con escandalizada sorpresa.

—Hermana... —protestó—. No podemos...

—¡Shhh!

Sus labios cubrieron los de él, feroces y hambrientos y exigentes y su lengua le exploró la boca. Rubio no pudo resistirse más.

—Apúrate —susurró Lucía—. Apúrate.

Vio que Rubio se quitaba nerviosamente la ropa mojada. *Él merece un premio*, pensó Lucía. *Y yo también.*

Rubio se le acercó con vacilación y le dijo:

—Hermana, no deberíamos...

Lucía no tenía ganas de conversar. Sintió que el cuerpo de él se unía al suyo en un ritual sin tiempos ni preocupaciones, y se entregó a las gloriosas sensaciones que la invadían. Después del cercano encuentro con la muerte, todo resultaba mucho más hermoso.

Rubio era un amante asombrosamente bueno, a la vez delicado y salvaje. Tenía una vulnerabilidad que Lucía no esperaba en absoluto. Y en sus ojos había una mirada de tanta ternura que Lucía sintió de pronto un nudo en la garganta.

Espero que este papanatas no se esté enamorando de mí. Está ansioso por complacerme... ¿Cuánto hace que un hombre no se preocupa por complacerme?, se preguntó Lucía. Y pensó en su padre. Y en qué habría opinado de Rubio Arzano. Y después se preguntó por qué se le había ocurrido pensar en la opinión de su padre sobre Rubio Arzano. *Debo de estar loca. Este hombre es un campesino. Yo soy Lucía Carmine, la hija de Angelo Carmine. La vida de Rubio no tiene nada que ver con la mía. Estamos juntos por un estúpido accidente del destino.*

Rubio la abrazaba y le repetía:

—Lucía... Mi Lucía...

Y el brillo de sus ojos le decía todo lo que él sentía. *Es tan dulce*, pensó Lucía. Y enseguida: *¿Pero qué es lo que me pasa? ¿Por qué me molesto en pensar en un hombre así? Estoy huyendo de la* policía y... De pronto recordó la cruz de de oro y dio un respingo. *¡Oh, Dios mío! ¿Cómo puedo haberla olvidado, ni siquiera un instante?*

Se sentó de un salto.

—Rubio, dejé... eh... un paquete en la orilla del río, allá, donde estaba antes. ¿Me lo traerías, por favor? ¿Y también mis ropas?

—Por supuesto. Vuelvo enseguida.

Lucía se quedó esperando, frenética de sólo pensar que pudiera pasarle algo a la cruz. ¿Y si no estaba? ¿Y si había aparecido alguien y se la había llevado?

Sintió un enorme alivio cuando vio a Rubio regresar con el envoltorio debajo de un brazo. *No debo volver a perderla de vista.*

—Gracias.

Rubio le dio sus ropas. Ella lo miró y le dijo con voz insinuante:

—Todavía no las necesito.

El sol sobre la piel desnuda le causaba una sensación de pereza y calidez, y en los brazos de Rubio hallaba un maravilloso bienestar. Era como si hubieran encontrado un apacible oasis a años luz de distancia de los peligros de los que huían.

—Cuéntame de tu granja —dijo Lucía con tono ocioso.

La cara de él se encendió y habló con orgullo.

—Era una granja pequeña en las afueras de un pueblito cerca de Bilbao. Perteneció a mi familia por varias generaciones.

—¿Y qué le ocurrió?

La expresión de Rubio se ensombreció.

—Como soy vasco, el gobierno de Madrid me castigó con impuestos adicionales. Me negué a pagar y me confiscaron la granja. Poco después conocí a Jaime Miró y me uní a él para luchar contra el gobierno y a favor de la justicia. Tengo madre y dos hermanas, y un día recuperaremos nuestra granja y yo volveré a administrarla.

Lucía pensó en su padre y en sus dos hermanos, encerrados pra siempre en la cárcel.

—¿Te llevas bien con tu familia?

Rubio sonrió con calidez.

—Claro. La familia es el primer amor, ¿no?

Sí, pensó Lucía. *Pero yo nunca volveré a ver la mía.*

—Cuéntame de tu familia, Lucía —dijo Rubio—. Antes de entrar en el convento, ¿tenías una buena relación con ellos?

La conversación tomaba un giro peligroso. *¿Qué puedo decirle? Mi padre es un mafioso. Él y mis dos hermanos están presos por asesinato.*

—Sí... una relación muy buena.

—¿Qué hace tu padre?

—Es... comerciante.

—¿Tienes hermanos?

—Dos hermanos. Trabajan con papá.

—Lucía, ¿por qué entraste en el convento?

Porque la policía me busca por asesinar a dos hombres. Tengo que terminar con esta conversación, pensó Lucía. En voz alta, dijo:

—Necesitaba evadirme.

Una respuesta que se acerca bastante a la verdad.

—¿Sentías que el mundo era... demasiado para ti?

—Algo parecido.

—No tengo derecho a decirte esto, Lucía, pero estoy enamorado de ti.

—Rubio...

—Quiero casarme contigo. Jamás le he dicho eso a otra mujer en toda mi vida.

En él había algo sumamente conmovedor e intenso. *No sabe simular, es demasiado honesto,* pensó Lucía. *Debo tener cuidado para no herirlo. ¡Pero qué ocurrencia! ¡Nada menos que la hija de Angelo Carmine, casada con un granjero!* Por poco soltó una carcajada.

Rubio interpretó mal la sonrisa que vio en el rostro de Lucía.

—No viviremos escondiéndonos siempre. El gobierno tendrá que hacer las paces con nosotros. Entonces regresaremos a mi granja. Querida... Quiero pasar el resto de mi vida contigo, haciéndote feliz. Tendremos muchos hijos y todas las niñas se parecerán a ti...

No puedo permitir que siga con esto, decidió Lucía. *Tengo que pararlo ya.* Pero algo se lo impedía. Escuchaba a Rubio pintar cuadros románticos de la vida que llevarían juntos, y por momentos casi deseaba que eso se cumpliera. Estaba tan cansada de huir... Sería maravilloso tener un refugio donde sentirse segura, protegida por alguien que la amara... *Estoy perdiendo la razón.*

—No hablemos de eso ahora —dijo al fin—. Tenemos que irnos.

Marcharon rumbo al nordeste, siguiendo el sinuoso curso del río Duero. Pasaron por el pintoresco pueblito de Rascafría, al pie de las sierras, y se detuvieron a comprar pan, queso y vino, que comieron en un picnic idílico en una llanura cubierta de hierba.

El estar con Rubio despertaba en Lucía una sensación de dicha. Había en él una suerte de calma fortaleza que la vigorizaba. *Él no es para mí, pero va a hacer muy feliz a alguna mujer*, reflexionó Lucía.

Cuando terminaron de comer, Rubio dijo:

—La próxima población es Aranda de Duero, una ciudad bastante grande. Lo mejor será que la rodeemos para evitar al GOE y los soldados.

Era el momento de la verdad, el momento de dejarlo. Ella había estado esperando llegar a una ciudad. Rubio Arzano y su granja no eran más que un sueño; la realidad era huir a Suiza. Lucía sabía cuánto iba a lastimarlo, y no pudo soportar el modo como él la miró cuando le dijo:

—Rubio... Quisiera que entráramos en el pueblo.

Él frunció la frente.

—Podría ser muy peligroso, querida. Los soldados...

—No nos buscarán ahí... —Buscó rápidamente una excusa. —Además, necesito cambiarme de ropa. No puedo seguir adelante en estas condiciones.

La idea de entrar en la ciudad inquietaba a Rubio, pero lo único que dijo fue:

—Si eso es lo que tú quieres...

A la distancia se elevaban los muros y los edificios de Aranda de Duero, como una montaña que el hombre hubiera construido arrancándola de la tierra.

Rubio lo intentó una vez más.

—Lucía... ¿Estás segura de que tenemos que entrar en la ciudad?

—Sí. Estoy segura.

Ambos cruzaron el largo puente que llevaba a la calle principal, la avenida Castilla, y se encaminaron hacia el centro. Pasaron por una fábrica de azúcar, iglesias y pollerías; el aire estaba lleno de olores. Caminaban lentamente, con cuidado de no llamar la atención. Al fin Lucía vio con alivio lo que estaba buscando: un cartel que decía:"Casa de empeños". No dijo nada.

Llegaron a la plaza, con sus negocios y mercados y bares, y pasaron por la Taberna Cueva. Adentro había una larga barra, mesitas de madera, una vitrola y, colgando del techo, piernas de jamón y ristras de ajo.

Lucía vio su oportunidad.

—Tengo sed, Rubio. ¿Podemos entrar?

—Por supuesto.

Rubio la tomó del brazo y entraron.

En torno de la barra se agrupaba media docena de hombres. Lucía y Rubio se sentaron a una mesa en un rincón.

—¿Qué deseas, querida?

—Un vaso de vino, por favor. Yo vuelvo enseguida; tengo que hacer algo.

Se levantó y se dirigió a la calle; Rubio se quedó mirándola, perplejo.

Una vez afuera, Lucía marchó rápidamente a la casa de empeños, aferrando con fuerza el paquete con la cruz. Del otro lado de la calle vio una puerta con un cartel negro con letras blancas que decían: "Policía". Lo miró un momento, con el corazón acelerado, y después dio un rodeo y entró en el negocio.

Detrás del mostrador, apenas visible, había un hombre contrahecho, con una cabeza muy grande.

—Buenos días, señorita.

—Buenos días, señor. Tengo algo que quisiera vender.

Estaba tan nerviosa que tenía que apretar las rodillas para que no le temblaran.

—¿Sí?

Lucía desenvolvió la cruz de oro y se la extendió.

—¿Le... interesaría comprarla?

El hombre la tomó en las manos y Lucía vio que se le iluminaban los ojos.

—¿Puedo preguntarle dónde consiguió esto?

—Me la dejó un tío que acaba de morir.

Tenía la garganta tan seca que apenas conseguía hablar.

El hombre palpó la cruz, haciéndola girar lentamente entre sus manos.

—¿Cuánto pide?

El sueño de Lucía se tornaba realidad.

—Quiero doscientas cincuenta mil pesetas.

El hombre frunció la frente y sacudió la cabeza.

—No. No vale más que cien mil pesetas.

—Entonces prefiero vender mi cuerpo

—Quizá podría subir hasta ciento cincuenta mil.

—Preferiría fundirla y tirar el oro por las alcantarillas.

—Doscientas mil pesetas. Es mi última oferta.

Lucía le arrebató la cruz.

—Sé que me está robando, pero acepto.

Advirtió el entusiasmo en la cara del hombre.

—Muy bien, señorita. —Extendió las manos para tomar la cruz.

Lucía dio un paso atrás.

—Hay una condición.

—¿Qué condición, señorita?

—Me robaron el pasaporte. Necesito uno nuevo para salir del país y visitar a mi pobre tía.

Ahora el hombre la escudriñaba con ojos astutos. Asintió.

—Comprendo.

—Si puede ayudarme a solucionar mi problema, la cruz es suya.

El usurero suspiró.

—Los pasaportes no son fáciles de conseguir, señorita. Las autoridades son muy estrictas.

Lucía lo miró sin decir nada.

—No sé cómo podría ayudarla.

—Bueno, gracias de todos modos, señor. —Se encaminó hacia la puerta.

El hombre la dejó dar unos pasos antes de decirle:

—Un momentito.

Lucía se detuvo.

—Se me acaba de ocurrir algo. Tengo un primo que a veces se ocupa de asuntos delicados como éste. Es un primo *lejano*, entiende usted.

—Entiendo.

—Yo podría hablar con él. ¿Para cuándo necesita el pasaporte?

—Para hoy.

La gran cabeza asintió lentamente.

—Y si puedo conseguírselo, ¿cerramos trato?

—Cuando yo tenga mi pasaporte.

—De acuerdo. Vuelva después de las ocho y le presentaré a mi primo. Él se encargará de tomarle la foto y pegarla en el pasaporte.

El corazón de Lucía latía con fuerza.

—Gracias, señor.

—¿No quiere dejar la cruz aquí, para que esté más segura?

—Va a estar mucho más segura conmigo.

—A las ocho, entonces. Hasta luego.

Lucía salió. Ya en la calle, evitó con cuidado la comisaría y se dirigió a la taberna, donde la esperaba Rubio. Aflojó el paso. Por fin había logrado lo que quería. Con el dinero que obtuviera por la cruz podría llegar a Suiza y a la libertad. Debía sentirse feliz. Sin embargo, estaba extrañamente deprimida.

¿Qué me pasa? Tengo que seguir mi propio camino. Rubio me olvidará pronto; ya va a encontrar otra mujer.

Recordó cómo la había mirado mientras le decía: "Quiero casarme contigo. Jamás le he dicho eso a otra mujer en toda mi vida."

Maldito sea, pensó. *Y bueno, no es problema mío.*

Al llegar a la taberna se detuvo un momento y respiró hondo. Se obligó a sonreír y entró a reunirse con él.

Capítulo veinticinco

Los medios de información no daban abasto. Los titulares se apilaban unos sobre otros. El ataque al convento; el arresto masivo de las monjas por refugiar a los terroristas; la huida de las cuatro monjas; media docena de soldados asesinados por una monja a la que, después, mataron también. Los telégrafos internacionales echaban chispas.

A Madrid habían llegado periodistas de todo el mundo, y el primer ministro Martínez, esforzándose por calmar los ánimos, había accedido a ofrecer una conferencia de prensa. Los corresponsales se hallaban reunidos en su despacho. El coronel Ramón Acoca y el coronel Fal Sostelo se había ubicado junto al Primer Ministro. Martínez había leído el titular del *London News* de aquella tarde: TERRORISTAS Y MONJAS EVADEN AL EJÉRCITO Y LA POLICÍA ESPAÑOLES.

Un periodista del *Paris Match* preguntaba:

—Señor Primer Ministro, ¿tiene idea de dónde se encuentran las monjas ahora?

El primer ministro Leopoldo Martínez respondió:

—El que está a cargo de la operación de búsqueda es el coronel Acoca. Dejaré que sea él quien le conteste.

El coronel Acoca dijo:

—Tenemos motivos para creer que están en poder de los terroristas vascos. También lamento decir que hay evidencias que indican que las monjas están colaborando con los terroristas.

Los periodistas anotaban febrilmente.

—¿Qué dice del asesinato de la hermana Teresa y los soldados?

—Tenemos información de que la hermana Teresa trabajaba para Jaime Miró. Con el pretexto de ayudarnos a encontrarlo, entró en un campamento del ejército y mató a una docena de soldados

236

antes de que pudiéramos detenerla. Puedo asegurarles que el ejército y el GOE no escatiman esfuerzos para llevar a los criminales ante la Justicia.

—¿Y las monjas que arrestaron y trasladaron a Madrid?

—Se las está interrogando —respondió el coronel Acoca.

El Primer Ministro estaba ansioso por concluir la reunión. Le costaba controlarse. El fracaso en la localización de las monjas y la captura de los terroristas reflejaba una imagen inepta y torpe de su gobierno y de sí mismo, y la prensa aprovechaba al máximo la situación.

—¿Puede decirnos algo sobre los antecedentes de las cuatro monjas que escaparon, Primer Ministro? —preguntó un periodista de *Oggi*.

—Lo lamento. No puedo dar más información. Repito, damas y caballeros, que el gobierno está haciendo todo lo posible para encontrar a las monjas.

—Primer Ministro, ha habido denuncias sobre la brutalidad del ataque al convento de Ávila. ¿Podría responder a eso?

Para Martínez, ése era un tema espinoso, porque era cierto. El coronel Acoca había abusado groseramente de su autoridad. Pero del coronel se ocuparía después. En ese momento había que dar una impresión de unidad.

Se volvió hacia el coronel y dijo con voz calma:

—Responderá el coronel Acoca.

Acoca dijo:

—También yo he oído esos rumores infundados. Los hechos son muy simples. Recibimos información confiable de que el terrorista Jaime Miró y una docena de sus hombres se ocultaban en el convento cisterciense, fuertemente armados. Pero cuando allanamos el lugar habían volado.

—Coronel, se dijo que algunos de sus hombres vejaron...

—Ésa es una acusación ultrajante.

El Primer Ministro dijo:

—Gracias, damas y caballeros. Esto es todo. Se los mantendrá informados de los próximos acontecimientos.

La conferencia de prensa concluyó. Cuando los periodistas se retiraron, el Primer Ministro se dirigió a los coroneles Acoca y Sostelo:

—Nos están haciendo quedar como salvajes ante el mundo.

El coronel Acoca no tenía el menor interés en la opinión del Primer Ministro. Lo que le importaba era el llamado telefónico que había recibido la noche anterior.

—¿Coronel Acoca?

La voz le era muy familiar. Se despabiló al instante.

—Sí, señor.

—Estamos decepcionados con usted. Esperábamos ver algún resultado antes de que pasara tanto tiempo.

—Señor, los estoy cercando. —Advirtió que transpiraba exageradamente. —Le pido que tenga un poco más de paciencia. No lo desilusionaré.

Contuvo el aliento, esperando una respuesta.

—Se le está acabando el tiempo.

La línea quedó muda.

El coronel Acoca colgó y permaneció inmóvil, frustrado. *¿Dónde está ese bastardo de Miró?*

Capítulo veintiséis

Voy a matarla, pensó Ricardo Mellado. *Podría estrangularla con mis propias manos, o tirarla a un precipicio de las montañas, o sencillamente pegarle un tiro. No, creo que lo que más placer me causaría sería estrangularla.*

La hermana Graciela era el ser humano más exasperante que él había conocido. Insoportable. Al principio, cuando Jaime Miró lo había designado a él para escoltarla, Ricardo Mellado se había sentido complacido. Sí, era una monja, pero también la beldad más deslumbrante que habían visto sus ojos. Estaba decidido a conocerla mejor, a averiguar por qué había resuelto encerrar esa exquisita belleza tras los muros de un convento por el resto de su vida. Bajo la pollera y la blusa que llevaba era posible adivinar las soberbias y núbiles·curvas de una mujer. *Va a ser un viaje muy interesante*, pensó Ricardo.

Pero las cosas habían tomado un giro totalmente inesperado. El problema era que la hermana Graciela se negaba a hablar con él. No dijo una sola palabra desde el inicio del viaje, y lo que desconcertaba por completo a Ricardo era que ella no parecía estar enojada ni asustada ni perturbada. En absoluto. Sencillamente se recluía en algún lugar remoto de sí misma y daba la impresión de total indiferencia por él y por lo que la rodeaba. Marchaban a buen paso, por caminos calurosos y polvorientos, pasando trigales que se agitaban dorados bajo el sol, y campos de cebada, avena y viñas. Rodeaban los pueblitos que aparecían en el camino, como Berroccule y Aldea Vieja, y atravesaban campos de girasoles que seguían al sol con sus caras amarillas.

Cuando cruzaron el río Moros, Ricardo preguntó:

—¿Quiere descansar un poco, hermana?

Silencio.

Se aproximaban a Segovia, para luego dirigirse hacia el noreste, a las nevadas sierras de Gredos. Ricardo Mellado seguía intentando entablar una conversación amable, pero era completamente en vano.

—Pronto llegaremos a Segovia, hermana.

Ninguna reacción.

¿Habré hecho algo que la ofendió?

—¿Tiene hambre, hermana?

Nada.

Era como si él no estuviera ahí. Ricardo Mellado nunca se había sentido tan frustrado en toda su vida. *Quizá sea retardada*, pensó. *Sí, debe ser eso. Dios le ha dado una belleza sobrenatural y después la maldijo con una mente débil.* Pero no lo creía.

Cuando llegaron a las afueras de Segovia, Ricardo notó que la ciudad estaba atestada de gente, lo cual significaba que la guardia civil se hallaría más alerta que de costumbre.

Mientras se acercaban a la Plaza del Conde de Cheste, Ricardo vio a unos soldados de la guardia civil que avanzaban en dirección a ellos. Susurró:

—Tómeme de la mano, hermana. Tenemos que parecer dos amantes de paseo.

Ella lo ignoró.

Jesús, pensó Ricardo. *Tal vez sea sorda y muda.*

La tomó de una mano y se sorprendió ante la súbita y violenta resistencia de ella, que se apartó como si la hubieran pinchado.

Los guardias se acercaban.

Ricardo se volvió hacia Graciela.

—No te enojes —le dijo en voz alta—. A mi hermana le pasa lo mismo. Anoche, después de la cena, cuando llevó a los chicos a la cama, decía que sería mucho mejor si los hombres no se sentaran todos juntos a fumar esos cigarros apestosos y contar cuentos mientras las mujeres se quedaban solas. Mira...

Los guardias habían pasado. Ricardo miró a Graciela. El rostro de ella no mostraba expresión alguna. Ricardo maldijo mentalmente a Jaime, deseando que le hubiera dado a una de las otras monjas. Ésta estaba hecha de piedra, y no había cincel lo bastante duro para penetrar su frío exterior.

240

Con toda modestia, Ricardo Mellado sabía que atraía a las mujeres. Muchas de ellas se lo habían dicho. Tenía cutis claro, era alto y de buen cuerpo, tenía una nariz patricia, un rostro inteligente y dientes blancos y perfectos. Provenía de una de las familias vascas más prominentes. Su padre era banquero en el país vasco, en el norte, y se había preocupado por dar una buena educación a Ricardo, que había estudiado en la Universidad de Salamanca. Su padre ansiaba que su hijo trabajara con él en los negocios de la familia.

Cuando Ricardo terminó la universidad y volvió a su casa, fue obedientemente a trabajar en el Banco, pero al poco tiempo se sintió comprometido con los problemas de su pueblo. Comenzó a asistir a reuniones y manifestaciones y protestas contra el gobierno y pronto se convirtió en uno de los líderes del ETA. Cuando su padre se enteró de las actividades de su hijo lo llamó a su enorme despacho y lo sermoneó:

—Yo también soy vasco, Ricardo, pero a la vez soy un hombre de negocios. No podemos ensuciar nuestro propio nido, alentando una revolución en el país que nos da de comer.

—Ninguno de nosotros trata de derrocar al gobierno, papá. Lo único que pedimos es libertad. La opresión del gobierno para con los vascos y los catalanes es intolerable.

El señor Mellado se arrellanó en su sillón y estudió a su hijo.

—Mi buen amigo el Alcalde estuvo conversando conmigo ayer. Me sugirió que te conviene dejar de asistir a esas reuniones. Sería mejor que gastaras tu energía en el negocio bancario.

—Padre...

—Escúchame, Ricardo. Cuando yo era joven también me hervía la sangre. Pero hay otras maneras de enfriarla. Estás comprometido con una chica encantadora, y espero que tengas muchos hijos. —Con un ademán señaló el ambiente que lo rodeaba. —Y el futuro te ofrece muchas cosas.

—¿Pero no entiendes...?

—Entiendo mucho más claramente que tú, hijo. A tu futuro suegro también le desagradan tus actividades. Yo no quisiera que ocurriera nada que echara a perder esa boda. ¿Soy claro?

—Sí, padre.

Al domingo siguiente Ricardo Mellado fue arrestado en una manifestación en un auditorio de Barcelona. Se negó a que su padre pagara la fianza por él, a menos que también pagara lo necesario para la liberación de todos los demás detenidos. Su padre no aceptó. Así terminó la carrera de Ricardo, y también su boda. Eso había ocurrido cinco años antes. Cinco años de peligro. Cinco años llenos de la excitación de la lucha por una causa en la que él creía apasionadamente. Ahora estaba fugitivo, huyendo de la policía, escoltando a una monja retardada y muda a través de España.

—Iremos por aquí —le dijo a la hermana Graciela, cuidando de no rozarle el brazo.

Salieron de la calle principal y tomaron por San Valentín. En la esquina había un negocio de instrumentos musicales.

—Tengo una idea —dijo Ricardo—. Espere aquí, hermana. Vuelvo enseguida.

Entró en el negocio y se dirigió a un joven empleado que se hallaba detrás del mostrador.

—Buenos días. Quisiera comprar dos guitarras.

El empleado sonrió.

—Ah, está usted de suerte. Justo tenemos unas Ramírez; son las mejores.

—No. Necesito algo de menor calidad. Mi amiga y yo somos sólo aficionados.

—Como desee, señor. ¿Qué le parecen éstas? —El empleado lo llevó a una sección donde se exhibía una docena de guitarras. —Puede llevar dos Konos, a cinco mil pesetas cada una.

—No, gracias. —Ricardo eligió dos guitarras baratas. —Creo que éstas me vendrán bien.

Unos momentos después Ricardo volvía a la calle, con las dos guitarras. En parte, deseaba que la hermana Graciela se hubiera ido. Ella lo esperaba pacientemente en el mismo lugar.

Ricardo abrió la funda de una de las guitarras y le alcanzó el instrumento.

—Tome, hermana. Llévela sobre el hombro.

Ella lo miró.

—No es necesario que se ponga a tocar —le dijo Ricardo—. Solamente para impresionar.

Graciela tomó la guitarra a regañadientes. Ambos caminaron por las sinuosas calles de Segovia bajo el enorme viaducto construido por los romanos muchos siglos antes.

Ricardo hizo un intento más.

—¿Ve ese viaducto, hermana? Las piedras están unidas sin ninguna clase de cemento. La leyenda dice que lo construyó un demonio hace dos mil años, piedra sobre piedra, unidas solamente por la magia del diablo.

La miró esperando una reacción.

Nada.

Al diablo con ella, pensó Ricardo Mellado. *Me rindo.*

Los hombres de la guardia civil estaban en todas partes, y cada vez que pasaban junto a alguno de ellos Ricardo simulaba hallarse enfrascado en intensas conversaciones con Graciela, siempre con el cuidado de evitar cualquier contacto físico con ella.

La cantidad de soldados y policía parecía ir en aumento, pero Ricardo se sentía razonablemente a salvo. Estarían buscando a una monja de hábito y a un grupo de hombres de Miró, pero no tenían razón para sospechar de dos turistas solos con sus guitarras.

Ricardo sentía hambre, y aunque la hermana Graciela no había dicho nada, estaba seguro de que también ella desearía comer. Pasaron frente a una pequeña *bodega*.

—Nos detendremos aquí a comer algo, hermana.

Ella se quedó mirándolo.

Ricardo suspiró.

—Vamos.

Entró y unos instantes después Graciela lo siguió.

Una vez sentados, Ricardo preguntó:

—¿Qué quiere comer, hermana?

No hubo respuesta. Esa mujer lo enfurecía.

Ricardo llamó al mozo y pidió:

—Dos gazpachos y dos chorizos.

Cuando llegó la comida, Graciela comió lo que le pusieron delante. Ricardo advirtió que ella comía como una autómata, sin placer, como si estuviera cumpliendo un deber. Los hombres sentados a las otras mesas la miraban azorados, y Ricardo les daba la razón. *Su belleza es digna de que la pinte Goya*, pensó.

Pese al raro comportamiento de Graciela, Ricardo sentía un nudo en el estómago cada vez que la mirada, y se maldecía por ser un tonto romántico. Ella era un enigma, sepultado tras una especie de muro impenetrable. Ricardo Mellado había conocido montones de mujeres hermosas, pero ninguna lo había afectado de ese modo. En su belleza había algo casi místico. La ironía residía en que él no tenía la más remota idea de qué era lo que se ocultaba tras la fachada de esa belleza que cortaba el aliento. ¿Era inteligente o estúpida? ¿Interesante o aburrida? ¿Fría o apasionada? *Ojalá sea estúpida, aburrida y fría*, pensó Ricardo, *pues de lo contrario no podré soportar perderla. Como si alguna vez pudiera poseerla... Ella pertenece a Dios.* Desvió la mirada, temeroso de que se traslucieran sus pensamientos.

Cuando terminaron, Ricardo pagó la cuenta y se levantaron. Durante el viaje él había notado que Graciela cojeaba levemente. *Tendré que conseguir algún tipo de transporte*, pensó. *Todavía tenemos un largo camino por delante.*

Comenzaron a bajar por la calle y en el otro extremo de Manzanares el Real se toparon con una caravana de gitanos. Eran cuatro carromatos coloridos tirados por caballos. En el último iban las mujeres y los niños, todos vestidos con los trajes gitanos.

Ricardo dijo:

—Espere aquí, hermana. Voy a ver si nos llevan.

Se acercó al conductor del carromato guía, un gitano corpulento que llevaba aros en las orejas y toda clase de adornos.

—Buenas tardes señor. Le agradecería muchísimo si tuviera la amabilidad de llevarnos a mi novia y a mí.

El gitano miró hacia donde estaba Graciela.

—Es posible. ¿Adónde van?

—A las sierras de Gredos.

—Puedo llevarlos hasta Cerezo.

—Sería una gran ayuda. Gracias.

Estrechó la mano del gitano y le dio un dinero.

—Suban al último carromato.

—Gracias.

Ricardo volvió adonde lo esperaba Graciela.

—Los gitanos nos van a llevar hasta Cerezo de Abajo —le dijo—. Iremos en el carromato de atrás.

Por un instante, Ricardo creyó que ella se iba a negar. Graciela vaciló y luego se dirigió al carro.

En el carromato había una docena de gitanas, que hicieron un lugar para Ricardo y Graciela. Al subir, Ricardo intentó ayudarla, pero en cuanto le tocó el brazo ella se apartó con una ferocidad que lo tomó de sorpresa. *Está bien, vete al diablo.* Mientra ella trepaba, alcanzó a verle una pierna desnuda y no pudo evitar pensar: *Tiene las piernas más hermosas que he visto en mi vida.*

Se pusieron lo más cómodos posible en el duro piso de madera del carromato y comenzaron el largo viaje. Graciela se había sentado en un rincón, con los ojos cerrados y moviendo los labios en una plegaria. Ricardo no podía quitarle los ojos de encima.

A medida que avanzaba el día el sol iba convirtiéndose en una hornalla hirviente que los golpeaba y resecaba la tierra; el cielo estaba profundamente azul y sin nubes. Cada tanto, mientras el carromato avanzaba por las planicies, unos pájaros enormes chillaban en el aire. *Buitres leonados*, pensó Ricardo.

En las próximas horas de la tarde la caravana se detuvo. El jefe se aproximó al carro donde viajaban los forasteros.

—No podemos llevarlos más lejos de aquí. Nosotros vamos para Viñuelas.

—Está bien —le dijo Ricardo—. Gracias.

Hizo además de ayudar a Graciela a bajar del vehículo, pero enseguida lo pensó mejor. Después se volvió hacia el jefe de los gitanos:

—¿Sería tan amable de vendernos un poco de comida?

El hombre fue hacia una de las mujeres y dijo algo en un dialecto extraño, y unos momentos después entregaron dos paquetes de comida a Ricardo.

—Muchas gracias. —Sacó un dinero.

El gitano lo estudió un momento.

—Usted y la hermana ya han pagado la comida.

Usted y la hermana. Así que el gitano lo sabía. Y sin embargo Ricardo no se sentía en peligro. Los gitanos sufrían tanto la opresión del gobierno como los vascos y los catalanes.

—Vayan con Dios.

Ricardo se quedó contemplando la caravana hasta que se perdió de vista. Se volvió hacia Graciela. Ella lo observaba, callada, impasible.

—No tendrá que soportar mi compañía por mucho tiempo —le aseguró Ricardo—. Dentro de dos días estaremos en Logroño. Allí se encontrará con sus compañeras y emprenderán el camino al convento de Mendavia.

Ninguna reacción. Era lo mismo que hablarle a una pared. *Estoy hablando con una pared de piedra.*

Los habían dejado en un apacible valle lleno de huertos de manzanos, perales e higueras. A unos metros de ellos corría el río Tormes, rebosante de truchas. Antes, Ricardo había ido a pescar allí con frecuencia. Era un lugar ideal para quedarse a descansar, pero los aguardaba un largo viaje.

Ricardo se dio vuelta para escudriñar las sierras de Gredos, que se levantaban ante ellos. Almanzo, el pico más alto, tenía casi tres mil metros y era la cima más elevada de la cordillera. Ricardo conocía bien la zona. Había cuatro rutas que cruzaban tortuosamente las montañas. Los pasos más difíciles eran Bohoyo, al norte, limitado por glaciares y lagos, y El Arenal y Glisando, en la parte sur, un terreno escarpado, de granito, abundante en grietas. Cabras montesas y lobos merodeaban el área. Aunque peligrosa, la cara sur era la más rápida, y de haber viajado solo Ricardo la habría elegido a las otras. Pero con la hermana Graciela, decidió tomar el paso de El Pico, una sinuosa senda romana utilizada en otros tiempos por los invasores.

—Bueno, será mejor que nos pongamos en marcha —dijo Ricardo—. Nos espera una larga escalada.

No tenía intenciones de perderse el encuentro fijado con los otros en Logroño. Era su oportunidad para librarse de los dolores de cabeza que le ocasionaba la monja, y que otro se hiciera cargo de ella.

La hermana Graciela se quedó esperando que Ricardo marcara el camino. Él comenzó a subir. Cuando recién comenzaban a trepar por el empinado sendero de la montaña, la hermana Graciela se resbaló en unos guijarros sueltos y Ricardo instintivamente estiró la mano para ayudarla. Ella se desprendió de un tirón y siguió sola. *Está bien*, pensó Ricardo con furia. *Rómpete el cuello.*

Siguieron subiendo, rumbo a los picos nevados. La senda se tornaba más escarpada y más estrecha y el aire frío se hacía más fuerte. Iban hacia el este, a través de un bosque de pinos. Delante de ellos se hallaba la población de Ranacastañas, un refugio para esquiadores y alpinistas. Ricardo sabía que allí había comida, calor y un lugar para descansar. Resultaba tentador. *Es demasiado peligroso*, decidió. Un sitio perfecto para que Acoca les tendiera una trampa.

—Rodearemos el pueblo —le dijo a la hermana Graciela—. ¿Podrá caminar un poco más antes de que paremos a descansar?

Ella lo miró, se dio vuelta y siguió caminando.

Esa rudeza innecesaria lo ofendía, y Ricardo pensó: *Gracias al cielo que en Logroño me desharé de ella. ¿Pero por qué será que eso me produce una mezcla de sentimientos contradictorios?*

Rodearon el pueblo avanzando por el borde del bosque, y pronto se hallaron nuevamente en la senda, escalando. Les costaba respirar. El sendero se tornaba más empinado. En una curva, se toparon con un nido de águila vacío. Rodearon otro pueblo, Arenas de San Pedro, calmo y callado bajo el sol de la tarde, y descansaron en los alrededores, junto al río Eresma, de cuyas aguas claras y frescas bebieron.

A la hora del crepúsculo habían alcanzado la áspera zona conocida por La Boca del Asno. Varas de naranjo de tres metros de altura marcaban el nivel al que llegaba la nieve en invierno. Estaban cerca de Águila, famosa por sus grutas. A partir de allí el camino comenzaba a descender.

De aquí en adelante va a ser más fácil, pensó Ricardo. *La peor parte ha quedado atrás.*

Oyó un débil zumbido por encima de su cabeza. Alzó la vista buscando el origen del ruido. Un avión del ejército apareció de pronto en la cima de la montaña, volando en dirección a ellos.

—¡Abajo! —gritó Ricardo—. ¡Abajo!

Graciela siguió caminando. El avión describía círculos para descender.

—¡Échese al suelo! —gritó Ricardo.

Saltó sobre ella y la empujó al suelo, cubriéndola con su cuerpo. Lo que ocurrió a continuación lo tomó totalmente por sorpresa. Sin un gesto que pudiera prevenirlo, Graciela se puso a chillar histéricamente, luchando contra él. Lo pateaba en las ingles, le rasguñaba la cara, trataba de clavarle las uñas en los ojos. Pero lo más asombroso era lo que decía. Chillaba pronunciando una sarta de obscenidades que desconcertaron a Ricardo, un torrente de inmundicias verbales que lo abrumaron. No podía creer que esas palabras salieran de aquella boca hermosa e inocente.

Intentó sujetarle las manos para protegerse de las afiladas uñas. Graciela era como una gata salvaje atrapada bajo el cuerpo de él.

—¡Basta! —gritó Ricardo—. No voy a lastimarla. Allá arriba

hay un avión explorador del ejército. Nos han visto. Tenemos que salir de aquí.

La aferró con fuerza contra el suelo hasta que los frenéticos forcejeos de Graciela cesaron al fin. De su boca salían sonidos extraños, estrangulados, y él se dio cuenta de que la monja estaba llorando. Pese a toda su experiencia con las mujeres, Ricardo se sentía completamente azorado. Ahí estaba él, encima de una monja histérica con el vocabulario de un camionero, sin la menor noción de qué hacer a continuación.

Trató de que su voz sonara lo más calma y razonable posible.

—Hermana, tenemos que encontrar rápidamente un sitio donde escondernos. El avión debe de haber informado nuestra posición y dentro de unas horas esta zona estará llena de soldados. Si quiere llegar al convento, levántese y venga conmigo.

Esperó un momento y luego se incorporó cautelosamente y se sentó junto a ella hasta que los sollozos se apagaron. Al fin Graciela se sentó también. Tenía la cara manchada de tierra, el cabello enmarañado, los ojos rojos por el llanto, y sin embargo su belleza hacía estremecer a Ricardo.

—Lamento haberla asustado —le dijo suavemente—. Lo que pasa es que no sé cómo comportarme con usted. Le prometo que en el futuro trataré de ser más cuidadoso.

Ella lo miró con sus luminosos ojos negros llenos de lágrimas, y Ricardo no tenía idea de qué era lo que pensaba. Suspiró y se levantó. Ella lo siguió.

—Por aquí hay montones de grutas —le dijo Ricardo—. Nos ocultaremos en una de ellas para pasar la noche. Al amanecer podremos seguir camino.

Tenía la cara lastimada y sangrante en los lugares donde ella lo había arañado, pero a pesar de lo sucedido Ricardo percibía en ella una vulnerabilidad, una fragilidad que lo conmovían, que le despertaban deseos de decir algo que la tranquilizara. Pero ahora el que no hablaba era él.

No se le ocurría nada que decir, ni una sola palabra.

Las cuevas del águila fueron esculpidas por siglos de vientos y mareas y terremotos, y son de una variedad infinita. Algunas son meras hendiduras en las rocas de la montaña, y otras, túneles interminables jamás explorados por el hombre.

A un kilómetro y medio de donde habían divisado al avión, Ricardo encontró una gruta que lo satisfizo. Tenía una entrada de baja altura, cubierta por matorrales.

—Quédese aquí —le dijo a Graciela.

Se agachó y entró en la cueva. Adentro reinaba la oscuridad, apenas matizada por una luz débil que se filtraba por la abertura. Era imposible calcular la extensión de la caverna, pero eso no importaba, pues no había razón para explorarla.

Salió.

—Parece un lugar seguro —dijo—. Espéreme adentro, por favor. Juntaré unas ramas para cubrir la boca de entrada. Volveré en unos minutos.

Contempló a Graciela entrar calladamente en la cueva, y se preguntó si la encontraría allí cuando volviera. Cayó en la cuenta de que deseaba con desesperación que así fuera.

Desde el interior de la gruta, Graciela lo vio irse. Se echó sobre el suelo frío, desesperada.

Ya no aguanto más, pensó. *¿Dónde estás, Jesús? Por favor, libérame de este infierno.*

Y en verdad había sido un infierno. Desde el principio Graciela había luchado contra la atracción que sentía hacia Ricardo. Pensó en el Moro. *Tengo miedo de mí misma. Del mal que hay en mí. Deseo a este hombre, y no debo.*

Y así había levantado una barrera de silencio entre ellos, del silencio con el que había vivido en el convento. Pero ahora, sin la disciplina del convento, sin la disciplina y las plegarias, sin el sostén de la rígida rutina. Graciela se descubría incapaz de desterrar sus tinieblas interiores. Había pasado años combatiendo los satánicos impulsos de su cuerpo, peleando contra el recuerdo de los sonidos, los gemidos y los suspiros que emanaban de la cama de su madre.

El Moro contemplaba su cuerpo desnudo.

Eres apenas una niña. Ponte las ropas y sal de aquí...

Soy una mujer.

Había vivido muchos años tratando de olvidar la sensación de tener al Moro dentro de ella, tratando de borrar de su mente el ritmo de sus cuerpos moviéndose al mismo tiempo, esa emoción que là colmaba y le hacía sentir que al fin estaba viva.

Y su madre que gritaba: *¡Puta!*

Y el médico que decía: *El cirujano jefe decidió suturarte él mismo. Dijo que eras demasiado hermosa para llevar cicatrices.*

Todos esos años de plegarias los había consagrado a la expiación de su culpa. Y no habían servido de nada.

La primera vez que Graciela miró a Ricardo Mellado, se sintió invadida por el pasado. Era un hombre apuesto, bondadoso, amable. De niña, Graciela había soñado con alguien así. Y cuando él se le acercaba, cuando la tocaba, el cuerpo de ella se encendía al instante y la embargaba una profunda culpa. *Soy la novia de Cristo, y mis pensamientos son una traición a Dios. Te pertenezco a Ti, Jesús. Por favor, ayúdame. Limpia mi mente de los pensamientos impuros.*

Graciela se había esforzado desesperadamente por conservar entre ellos ese muro de silencio, un muro que nadie más que Dios podía penetrar, un muro que impedía la entrada del demonio. ¿Pero ella deseaba impedir la entrada del demonio? Cuando Ricardo saltó sobre ella y la tiró al suelo, fue a la vez el Moro que le hacía el amor y el fraile que intentaba violarla. Y, en su pánico, era contra ellos que Graciela había luchado. *No*, admitió para sí, *eso no es cierto.* Ella luchaba contra su propio deseo. Estaba dividida entre su espíritu y los anhelos de su carne. *No debo rendirme. Tengo que volver al convento. Él regresará en cualquier momento. ¿Qué hago?*

Oyó un gemido apagado que llegaba desde el fondo de la cueva, y se dio vuelta. En la oscuridad había cuatro ojos verdes que la miraban y avanzaban hacia ella. El corazón de Graciela comenzó a latir aceleradamente.

Los lobeznos se le acercaron y restregaron sus cabecitas en el regazo de ella. Graciela sonrió y los acarició suavemente. De la entrada de la caverna llegó un ruido. *Ricardo ha vuelto*, pensó.

Un instante después un enorme lobo gris le saltaba a la garganta.

Capítulo veintisiete

Lucía Carmine se detuvo frente a la taberna de Aranda de Duero y respiró hondo. A través de la ventana veía a Rubio Arzano, que la esperaba sentado a una mesa.

No debo permitir que sospeche nada, pensó. *A las ocho tendré mi pasaporte nuevo y estaré camino a Suiza.*

Se obligó a sonreír y entró en la taberna. Rubio hizo un gesto de alivio al verla, y cuando se levantó para recibirla la miró con una expresión que a Lucía le causó una punzada.

—Estaba muy preocupado, querida. Cuando vi que tardabas tanto temí que te hubiera ocurrido algo terrible.

Lucía puso una mano sobre las de él.

—No pasó nada.

...Aparte de que ya compré mi pasaje a la libertad. Mañana estaré fuera del país.

Rubio la miraba a los ojos, estrechándole la mano, y de él emanaba una sensación de amor tan intensa que Lucía se sintió incómoda. *¿No se da cuenta de que una relación entre nosotros jamás podría funcionar? No. Porque yo no tengo el coraje de decírselo. Él no está enamorado de mí; está enamorado de la mujer que él cree que soy. Estará mucho mejor sin mí.*

Desvió la mirada y contempló el bar por primera vez. Estaba lleno de gente del lugar; la mayoría parecía observar a los dos forasteros.

Un muchacho comenzó a cantar y enseguida se le unieron otros. Un hombre se acercó a la mesa donde se sentaban Rubio y Lucía.

—¿Por qué no canta, señor? Acompáñenos.

Rubio sacudió la cabeza.

—No.

—¿Cuál es el problema, amigo?

—Esa canción no me interesa. —Rubio vio la expresión perpleja de Lucía y explicó: —Es una de las viejas tonadas que alaban a Franco.

Otros hombres comenzaron a acercarse a la mesa. Resultaba obvio que habían bebido demasiado.

—¿Usted estaba en contra de Franco, señor?

Lucía vio que Rubio apretaba los dientes. *Oh, Dios, ahora no. Que no haga nada que llame la atención.*

Con tono de advertencia, le dijo:

—Rubio...

Y, gracias a Dios, él comprendió.

Miró a los jóvenes y respondió con aire amable:

—No tengo nada contra Franco. Sencillamente, no conozco bien la letra.

—Ah. Entonces la tararearemos juntos.

Se quedaron esperando que Rubio se negara.

Rubio miró a Lucía.

—Bueno.

Los hombres volvieron a cantar y Rubio tarareaba en voz fuerte. Lucía percibía la tensión del esfuerzo que él hacía por controlarse. *Lo está haciendo por mí.*

Cuando la canción concluyó, uno de los hombres le palmeó un hombro.

—No está mal, viejo. Te salió bastante bien.

Rubio permaneció sentado, callado, rogando que se fueran.

Otro de los parroquianos advirtió el paquete que descansaba sobre la falda de Lucía, y le preguntó:

—¿Qué escondes ahí, querida?

El que lo acompañaba opinó:

—Apuesto a que abajo de la pollera tiene algo mucho mejor.

Ambos se echaron a reír.

Rubio se levantó de un salto y agarró a uno de los hombres por la garganta. Lo golpeó con tanta fuerza que lo hizo volar hasta el otro extremo del salón.

—¡No! —gritó Lucía—. ¡Para!

Pero ya era demasiado tarde. En un instante el lugar se convirtió en un alboroto generalizado, al cual todos se sumaban con ansiedad. Una botella de vino destrozó el espejo tras el mostrador. Caían mesas y sillas, los hombres saltaban por el aire mientras maldecían a los gritos. Rubio dejó a dos fuera de combate, pero un tercero lo alcanzó con una trompada en el estómago que le provocó un gruñido de dolor.

—¡Rubio! ¡Vayámonos de aquí! —gritó Lucía.

Él asintió. Se agarraba el estómago. Se abrieron paso a los empujones en medio de la batahola y al fin se encontraron en la calle.

—Tenemos que irnos —dijo Lucía.

Esta noche tendrá su pasaporte. Vuelva después de las ocho.

Debía encontrar un lugar donde ocultarse hasta entonces.

¡Maldito sea! ¿Por qué no se habrá controlado?

Doblaron por la calle Santa María hasta que los ruidos de la pelea fueron apagándose poco a poco. Dos cuadras después llegaron a una gran iglesia, la de Santa María. Lucía subió corriendo los escalones, abrió la puerta y espió el interior. No había nadie.

—Aquí estaremos seguros —dijo.

Entraron en la penumbra de la iglesia. Rubio aún se agarraba el estómago.

—Descansaremos un rato.

—Sí.

Rubio se quitó la mano del vientre y salió un chorro de sangre.

Lucía sintió náuseas.

—¡Dios mío! ¿Qué pasó?

—Un cuchillo —murmuró Rubio—. Tenía un cuchillo. —Y se desplomó.

Lucía se arrodilló a su lado, aterrada.

—No te muevas.

Le sacó la camisa y se la apretó contra el estómago, tratando de contener la salida de sangre. La cara de Rubio estaba blanca como la tiza.

—No tendrías que haberlos enfrentado, idiota —le dijo enojada.

La voz de él era apenas un susurro confuso.

—No podía permitir que te hablaran de ese modo.

No podía permitir que te hablaran de ese modo.

Esas palabras la conmovieron con una intensidad que nunca había experimentado. Miró a Rubio y pensó: *¿Cuántas veces este hombre ha arriesgado su vida por mí?*

—No te dejaré morir —dijo con ardor—. No voy a permitir que mueras. —Se levantó abruptamente. —Enseguida vuelvo.

En la sacristía, en la parte posterior de la iglesia encontró agua y toallas con que enjuagar la herida de Rubio. El rostro de él estaba caliente y su cuerpo, empapado en transpiración. Lucía le puso las toallas frías en la frente. Rubio había cerrado los ojos y parecía dormido. Lucía le tomó la cabeza en sus brazos y le habló. No importaba lo que dijera. Le hablaba para mantenerlo vivo, para obligarlo a aferrarse al delgado hilo de su existencia. No cesaba de hablar, temerosa de interrumpirse ni siquiera un segundo.

—Cultivaremos juntos tu granja, Rubio. Quiero conocer a tu madre y tus hermanas. ¿Crees que les gustaré? Ojalá que sí. Y soy muy trabajadora, *caro*. Ya lo verás. Nunca trabajé en una granja, pero aprenderé. La convertiremos en la mejor granja de toda España.

Pasó toda la tarde hablándole, refrescando su cuerpo afiebrado, cambiándole los paños de agua fría. La hemorragia casi había parado.

—¿Ves, caro? Ya estás mejorando. Te vas a poner bien. Te lo dije. Tú y yo llevaremos una vida maravillosa juntos, Rubio. Lo único que te pido, por favor, es que no te mueras. ¡Por favor!

Lucía se descubrió llorando.

Las sombras de la tarde pintaban las paredes de la iglesia a través de las ventanas y se desvanecían lentamente. El sol poniente iba oscureciendo el cielo hasta que al fin cayó la noche. Lucía volvió a cambiar el paño de la frente de Rubio y de pronto, tan cerca que la hizo sobresaltar, la campana de la iglesia comenzó a tañer. Contuvo la respiración y contó. Uno... tres... cinco... siete... ocho. Las ocho. La campana la llamaba, le decía que era el momento de volver a la Casa de Empeños. El momento de huir de esa pesadilla y salvarse.

Se arrodilló junto a Rubio y le tocó la frente una vez más. Ardía de fiebre. Tenía el cuerpo bañado en transpiración y respiraba dificultosamente. Lucía no veía señales de hemorragia, pero tal vez eso significaba que estaba sangrando por dentro. *Maldición. Sálvate tú, Lucía.*

—Rubio... querido...

Él abrió los ojos, semiinconsciente.

—Tengo que irme un ratito —le dijo Lucía.

Él le tomó una mano.

—Por favor...

—Todo está bien —murmuró ella—. Volveré.

Se levantó y lo contempló largamente. *No puedo ayudarlo,* pensó.

Lucía tomó la cruz de oro y salió apresuradamente de la iglesia, con los ojos llenos de lágrimas. Una vez en la calle, comenzó a caminar en dirección a la casa de empeños. El hombre y su primo estarían esperándola con el pasaporte a la libertad. *A la mañana, cuando empiecen los servicios, encontrarán a Rubio y lo llevarán a un médico. Lo curarán y se pondrá bien. Pero no creo que pase de esta noche,* pensó Lucía. *Bueno, no es problema mío.*

Había llegado a la casa de empeños, apenas unos minutos más tarde de lo acordado. Vio que las luces estaban encendidas. Los hombres la esperaban.

Caminó más rápido, después corrió. Cruzó la calle y se precipitó por la puerta abierta.

En la comisaría había un agente uniformado detrás del escritorio. Cuando apareció Lucía levantó la vista.

—Necesito ayuda —gritó Lucía—. Apuñalaron a un hombre. Creo que se está muriendo.

El policía no hizo preguntas. Levantó un teléfono y habló. Cuando colgó, dijo:

—Enseguida la van a acompañar.

Casi de inmediato aparecieron dos detectives.

—¿Han apuñalado a alguien, señorita?

—Sí. Vengan conmigo, por favor. ¡Rápido!

—Recogeremos a un médico en el camino —dijo uno de los detectives—. Después nos llevará adonde está su amigo.

Fueron a buscar al médico y Lucía condujo a los hombres hasta la iglesia.

El médico se acercó al hombre que yacía rígido en el piso y se arrodilló a su lado. Poco después dijo:

—Está vivo, pero apenas. Llamaré inmediatamente a una ambulancia.

Lucía se arrodilló y rogó en silencio. *Gracias, Dios. he hecho todo lo que puedo. Ahora déjame huir y salvarme y nunca volveré a molestarte.*

Durante todo el camino hacia la iglesia uno de los detectives había estado observado a Lucía. La encontraba conocida. Y de pronto se dio cuenta del porqué. Esa mujer tenía una extraña semejanza con una foto que Interpol había hecho circular con el rótulo de Primera Prioridad.

El detective susurró algo al oído de su compañero y ambos se volvieron a estudiarla. Después se acercaron a Lucía.

—Disculpe, señorita. ¿Tendría la amabilidad de acompañarnos a la comisaría? Tenemos unas preguntas que hacerle.

Capítulo veintiocho

Ricardo Mellado se encontraba a poca distancia de la cueva en la montaña cuando de pronto vio que un gran lobo gris trotaba en dirección a la entrada. Por un instante quedó congelado y enseguida reaccionó como nunca antes. Se precipitó a la boca de la gruta y entró como un rayo.

—¡Hermana!

En la penumbra distinguió la enorme silueta gris que saltaba sobre Graciela. Instintivamente tomó su pistola y disparó. El lobo dejó escapar un gemido de dolor y se volvió hacia Ricardo, que sintió los afilados colmillos de la bestia herida que le desgarraba la ropa. El lobo era más fuerte de lo que él esperaba. Ricardo trató de liberarse, pero era imposible.

Sintió que comenzaba a perder la conciencia. Llegó a advertir vagamente que Graciela se le acercaba y le gritó:

—¡Salga!

Vio que Graciela sostenía una gran roca con una mano y pensó: *Va a matarme.*

Un instante después la roca pasó silbando junto a él y dio contra la cabeza del lobo. El animal lanzó un último jadeo salvaje y cayó al suelo, inmóvil. Ricardo permanecía acurrucado contra las rocas, esforzándose por respirar. Graciela se arrodilló a su lado.

—¿Está bien? —preguntó con voz temblorosa de preocupación.

Él consiguió mover la cabeza en un gesto afirmativo. Oyó unos gemidos a sus espaldas y se volvió para ver a los lobeznos acurrucados en un rincón.

Permaneció quieto un momento, recuperando las fuerzas. Después se incorporó con dificultad.

Salieron de la gruta a respirar el límpido aire de la montaña.

Ricardo respiraba hondo, llenándose los pulmones con ese aire puro, hasta que la cabeza se le despejó. El choque emocional y físico con aquel roce cercano con la muerte había producido profundos efectos en los dos.

—Vayámonos de este lugar. Quizá vengan a buscarnos.

Graciela se estremeció al recordar el peligro en que todavía se hallaban.

Siguieron viaje por el escarpado sendero de la montaña durante una hora, y cuando al fin llegaron a un arroyito, Ricardo dijo:

—Paremos aquí.

No tenían vendas ni antisépticos y limpiaron las heridas lo mejor que pudieron, con el agua fresca y limpia de la corriente. El brazo de Ricardo estaba tan tieso que le costaba moverlo. Para su sorpresa, Graciela le dijo:

—Permítame hacerlo a mí.

Lo sorprendió aún más la suavidad con que ella realizó la tarea.

De un momento para el otro, Graciela empezó a temblar violentamente, a consecuencia de la conmoción sufrida.

—Tranquila —le dijo Ricardo—. Ya pasó.

Ella no podía parar de sacudirse.

Ricardo la tomó en los brazos y le dijo con voz sedante:

—Shhh. El lobo está muerto. Ya no hay nada que temer.

La abrazó con más fuerza y sintió que los muslos de ella se apretaban contra su cuerpo y que los labios de ella cubrían los suyos mientras lo estrechaba y susurraba cosas que él no entendía.

Era como si conociera a Graciela desde siempre. Y sin embargo no sabía nada de ella. *Sólo sé que es un milagro de Dios*, pensó.

Graciela también pensaba en Dios. *Gracias, Dios mío, por esta dicha. Gracias por permitirme conocer al fin lo que es el amor.*

Había sido una experiencia para la que ella no encontraba palabras, algo más allá de cualquier cosa que hubiera imaginado jamás.

Ricardo la contemplaba, y su belleza aún le quitaba el aliento. *Ahora es mía*, pensó. *No tiene que volver a ningún convento. Nos casaremos y tendremos hijos hermosos... y fuertes.*

—Te amo —le dijo—. Nunca dejaré que te vayas, Graciela.

—Ricardo...

—Querida, quiero casarme contigo. ¿Aceptarás?

Y sin siquiera pensarlo, Graciela respondió:

—Sí. Claro que sí.

Nuevamente en los brazos de él, pensó: *Esto es lo que siempre quise y creí que no tendría nunca.*

—Viviremos en Francia durante un tiempo —le dijo Ricardo—; allí estaremos seguros. Esta lucha terminará pronto, y regresaremos a España.

Ella sabía que con ese hombre podía ir a cualquier parte, y si allí había peligro, quería compartirlo con él.

Hablaron de muchas cosas. Ricardo le contó cómo se había unido a Jaime Miró, la ruptura de su compromiso y el disgusto de su padre. Pero cuando Ricardo esperaba que Graciela le contara su pasado, ella permaneció en silencio.

Graciela lo miró y pensó: *No puedo contárselo. Me odiará.*

—Abrázame —le rogó.

Durmieron y se despertaron al amanecer para contemplar el sol que aparecía por la cima de las montañas, bañando las sierras con un cálido reflejo rojo.

Ricardo dijo:

—Estaremos más seguros si nos ocultamos aquí durante el día. Proseguiremos la marcha cuando oscurezca.

Comieron lo que les habían dado los gitanos, mientras planeaban el futuro.

—Aquí, en España, hay oportunidades magníficas —decía Ricardo—. O las habrá cuando haya paz. Se me ocurren montones de ideas. Pondremos nuestro propio negocio. Compraremos una linda casa y criaremos hijos hermosos.

—E hijas hermosas.

—E hijas hermosas. —Ricardo sonrió. —No sabía que alguna vez iba a ser tan feliz.

—Yo tampoco, Ricardo.

—Dentro de dos días estaremos en Logroño y nos encontraremos con los demás —dijo Ricardo. La tomó de las manos. —Les diremos que tú no regresarás al convento.

—¿Lo entenderán? —dijo Graciela y enseguida rió—. La verdad es que no me importa. Dios entiende. Mi vida en el convento me gustaba, pero... —Lo besó.

—Tengo tanto que hacer por ti —dijo Ricardo.

—No comprendo...

—Debo compensarte esos años que viviste en el convento, apartada del mundo. Dime, querida, ¿no te molesta haber perdido todo ese tiempo?

¿Cómo podía hacérselo entender?

—Ricardo... Yo no perdí nada. ¿De verdad te parece que es así?

Él lo pensó, sin saber por dónde empezar. Se daba cuenta de que los sucesos que él consideraba tan importantes no tenían por qué interesar a las monjas en su aislamiento. ¿Las guerras, como la de los árabes y los israelíes? ¿Los asesinatos políticos como los de John y Robert Kennedy? ¿O el de Martin Luther King, el gran líder negro del movimiento de no violencia en pro de la igualdad de los negros? ¿El Muro de Berlín? ¿Las hambrunas? ¿Las inundaciones? ¿Los terremotos? ¿Las huelgas y las manifestaciones en protesta por la inhumanidad del hombre hacia el hombre?

Después de todo, ¿cuán profundamente habrían afectado esos hechos la vida personal de ella? ¿O la vida personal de la mayoría de la gente del mundo?

Al fin, Ricardo dijo:

—En cierto sentido, no has perdido mucho. Pero en otro, sí. En ese tiempo, ha estado sucediendo algo importante: la vida. Mientras tú estabas encerrada en el convento, nacieron y crecieron niños, se contrajeron matrimonios, la gente sufrió y fue feliz, y murió; y todos los que estamos aquí afuera formamos parte de eso, una parte de la vida.

—¿Y crees que yo no? —preguntó Graciela. Y antes de que pudiera pararlas, las palabras salieron de su boca como un borbotón: —Una vez formé parte de esa vida de la que hablas, y era un infierno. Mi madre era prostituta y yo tenía un tío diferente todas las noches. Cuando tenía catorce años entregué mi cuerpo a un hombre porque me atraía y porque estaba celosa de mi madre y de lo que ella hacía. —Ahora las palabras eran un torrente. —Yo también me habría convertido en una prostituta si me hubiera quedado allá para formar parte de esa vida que a ti te parece tan preciosa. No, creo que no me escapé de nada. Me escapé *hacia* algo. En el convento encontré un mundo seguro, apacible y bueno.

Ricardo la miraba horrorizado.

—Yo... eh... discúlpame —balbuceó—. No quise...

Ella lloraba y él la estrechó en sus brazos.

Shhh... Todo está bien. Aquello acabó. Te amo.

Y para ella fue como si Ricardo le hubiera dado la absolución. Ya le había contado las cosas horribles que había hecho en el pasado, y aun así él la perdonaba. Y... milagro de milagros... la amaba.

Ricardo la abrazó fuerte y le dijo:

—Hay un poema de Federico García Lorca que dice:

"La noche no quiere venir
para que tú no puedas venir
y yo no pueda ir.
Pero tú vendrás
con la lengua quemada por la lluvia salada.
El día no quiere venir
para que tú no puedas venir
y yo no pueda ír.
Pero yo vendré
a través de las aguas lodosas de la oscuridad.
Ni la noche ni el día quieren venir
para que yo pueda morir por ti y tú morir por mí."

Y de pronto ella pensó en los soldados que los perseguían y se preguntó si ella y su amado Ricardo vivirían lo suficiente para tener un futuro juntos.

Capítulo veintinueve

Faltaba un eslabón, un indicio hacia el pasado, y Alan Tucker estaba resuelto a encontrarlo. En el periódico no se mencionaba a ninguna niña abandonada, pero sería bastante fácil averiguar la fecha en la que la habían llevado al orfanato. Si coincidía con la del accidente de avión, Ellen Scott tendría que dar explicaciones muy interesantes. *No puede haber sido tan estúpida*, pensó Tucker, *de correr el riesgo de simular que la heredera de los Scott había muerto y después dejarla en la puerta de una granja. Arriesgado. Muy arriesgado. Por otro lado, qué recompensa: las Industrias Scott. Sí, es muy probable que lo haya hecho. Si ella guarda ese secreto vergonzoso, le va a costar mucho dinero, pues su secreto vive.*

Tucker sabía que debía andar con mucho cuidado. Conocía muy bien a la persona con la que lidiaba. Se enfrentaba a una mujer muy poderosa. Sabía que debía tener todas las pruebas en la mano antes de hacer su jugada.

Lo primero que hizo a continuación fue volver a ver al padre Berrendo.

—Padre... Quisiera hablar con el granjero y su esposa, esa gente con la que... dejaron a Patricia.

El viejo sacerdote sonrió.

—Creo que su conversación con ellos no tendrá lugar hasta dentro de mucho tiempo.

Tucker lo miró asombrado.

—¿Quiere decir...?

—Murieron hace muchos años.

Maldición. Pero quedaban otros caminos por explorar.

—¿Dijo que llevaron a la niña al hospital, con neumonía?

—Sí.

De eso habría un registro.

—¿Cuál era el hospital?

—Se incendió hasta los cimientos en 1961. Ahora hay un hospital nuevo. —Berrendo advirtió la expresión de desaliento en el rostro de Tucker. —Debe recordar, señor, que la información que usted busca es de hechos que sucedieron hace veintiocho años. Han cambiado muchas cosas.

Nada va a detenerme, pensó Alan Tucker, *ahora que he llegado hasta aquí. Tiene que haber datos sobre ella en algún lugar.*

Todavía le quedaba un lugar donde investigar. El orfanato.

Llamaba a Ellen Scott todos los días.

—Manténgame al tanto de todo lo que suceda. Cuando encuentren a la chica quiero saberlo enseguida.

Y Alan Tucker se preguntaba a qué se debía la urgencia que traslucía la voz de ella.

Parece estar de lo más ansiosa con respecto a algo que ocurrió hace tantos años. ¿Por qué? Bueno, eso puede esperar. Primero tengo que encontrar las pruebas que estoy buscando.

Esa mañana Alan Tucker visitó el orfanato. Contempló la lóbrega habitación general donde un bullicioso grupo de niños charlaba y jugaba, y pensó: *Aquí es donde creció la heredera de la dinastía Scott, mientras esa perra vivía en Nueva York y se guardaba todo el dinero y el poder. Y bien, ahora va a tener que compartir parte de eso conmigo. Sí, señor, haremos un gran equipo Ellen Scott y yo.*

Una joven se le acercó y le preguntó:

—¿Puedo servirlo en algo, señor?

Él sonrió. *Sí, puede servirme para ayudarme a conseguir un billón de dólares.*

—Quisiera hablar con la persona responsable de este lugar.

—Es la señora Ángeles.

—¿Se encuentra aquí?

—Sí, señor. Lo llevaré a verla.

Tucker siguió a la muchacha por el vestíbulo principal hasta una pequeña oficina al fondo del edificio.

—Pase, por favor.

Entró en la oficina. La mujer sentada tras el escritorio tendría unos ochenta años. En otros tiempos había sido robusta pero ahora estaba encogida y su cuerpo daba la impresión de pertenecer a otra persona. Tenía cabello canoso y fino, pero sus ojos eran brillantes y claros.

—Buenos días, señor. ¿Puedo ayudarlo en algo? ¿Ha venido a adoptar alguno de nuestros simpáticos niños? Tenemos muchas criaturas deliciosas para elegir.

—No, señora. Vengo a preguntarle por una niña que trajeron aquí hace muchos años.

Mercedes Ángeles arrugó la frente.

—No comprendo.

—Trajeron una niñita aquí... —hizo como que consultaba un papel— ...en octubre de 1947.

—Es un largo tiempo. Ya no puede estar aquí. Verá usted, tenemos una regla, señor, que indica que a los quince años...

—No, señora. Ya sé que ella no está aquí. Lo que quiero saber es la fecha exacta en que la trajeron.

—Lamento no poder ayudarlo, señor.

A Tucker el corazón le dio un vuelco.

—Aquí traen muchos niños. A menos que usted sepa el nombre de la niña...

Patricia Scott, pensó. En voz alta, dijo:

—Megan. Se llama Megan.

La cara de Mercedes Ángeles se encendió.

—Nadie podría olvidar a esa niña. Era un demonio, y todos la adoraban. ¿Sabe usted? Un día ella...

Alan Tucker no tenía tiempo para anécdotas. Su instinto le indicaba que se hallaba muy cerca de apoderarse de una porción de la fortuna Scott. Y esa vieja charlatana poseía la llave que le abriría ese cofre. *Debo ser paciente con ella.*

—Señora Ángeles, yo... no tengo mucho tiempo. ¿Tendrá esa fecha en sus archivos?

—Por supuesto, señor. El gobierno nos exige llevar registros muy precisos.

Tucker se sintió más aliviado. *Tendría que haber traído una cámara para fotografiar los archivos. Bueno, no importa. Sacaré una fotocopia.*

—¿Podría ver ese archivo, señora?

Mercedes Ángeles frunció el entrecejo.

264

—No lo sé. Nuestros registros son confidenciales y...

—Desde luego —repuso Tucker con tono suave—, y por cierto que respeto esa disposición. Usted dijo que sentía afecto por la pequeña Megan y sé que le gustaría hacer cualquier cosa que pudiera para ayudarla. Y bien, ésa es la razón por la que estoy aquí. Tengo muy buenas noticias para ella.

—¿Y para eso necesita la fecha en que la trajeron acá?

Tucker respondió con soltura:

—Esa fecha me servirá para probar que ella es la persona que yo creo que es. Su padre murió y le dejó una pequeña herencia, y yo quiero asegurarme de que ella la reciba.

La mujer asintió con gesto sagaz.

—Comprendo.

Tucker sacó un fajo de billetes de un bolsillo.

—Y para mostrarle cuánto agradezco las incomodidades que le causo, me gustaría contribuir con cien dólares para su orfanato.

La anciana miró los billetes con una expresión de incertidumbre en el rostro.

Tucker sacó más dinero.

—Doscientos.

Ella arrugó la frente.

—Está bien. Quinientos.

Mercedes Ángeles resplandecía.

—Es muy generoso de su parte, señor. Le mostraré ese archivo.

¡Lo logré!, pensó Tucker, alborozado. *¡Jesucristo, lo logré! Ella robó las Industrias Scott y se apoderó de todo. De no haber sido por mí, jamás se habría enterado nadie.*

Cuando le presentara esas pruebas a Ellen Scott, ella no tendría modo alguno de negarlas. El accidente de avión había ocurrido el 1 de octubre. Megan estuvo internada en el hospital diez días. De modo que la habrían llevado al orfanato alrededor del 11 de octubre.

Mercedes Ángeles volvió a la oficina con una carpeta en la mano.

—Lo encontré —dijo orgullosamente.

Alan Tucker apenas podía reprimir las ganas de arrebatarle los papeles de la mano.

—¿Me permite ver? —preguntó con cortesía.

—Por supuesto. Ha sido usted tan generoso... —Y agregó con gesto preocupado: —Espero que no le mencione esto a nadie. Yo no debería estar haciendo esto.

—Será un secreto entre usted y yo, señora.

La anciana le entregó la carpeta.

Él respiró hondo y la abrió. Arriba decía: "Megan. Beba. Padres desconocidos". Y después, la fecha. Pero había algún error.

—Aquí dice que a Megan la trajeron aquí el 14 de junio de 1947.

—Sí, señor.

—¡Eso es imposible! —exclamó casi gritando.

El accidente ocurrió el 1 de octubre.

La anciana lo miró desconcertada.

—¿Imposible, señor? No entiendo.

—¿Quién... quién lleva estos registros?

—Yo. Cada vez que dejan un niño en el orfanato, yo anoto la fecha y cualquier otro dato que se me proporcione.

El sueño de Tucker se derrumbaba.

—¿No puede haber cometido un error? Con la fecha, quiero decir... ¿No habrá sido el 7 de octubre?

—No, señor —respondió la anciana, indignada—. Conozco la diferencia entre el 14 de junio y el 7 de octubre.

Todo había terminado. Él había construido un sueño sobre bases demasiado endebles. De modo que Patricia Scott realmente había muerto en el accidente. Era una coincidencia que Ellen Scott estuviera buscando a una niña nacida en la misma época.

Alan Tucker se levantó pesadamente y dijo:

—Gracias, señora.

—De nada, señor.

Lo miró irse. Un hombre tan agradable. Y tan generoso. Esos quinientos dólares servirían para comprar muchas cosas para el orfanato. Y también el cheque por cien mil dólares que le había enviado esa señora tan amable que la había llamado por teléfono desde Nueva York. *Por cierto que el 7 de octubre resultó una fecha muy afortunada para nuestro orfanato. Gracias, Señor.*

Alan Tucker informaba.

—Todavía no hay novedades, señora Scott. Se rumorea que se dirigen hacia el norte. Por lo que sé hasta ahora, la chica está a salvo.

El tono de su voz ha cambiado por completo, pensó Ellen Scott. *La amenaza se ha desvanecido. Así que fue al orfanato. Ahora se siente otra vez un empleado. Bien, cuando encuentre a Patricia también eso cambiará.*

—Llámeme mañana.

—Sí, señora Scott.

Capítulo treinta

—Protégeme, oh, Dios, pues en Ti encuentro refugio. Tú eres mi Señor, no soy nada sin Ti. Te amo, Señor, Tú eres mi fuerza. El Señor es mi roca y mi fortaleza y mi proveedor...

La hermana Megan alzó la vista y vio que Félix Carpio la observaba con expresión preocupada.

Ella realmente tiene miedo, pensó Carpio.

Desde el principio del viaje, había notado la profunda ansiedad de la hermana Megan. *Por supuesto. Es más que natural. Estuvo encerrada en un convento por quién sabe cuántos años, y ahora se encuentra de repente arrojada a un mundo extraño y aterrador. Tendremos que ser muy amables con la pobre chica.*

La hermana Megan estaba en verdad asustada. Desde que había salido del convento no había hecho más que rezar.

Perdóname, Señor, por disfrutar de la emoción de lo que me está ocurriendo, a pesar de saber que es malvado de mi parte.

—Pero por intensamente que la hermana Megan rezara, no conseguía dejar de pensar que aquélla era la aventura más asombrosa que le había tocado vivir. En el orfanato había planeado temerarias fugas, pero aquello era sólo un juego de niños. Esto era real. Se hallaba en manos de terroristas, y los perseguían la policía y el ejército. En vez de sentirse aterrada, la hermana Megan estaba extrañadamente alborozada.

Habían viajado toda la noche. Se detuvieron al amanecer. Megan y Amparo Jirón esperaban de pie mientras Jaime Miró y Félix Carpio se agachaban a estudiar un mapa.

—Estamos a seis kilómetros y medio de Salamanca —dijo Jaime—. La evitaremos. Allí hay una guarnición permanente del ejército. Nos encaminaremos hacia el noroeste, hacia Valladolid. Deberíamos llegar allá en las primeras horas de la tarde.

Sin ninguna dificultad, pensó la hermana Megan, feliz.

La noche había sido larga y agotadora, sin descanso, pero Megan se sentía magnífica. Jaime exigía demasiado al grupo, y lo hacía adrede. Megan comprendía su propósito: él la estaba probando, esperaba que ella se quebrara. *Muy bien, que se prepare para una sorpresa*, pensó Megan.

En realidad, Jaime se sentía intrigado por la hermana Megan. No se comportaba en absoluto como él había esperado que se comportara una monja. Estaba a kilómetros del convento, viajando por un territorio desconocido, perseguida, y parecía disfrutar de la situación. *¿Qué clase de monja es ésta?*, se preguntaba Jaime Miró.

Amparo Jirón estaba menos impresionada. *Me alegrará deshacerme de ella*, pensaba. No se alejaba de Jaime Miró, para que la monja caminara con Félix Carpio.

El campo era agreste y hermoso, acariciado por la suave fragancia del viento estival. Pasaron por pueblitos viejos, algunos de ellos desiertos y desolados, y sobra una colina vieron un antiguo castillo abandonado.

Para Megan, Amparo era como un animal salvaje: avanzaba sin esfuerzo por lomas y valles, y parecía no cansarse nunca.

Cuando al fin, unas horas más tarde, Valladolid surgió a la distancia, Jaime dio orden de detenerse.

Se volvió hacia Félix.

—¿Está todo dispuesto?

—Sí.

Megan se preguntó qué era exactamente lo que estaba dispuesto. Lo averiguó enseguida.

—Tomás tiene instrucciones de ponerse en contacto con nosotros en la arena de los toros.

—¿A qué hora cierra el Banco?

—A las cinco. Habrá tiempo de sobra.

—Jaime asintió.

—Y hoy habrá una buena cantidad de dinero.

Por Dios, van a robar un Banco, pensó Megan. Aquello ya excedía la emoción que ella había esperado.

—¿Tenemos auto? —preguntó Amparo Jirón.

—No hay problema —le aseguró Jaime.

Van a robar uno, pensó Megan. *A Dios no le va a gustar esto.*

Cuando el grupo llegó a las afueras de Valladolid, Jaime advirtió:

—No se aparten de la multitud. Hoy hay corridas de toros y habrá miles de personas. No nos separemos.

Jaime Miró estaba en lo cierto con respecto a la multitud. Megan nunca había visto tanta gente. Las calles rebosaban de peatones y coches y motocicletas, pues la corrida había atraído no sólo turistas sino también habitantes de las poblaciones vecinas. Hasta los niños que se veían en la calle jugaban a los toros.

Megan estaba fascinada por la gente y el ruido y el alboroto que la rodeaban. Observaba los rostros de los transeúntes y se preguntaba cómo serían sus vidas. *Muy pronto volveré al convento, dónde no se me permitirá volver a verle la cara a nadie. Mejor que aproveche todo esto mientras pueda.*

Las aceras estaban llenas de vendedores que exhibían chucherías, medallas religiosas y cruces, y en todas partes flotaba el olor penetrante de las frituras.

Megan se dio cuenta de pronto de que tenía mucha hambre.

Fue Félix quien dijo:

—Jaime, estamos todos hambrientos. Probemos unas de esas frituras.

Félix compró cuatro buñuelos y le dio uno a Megan.

—Pruébelo, hermana. Le va a gustar.

Estaba delicioso. Durante años, la comida no había debido proporcionar placer sino sólo un sustento para el cuerpo, por la gloria del Señor. *Esto es para mí*, pensó Megan irrespetuosamente.

—El ruedo queda por acá —indicó Jaime.

Siguieron a la muchedumbre por el parque en medio de la ciudad hasta la Plaza Poniente, que desembocaba en la Plaza de Toros. La arena se hallaba dentro de una enorme estructura de adobe de tres pisos de alto. En la entrada había cuatro ventanillas para la venta de boletos. A la izquierda, los letreros decían:. "Sol", y a la derecha: "Sombra". Había cientos de personas haciendo cola esperando para comprar las entradas.

—Esperen aquí —ordenó Jaime.

Se dirigió hacia un lugar donde unos especuladores revendían entradas.

Megan se volvió a Félix:

—¿Vamos a ver la corrida?

—Sí, pero no se preocupe, hermana —la tranquilizó Félix—. Le va a encantar.

¿Preocuparme? A Megan la idea la subyugaba. En el orfanato, una de sus fantasías hacía de su padre un gran torero, y Megan había leído todos los libros sobre el tema que había podido conseguir.

Félix decía:

—Las verdaderas corridas son las que se realizan en Madrid y Barcelona. Éstos son novilleros, no toreros profesionales. Todavía no se les ha concedido la alternativa.

Megan sabía que la alternativa era el espaldarazo que sólo se daba a los matadores de primera categoría.

—Los hombres que veremos hoy corren con trajes alquilados y no con los verdaderos trajes de luces bordados en oro, y pelean contra toros de cuernos afilados y peligrosos a los cuales los profesionales se niegan a enfrentar.

—¿Por qué lo hacen?

Félix Carpio se encogió de hombros.

—Más cornadas da el hambre...

Jaime volvió con cuatro entradas.

—Ya podemos entrar.

Megan sentía una excitación creciente.

Cuando se aproximaban a la gran arena, pasaron ante un afiche pegado en la pared. Megan se detuvo a mirarlo.

—¡Miren!

Había una foto de Jaime Miró, debajo de la cual se leía:

BUSCADO POR ASESINATO.
JAIME MIRÓ.
500.000 PESETAS DE RECOMPENSA
POR SU CAPTURA, VIVO O MUERTO

Y de pronto Megan se dio plena cuenta de la clase de hombre con el que viajaba, el terrorista que tenía la vida de ella entre sus manos.

Jaime observaba la foto.

—Se me parece bastante.

Arrancó el afiche, lo dobló y se lo guardó en el bolsillo.

—¿De qué te sirve arrancarlo? —preguntó Amparo—. Debe de haber cientos de afiches como ése.

Jaime esbozó una sonrisa irónica.

—Éste en particular nos va a dar una fortuna, querida.

Qué comentario extraño, pensó Megan. No podía dejar de admirar la frialdad de ese hombre. Había en él un aire de sólida competencia que la tranquilizaba. *Los soldados no lo atraparán nunca*, pensó.

—Entremos.

Había doce entradas, separadas por amplios espacios entre una y otra. Las puertas de hierro rojo estaban abiertas, y sobre cada una de ellas había un número. Adentro se veían puestos que vendían gaseosas y cerveza, y no muy lejos se hallaban los baños. En las gradas, cada sección y asiento estaban numerados. La tribuna describía un círculo completo, en el medio del cual estaba la arena. En todas partes se veían letreros comerciales: BANCO CENTRAL... BOUTIQUE DE CALZADOS... SCHWEPPES... RADIO POPULAR...

Jaime había comprado entradas para el lado de la sombra y mientras se ubicaban en los asientos de madera Megan miraba todo, maravillada. No era tal cual se lo había imaginado. De niña había visto románticas fotografías en color del ruedo de Madrid, enorme y elaborado. Este ruedo era mucho menor. El lugar se iba llenando rápidamente de espectadores.

Sonó una trompeta. La corrida empezó.

Megan se echó hacia adelante en el asiento, con los ojos muy abiertos. Un enorme toro entró a la carrera en el ruedo y de atrás de una pequeña barrera de madera a un costado de la arena salió un matador y comenzó a provocar al animal.

—Después vienen los picadores —dijo Megan, entusiasmada.

Jaime Miró la contempló maravillado. Él se había preocupado porque pensaba que la corrida iba a disgustarle y temía que eso atrajera sobre ellos la atención de los demás. En cambio, la monja parecía estar pasándolo de lo mejor. *Qué raro*.

Un picador se acercaba al toro, montado en un caballo cubierto con una pesada manta. El toro agachó la cabeza y embistió al caballo, hundiendo sus cuernos en la manta, mientras el picador le clavaba una larga pica en el lomo.

Megan miraba, fascinada.

—Eso lo hace para debilitar los músculos del cuello del toro —explicó, recordando los queridos libros que había leído muchos años atrás.

Félix Carpio parpadeó, sorprendido.

—Así es, hermana.

Megan observaba cómo clavaban los pares de banderillas coloridamente decoradas en el lomo del toro.

Ahora le tocaba al matador. Salió al ruedo sosteniendo a un costado una capa roja con una espada adentro. El toro giró y acometió.

Megan se entusiasmaba cada vez más.

—Ahora va a hacer los pases —dijo—. Primero la verónica, después la media verónica y por último la revolera.

Jaime no pudo contener más su curiosidad.

—Hermana... ¿dónde aprendió todo eso?

Sin pensarlo, Megan respondió:

—Mi padre era torero. ¡Miren!

La acción fue tan veloz que Megan apenas consiguió seguirla con los ojos. El toro enloquecido seguía embistiendo contra el matador, y cada vez que se le aproximaba el matador revoleaba la capa roja hacia un lado, y el toro la seguía. Megan estaba preocupada.

—¿Qué pasa si el torero se lastima?

Jaime se encogió de hombros.

—En un lugar como éste, el barbero del pueblo lo atenderá en los corrales y después lo coserá.

El toro acometió otra vez, y el matador lo esquivó de un salto. La multitud lo abucheó.

—Lamento que ésta no sea una corrida mejor, hermana. Tendría que ver a los grandes toreros. Yo vi a Manolete, al Cordobés y a Ordóñez. Ellos daban un espectáculo para no olvidárselo jamás.

—Sí, he leído notas sobre ellos —repuso Megan.

—¿Alguna vez oyó la increíble historia de Manolete? —le preguntó Félix Carpio.

—¿Cuál?

—Cuentan que en un tiempo Manolete era un torero del montón, ni mejor ni peor que otros cientos. Estaba comprometido con una joven muy hermosa, pero un día, cuando Manolete se hallaba en el ruedo, un toro lo corneó entre las piernas y el médico que lo atendió le dijo que nunca podría tener hijos. Manolete amaba tanto a su novia que no se lo dijo, por miedo a que no se casara con él. Se casaron y unos meses más tarde ella le anunció orgullosa que iban a tener un hijo. Bueno, por supuesto que él sabía que el chico no era suyo, y la dejó. La chica, desesperada, se suicidó. Manolete reaccionó como un loco. Ya no tenía deseos de vivir, así que iba al ruedo y hacía cosas que ningún otro matador había hecho antes. Arriesgaba su vida, rogando morir, y así se convirtió en el matador más grande del mundo. Dos años después volvió a enamorarse y se casó con la joven. Unos meses más tarde ella le dijo que estaba embarazada. Y entonces Manolete descubrió que el médico se había equivocado.

—Qué terrible —dijo Megan.

Jaime se echó a reír.

—Una historia muy interesante. Me pregunto si tendrá algo de cierto.

—Yo quisiera pensar que sí —dijo Félix.

Amparo los escuchaba con el rostro impasible. Había observado con resentimiento el creciente interés de Jaime por la monja. *A la hermana le conviene andarse con cuidado.*

Los vendedores de comida, cubiertos con delantales, subían y bajaban por las gradas pregonando su mercadería. Uno de ellos se acercó a la fila donde se sentaban Jaime y los otros.

—Empanadas —gritó—. Empanadas calientes.

Jaime levantó una mano.

—Aquí.

El vendedor arrojó con habilidad un paquete envuelto que cayó en las manos de Jaime. Jaime le extendió diez pesetas al hombre sentado a su lado, para que se las entregara al vendedor. Megan vio que Jaime abría cuidadosamente el envoltorio. Adentro había un papel. Jaime lo leyó, lo leyó otra vez, y Megan advirtió que tensaba la mandíbula.

Jaime se guardó el papel en un bolsillo.

—Nos vamos —dijo ásperamente—. Uno por vez. —Se volvió hacia Amparo. —Tú primero. Nos encontraremos en el portón.

Sin decir una palabra, Amparo se levantó y se abrió paso hacia el pasillo.

Jaime hizo una seña a Félix y éste se levantó y siguió a Amparo.

—¿Qué pasa? —preguntó Megan—. ¿Algo anda mal?

—Salimos hacia Logroño. —Jaime se levantó. —Obsérveme, hermana. Si no me paran, vaya al portón.

Megan se quedó mirando, tensa, mientras Jaime avanzaba hacia el pasillo y se encaminaba a la salida. Nadie parecía prestarle atención. Cuando Jaime desapareció de la vista, Megan se levantó y comenzó a salir. La multitud estalló en una ovación y ella se dio vuelta a ver qué ocurría en la arena. Un joven matador yacía en el suelo, corneado por el toro salvaje. La sangre corría por la arena. Megan cerró los ojos y rezó en silencio: *Oh, bendito Jesucristo, ten piedad de este hombre. Que no muera, sino que viva. El Señor lo ha castigado duramente, pero no lo ha entregado a la muerte. Amén.* Abrió los ojos, giró y salió apresuradamente.

Jaime, Amparo y Félix la esperaban en la entrada.

—Vamos —dijo Jaime.

Comenzaron a caminar.

—¿Qué es lo que ocurre? —preguntó Félix a Jaime.

—Los soldados mataron a Tomás —dijo Jaime—. Y a Rubio lo tiene la policía; lo apuñalaron en una pelea en un bar.

Megan se santiguó.

—¿Y qué les pasó a la hermana Teresa y la hermana Lucía?

—No lo sé. —Jaime se dirigió a los otros. —Tenemos que apurarnos. —Miró su reloj. —El Banco debe de estar lleno de gente.

—Jaime, quizá deberíamos esperar —sugirió Félix—. Ahora nos va a resultar muy peligroso asaltar el Banco los dos solos.

Megan escuchó lo que Félix decía y pensó: *Eso no es motivo suficiente para detenerlo.* Y estaba en lo cierto.

Se encaminaron al enorme estacionamiento situado detrás del ruedo. Megan se quedó atrás y cuando los alcanzó vio que Félix examinaba un Seat azul.

—Éste nos vendrá bien —dijo Félix.

Maniobró un momento la cerradura de la puerta, la abrió e introdujo la cabeza en el interior. Se agachó debajo del volante y unos instantes después el motor arrancó.

—Suban —ordenó Jaime.

Megan se quedó donde estaba, indecisa.

—¿Van a robar un coche?

—Por el amor a Dios —silbó Amparo—. Deje de actuar como una monja y métase en el auto.

Los dos hombres se acomodaron en los asientos delanteros, Jaime al volante. Amparo subió atrás.

—¿Y? ¿Viene o no? —exigió Jaime.

Megan respiró hondo y subió al lado de Amparo. Arrancaron.

Megan cerró los ojos. *Dios mío, ¿adónde me llevas?*

—Si eso la hace sentir mejor, hermana —dijo Jaime—, no estamos robando este auto. Lo confiscamos en nombre del ejército vasco.

Megan comenzó a decir algo, pero se contuvo. Nada de lo que ella pudiera decir haría cambiar de decisión a ese hombre. Permaneció en silencio mientras Jaime conducía hasta el centro de la ciudad.

Va a robar un Banco, pensó Megan, *y ante los ojos de Dios yo seré tan culpable como él.* Se persignó y comenzó a rezar.

El Banco de Bilbao está en la planta baja de un edificio de departamentos de nueve pisos de la calle Cervantes, en la Plaza Circular.

Cuando el coche frenó frente al Banco, Jaime le dijo a Félix:

—Deja el motor andando. Si surgen problemas arranca y ve a encontrarte con los demás en Logroño.

Félix lo miró sorprendido.

—¿Qué dices? No irás a entrar ahí *solo*, ¿verdad? No puedes, las posibilidades en contra son muy grandes, Jaime. Es demasiado peligroso.

Jaime le dio una palmada en el hombro.

—Si se lastiman, se lastiman —le dijo con una sonrisa irónica, y bajó del coche.

Los otros tres se quedaron mirando mientras Jaime entraba en una talabartería contigua al Banco. Unos minutos después salió llevando un portafolio. Saludó con la cabeza al grupo que esperaba en el auto, y entró en el Banco.

Megan apenas podía respirar. Se puso a rezar:

La oración es un llamado.
La oración es escuchar.
La oración es una morada.
La oración es una presencia.
La oración es una luz
encendida con Jesús.
Estoy tranquila y llena de paz.

No estaba tranquila ni llena de paz.

Jaime Miró atravesó dos puertas que llevaban al vestíbulo de mármol del Banco. En la entrada, en lo alto de una pared, advirtió una cámara de seguridad. La miró con gesto casual y luego estudió el salón. Detrás de los mostradores una escalera conducía al segundo piso, donde los empleados del Banco trabajaban tras sus escritorios. Faltaba muy poco para la hora de cerrar y el lugar estaba lleno de clientes ansiosos por concluir sus transacciones. La gente hacía cola frente a las cajas y Jaime notó que varios de los clientes llevaban paquetes.

Se detuvo en una de las colas y aguardó pacientemente su turno.

Cuando llegó a la caja, sonrió con amabilidad y dijo:

—Buenas tardes.

—Buenas tardes, señor. ¿En qué podemos servirlo?

Jaime se apoyó contra la ventanilla y sacó el poster doblado que pedía su captura. Se lo dio al cajero.

—¿Quiere mirar esto, por favor?

El cajero sonrió.

—Por supuesto, señor.

Lo desplegó y cuando vio de qué se trataba abrió grandes los ojos. Miró a Jaime y el pánico le cubrió el rostro.

—Es bastante parecido, ¿no? —le dijo Jaime en voz baja—. Como podrá imaginar por lo que dice allí, he matado a muchas personas, así que uno más no será gran diferencia para mí. ¿Me explico?

—Pe... perfectamente, señor. Perfectamente. Tengo familia. Le ruego...

—Yo respeto a las familias, así que le diré lo que quiero que haga para salvar al padre de sus hijos. —Jaime empujó el portafolio hacia el cajero. —Quiero que lo llene. Quiero que lo haga rápido y en silencio. Si verdaderamente cree usted que el dinero es más importante que su vida, apriete la alarma.

El cajero sacudió la cabeza.

—No, no, no.

Empezó a sacar dinero del cajoncito de la caja y guardarlo en el portafolio. Las manos le temblaban.

Cuando el portafolio estuvo lleno, el cajero dijo:

—Aquí tiene, señor. Le... le prometo que no daré la alarma.

—Muy astuto de su parte —le contestó Jaime—. Y le diré por qué, amigo. —Se dio vuelta y señaló a una mujer madura al final de la cola, que llevaba un paquete envuelto en papel marrón. —¿Ve aquella mujer? Es de las nuestras. En el paquete hay una bomba. Si suena la alarma, hará estallar la bomba de inmediato.

El cajero se puso aún más pálido.

—¡No, por favor!

—Esperará usted diez minutos después de que ella se vaya del Banco, antes de hacer cualquier movimiento —le advirtió Jaime.

—Se lo juro por la vida de mis hijos —susurró el cajero.

—Buenas tardes.

Jaime tomó el portafolio y avanzó hacia la puerta. Sentía los ojos del cajero clavados en él.

Se detuvo junto a la mujer con el paquete.

—Tengo que felicitarla —le dijo—. El vestido que lleva es de lo más sentador.

La mujer se sonrojó.

—Bueno, gracias, señor... Gracias.

—De nada.

Jaime se dio vuelta para hacer una seña al cajero y luego salió del Banco. Pasarían al menos quince minutos antes de que la mujer hiciera su trámite y se fuera. Para ese momento, haría rato que él y los suyos habrían volado.

Cuando Jaime salió del Banco y avanzó hacia el coche, Megan casi se desmayó del alivio.

Félix Carpio sonrió.

—El bastardo lo logró. —Se dirigió a Megan: —Disculpe, hermana.

Megan nunca se había alegrado tanto de ver a alguien. *Lo hizo*, pensó. *Y él solo. No veo la hora de contarles a las hermanas lo que sucedió.* Y entonces recordó. Nunca podría contarle aquello a nadie. Cuando volviera al convento sólo habría silencio por el resto de su vida. Eso le produjo una extraña sensación.

—Cambiemos de lugar, amigo —le dijo Jaime a Félix—. Conduciré yo —y echo el portafolio al asiento trasero.

—¿Salió todo bien? —preguntó Amparo.

Jaime rió.

—Mejor, imposible. Tengo que acordarme de agradecerle al coronel Acoca por el afiche.

El coche arrancó. En la primera esquina, la calle de Tudela, Jaime giró a la izquierda. Un policía se acercó al auto y levantó una señal para que se detuvieran. Jaime apretó el freno.

El policía se aproximó al coche.

Jaime preguntó con calma:

—¿Cuál es el problema, agente?

—El problema, señor, es que está manejando de contramano. A menos que pueda probar que no ve bien, tendrá problemas. —Indicó una señal: —La calle está claramente señalizada. Es de esperar que los conductores respeten los letreros. Es para eso que los pusieron allí.

Jaime se disculpó:

—Le pido mil perdones. Mis amigos y yo estábamos enfrascados en una discusión tan seria que no vi la señal.

El policía se inclinó sobre la ventanilla. Estudiaba a Jaime con una expresión desconcertada en el rostro.

—Tenga la amabilidad de mostrarme su registro, por favor.

—Por supuesto —dijo Jaime.

Buscó el revólver que llevaba bajo la chaqueta. Félix estaba listo para actuar. Megan contuvo el aliento.

Jaime simuló registrar sus bolsillos.

—Sé que lo tengo en algún lugar.

En ese momento llegó un largo aullido del otro lado de la plaza y el policía se dio vuelta a mirar. En la esquina un hombre golpeaba a una mujer, atacándola a trompadas en la cabeza y los hombros.

—¡Socorro! —gritaba la mujer—. ¡Socorro! ¡Me está matando!

El policía vaciló un instante.

—Espere aquí —ordenó.

Corrió al lugar donde estaban el hombre y la mujer.

Jaime arrancó a toda velocidad. El coche salió como un rayo por la calle, a contramano, dispersando el tránsito y despertando bocinazos de protesta. Al llegar a la otra esquina Jaime giró hacia el puente que conducía a la salida de la ciudad por la avenida de Sánchez Arjona.

Megan miró a Jaime y se santiguó. Apenas conseguía respirar.

—¿Habría... habría usted matado a ese policía si ese hombre no le pegaba a la mujer?

Jaime no se molestó en contestar.

—A esa mujer no le estaban pegando, hermana —explicó Félix—. Eran dos de los nuestros. No estamos solos; tenemos muchos amigos.

Jaime esbozó una mueca irónica.

—Vamos a tener que deshacernos de este coche.

Habían llegado a las afueras de Valladolid. Tomaron la N620, la carretera a Burgos, camino de Logroño. Jaime tuvo la precaución de no superar los límites de velocidad permitidos.

—Nos desharemos de este auto en cuanto pasemos Burgos —anunció.

No puedo creer lo que me está ocurriendo, pensó Megan. *Escapé del convento, huyo del ejército y voy en un coche robado con unos terroristas que acaban de asaltar un Banco. Señor, ¿qué más me tienes preparado?*

Capítulo treinta y uno

El coronel Acoca y media docena de los miembros del GOE se encontraban en medio de una reunión de estrategia. Estudiaban un gran mapa del campo.

El coronel dijo:

—Es obvio que Miró se dirige al norte a través del país vasco.

—Eso podría significar Burgos, Victoria, Logroño, Pamplona o San Sebastián.

San Sebastián, pensó Acoca. *Pero tengo que agarrarlo antes de que llegue allá.*

Volvió a oír la voz que le había hablado por teléfono: *Le está quedando poco tiempo.*

No podía permitirse fracasar.

Avanzaban con el auto a través de las sierras que anunciaban la proximidad de Burgos.

Jaime iba tranquilo tras el volante. Cuando al fin habló dijo:

—Félix, cuando lleguemos a San Sebastián quiero que arregles las cosas para sacar a Rubio de la policía.

Félix asintió.

—Será un placer. Se volverán locos.

—¿Y qué pasa con la hermana Lucía? —preguntó Megan.

—¿Qué?

—¿No dijo que también la habían capturado a ella?

Jaime respondió secamente:

—Sí, pero la hermana Lucía resultó ser una criminal buscada por la policía, por asesinato.

La noticia conmocionó a Megan. Recordó cómo Lucía se ha-

281

bía hecho responsable de ellas y las había convencido de esconderse en las montañas. La hermana Lucía le caía simpática.

Dijo con obstinación:

—Ya que van a rescatar a Rubio, pueden salvarlos a los dos. *¿Qué endiablada clase de monja es ésta?*, se preguntó Jaime. Pero ella tenía razón. Llevarse a Rubio y a Lucía ante las narices de la policía sería una magnífica propaganda que saldría en todos los diarios.

Amparo se había sumergido en un malhumorado silencio.

De pronto, a la distancia, en el camino frente a ellos, distinguieron tres camiones del ejército llenos de soldados.

—Será mejor que salgamos de esta ruta —decidió Jaime.

En la intersección siguiente dobló por la carretera N120 y marchó hacia el este.

—Más adelante está Santo Domingo de la Calzada. Allí hay un viejo castillo abandonado. Pasaremos la noche ahí.

Divisaron la silueta a lo lejos, en lo alto de una loma. Jaime tomó por un camino lateral, evitando el pueblo, y el castillo fue tornándose más y más grande a medida que se aproximaban. A unos metros había un lago.

Jaime detuvo el coche.

—Bajen todos, por favor.

Cuando lo hicieron, Jaime dirigió el volante colina abajo, hacia el lago, apretó el acelerador, liberó el freno de mano y saltó fuera. Los cuatro se quedaron mirando cómo el auto desaparecía en el agua.

Megan estaba por preguntarle cómo iban a llegar a Logroño, pero se calló. *Qué pregunta tonta. Va a robar otro coche, por supuesto.*

El grupo fue a examinar el castillo abandonado. Había un gran muro de piedra que lo cercaba, con derruidas torretas en cada esquina.

—En otros tiempos —le dijo Félix a Megan— los príncipes utilizaban estos castillos como prisiones para sus enemigos.

Y Jaime es un enemigo del Estado, y si lo atrapan no habrá prisión para él. Sólo la muerte, pensó Megan. *Pero él no tiene miedo.* Recordó las palabras que había dicho: "Tengo fe en la causa por la que lucho. Tengo fe en mis hombres, y en mis armas".

Subieron por los escalones de piedra que llevaban a la puerta del frente. Eran portones de hierro tan herrumbrados que con sólo empujarlos pudieron entrar en un patio adoquinado.

El interior del castillo le pareció enorme a Megan. Había estrechos pasadizos y habitaciones por todas partes, y también cañones que apuntaban al exterior, para poder defender el castillo de los atacantes.

Una escalera de piedra llevaba al segundo piso donde había otro claustro, un patio interior. Los escalones se tornaban más angostos a medida que subían al tercer piso, y luego al cuarto. Todo el lugar estaba desierto.

—Bueno, al menos hay lugar de sobra donde dormir —dijo Jaime—. Félix y yo iremos a buscar comida. Elijan sus cuartos.

Los dos hombres bajaron.

Amparo se dirigió a Megan:

—Venga, hermana.

Bajaron al vestíbulo y revisaron las habitaciones, que para Megan, eran todas iguales. Eran vacíos cubículos de piedra, fríos y austeros, unos un poco más grandes que otros.

Amparo eligió el mayor.

—Jaime y yo dormiremos aquí. —Miró a Megan y le preguntó con aire socarrón: —¿Le gustaría dormir con Félix?

Megan la miró sin responderle.

—O quizá prefiera dormir con Jaime —le dijo Amparo acercándosele—. No se haga ilusiones, hermana. Él es demasiado para usted.

—No tiene de qué preocuparse. No me interesa.

Y en el mismo momento de decirlo, Megan se preguntó si verdaderamente Jaime Miró era demasiado para ella.

Cuando Jaime y Félix regresaron al castillo, una hora más tarde, Jaime llevaba dos conejos y Félix madera para hacer fuego. Félix aseguró la puerta. Megan los observó preparar el fuego en la gran chimenea. Jaime despellejó y cocinó los conejos sobre las brasas.

—Lamento no poder ofrecerles un festín, señoras —dijo Félix—, pero en Logroño comeremos bien. Mientras tanto, disfruten esto.

Cuando terminaron la magra comida, Jaime dijo:

—Vayamos a dormir. Quiero que salgamos temprano por la mañana.

—Ven, querido —le dijo Amparo a Jaime—. Ya elegí nuestro cuarto.

—Bueno, vamos.

Megan los miró subir de la mano.

Félix se volvió hacia Megan:

—¿Usted ya escogió su cuarto, hermana?

—Sí, gracias.

Megan y Félix subieron juntos las escaleras.

—Buenas noches —dijo Megan.

Carpio le dio una bolsa de dormir.

—Buenas noches, hermana.

Megan quería preguntarle a Félix sobre Jaime, pero vacilaba. Miró podía pensar que ella estaba husmeando, y por alguna razón Megan ansiaba que Jaime tuviera una buena opinión de ella. *Esto es muy raro*, pensó Megan. *Es un terrorista, un asesino, un ladrón de Bancos, y sólo el cielo sabe qué más, y yo me preocupo de que el hombre piense bien de mí.*

Pero mientras lo pensaba, Megan sabía que también podía considerarlo desde otro aspecto. *Es un hombre que lucha por la libertad. Asalta Bancos para financiar su causa. Arriesga la vida por la causa en la que cree. Es un valiente.*

Al pasar delante del cuarto de Miró y Amparo, los oyó reírse. Entró en el cuartito desnudo en el que iba a dormir y se arrodilló en el piso de piedra.

—Dios mío, perdóname por...

¿Perdóname por qué? ¿Qué hice?

Por primera vez en su vida, Megan no pudo rezar. ¿Estaba Dios allá arriba, escuchándola?

Se introdujo en la bolsa de dormir que le había dado Félix, pero el sueño estaba tan remoto como las frías estrellas que alcanzaba a ver por la estrecha ventana.

¿Qué estoy haciendo aquí? Sus pensamientos retrocedieron hasta el convento... el orfanato. *¿Y antes del orfanato? ¿Por qué me dejaron ahí? Realmente no creo que mi padre haya sido un valiente soldado o un gran torero. ¿Pero no sería maravilloso averiguarlo?*

Casi amanecía cuando Megan se quedó dormida.

En la cárcel de Aranda de Duero, Lucía Carmine era una celebridad.

—Eres un pez gordo en un pequeño estanque —le dijo el guardia—. El gobierno italiano va a enviar a alguien para que te escolte de vuelta allá. A mí me gustaría escoltarte a mi casa, puta bonita. ¿Qué hiciste de malo?

—Le corté las bolas a un hombre por llamarme puta bonita. Dígame, ¿cómo está mi amigo?

—Va a sobrevivir.

Lucía dijo una plegaria silenciosa de agradecimiento. Contempló las paredes de la celda siniestra y gris, y pensó: *¿Cómo diablos salgo de aquí?*

Capítulo treinta y dos

El informe del asalto al Banco circuló por los canales policiales de rutina, y recién dos horas después de ocurrido un oficial notificó al coronel Acoca.

Una hora más tarde, el coronel Acoca estaba en Valladolid, furioso por la demora.

—¿Por qué no se me informó de inmediato?

—Disculpe, coronel, pero no se nos ocurrió que...

—¡Lo tuvieron en sus manos y lo dejaron escapar!

—No fue nuestra...

—Mándenme al cajero.

El cajero se sentía importante.

—Vino a *mi* ventanilla. Me di cuenta de que era un asesino por la forma de mirar. Él...

—¿No tiene ninguna duda de que el hombre que lo amenazó era Jaime Miró?

—Ninguna. Hasta me mostró un afiche con su foto. Era...

—¿Entró solo en el Banco?

—Sí. Señaló a una mujer que estaba en la cola y me dijo que era de su banda, pero cuando Miró se fue la reconocí. Es una secretaria, una clienta regular del Banco y...

El coronel Acoca lo interrumpió con impaciencia:

—Cuando Miró se fue, ¿vio en qué dirección salió?

—Por la puerta principal.

La entrevista con el agente de tránsito tampoco sirvió de mucho.

—En el auto había cuatro personas, coronel. Jaime Miró y otro hombre adelante, y atrás dos mujeres.

—¿Hacia dónde se dirigían?

El policía vaciló.

—Podrían haber ido en cualquier dirección, señor... —Se le iluminó la cara. —Puedo describirle el coche.

El coronel Acoca sacudió la cabeza con disgusto.

—No se moleste.

Estaba soñando, y en su sueño se oían las voces de una multitud que iba a buscarla para quemarla en una hoguera por robar un Banco. *No lo hice por mí, sino por la causa.* Las voces se hacían más fuertes.

Megan abrió los ojos y se sentó, mirando las poco familiares paredes del castillo. Las voces eran reales. Venían del exterior.

Se levantó y corrió a la ventanita. Directamente abajo, frente al castillo, había un campamento de soldados. Se sintió súbitamente presa de pánico. *Nos han atrapado. Debo encontrar a Jaime.*

Se precipitó a la habitación donde él y Amparo habían pasado la noche y miró hacia adentro. No había nadie. Corrió escaleras abajo, al vestíbulo de entrada en la planta baja. Jaime y Amparo estaban junto a la puerta principal, susurrando.

Félix se les acercó a la carrera.

—Registré el fondo. No hay más salida que ésta.

—¿Y qué me dices de las ventanas?

—Demasiado pequeñas. La única salida es por la puerta del frente.

Donde están los soldados, pensó Megan. *Estamos atrapados.*

Jaime decía:

—Qué suerte maldita la nuestra. Justo tenían que elegir este lugar para acampar...

—¿Qué vamos a hacer? —murmuró Megan.

—No podemos hacer nada. Tendremos que quedarnos aquí hasta que se vayan. Si...

Y en ese momento se oyó un fuerte golpe en la puerta principal. Una voz autoritaria gritó:

—¡Abran!

Jaime y Félix intercambiaron una mirada rápida y sin pronunciar una palabra extrajeron sus armas.

La voz volvió a gritar:

—Sabemos que hay alguien ahí dentro. ¡Abran!

Jaime se dirigió a Amparo y Megan:

—Salgan de aquí.

No hay esperanza, pensó Megan, mientras Amparo se colocaba detrás de Jaime y Félix. *Debe de haber dos docenas de hombres armados allá afuera. No tenemos ninguna posibilidad.*

Antes de que los otros pudieran detenerla, Megan se adelantó velozmente hasta la puerta y la abrió.

—¡Gracias al Señor que han venido! —exclamó—. Tienen que ayudarme.

Capítulo treinta y tres

El oficial del ejército miró a Megan con estupor.

—¿Quién es usted? ¿Qué está haciendo aquí? Yo soy el capitán Rodríguez y estamos buscando a...

—Llegó justo a tiempo, capitán. —Megan se aferró de un brazo. —Mis dos hijitos tienen fiebre tifoidea, y debo llevarlos a un médico. Por favor, entre y ayúdeme.

—¿Fiebre tifoidea?

—Sí. —Megan le tiraba de una manga. —Es terrible, vuelan de fiebre... Están cubiertos de llagas y muy enfermos. Traiga a sus hombres y ayúdeme a llevarlos a...

—¡Señora! ¿Está usted loca? Esa enfermedad es altamente contagiosa.

—Eso no importa. Necesito ayuda. Quizá mis niños estén muriéndose —insistió Megan tironeándolo de un brazo.

—Suélteme.

—¡No puede irse! ¿Qué haré?

—Vuelva adentro y quédese allí hasta que podamos notificar a la policía y mandar una ambulancia o un médico.

—Pero...

—Es una orden, señora. Entre.

El militar gritó a sus hombres:

—Sargento, nos vamos de aquí.

Megan cerró la puerta y se recostó contra el hierro, agotada. Jaime la contemplaba asombrado.

—Por Dios, qué actuación brillante. ¿Dónde aprendió a mentir así?

Megan suspiró.

—Cuando estaba en el orfanato, teníamos que defendernos. Espero que Dios me perdone.

—Ojalá hubiera podido verle la cara al capitán —dijo Jaime echando a reír— ¡Fiebre tifoidea! ¡Jesucristo! —Advirtió la expresión de Megan y dijo: —Discúlpeme, hermana.

Oyeron los ruidos de los soldados que, afuera, desarmaban las tiendas y comenzaban a retirarse.

Cuando las tropas partieron, Jaime dijo:

—La policía vendrá dentro de poco. Además, tenemos una cita en Logroño.

Quince minutos después de que los soldados abandonaran el lugar, Jaime dijo:

—Lo más seguro es que nos vayamos ahora. Félix, a ver qué puedes conseguir en el pueblo. Preferentemente, que sea un sedán.

Félix sonrió.

—No hay problema.

Media hora más tarde se hallaban los cuatro en un vapuleado sedán gris, rumbo al este.

Para sorpresa de Megan, Félix y Amparo se ubicaron atrás, así que ella quedó junto a Jaime, que la miraba sonriente.

—Fiebre tifoidea —dijo y largó una carcajada.

Megan sonrió.

—El hombre parecía ansiosísimo por irse, ¿no?

—¿Dijo usted que estuvo en un orfanato, hermana?

—Sí.

—¿Dónde?

—En Ávila.

—No tiene aspecto de española.

—Ya me lo han dicho.

—Debe de haberlo pasado como el infierno en el orfanato, ¿no?

Megan se asombró de ese inesperado interés.

—Podría haberlo sido —respondió—, pero no lo fue.

Yo no lo permitía, pensó.

—¿Tiene alguna idea de quiénes eran sus padres?

Megan recordó sus fantasías.

—Sí, claro. Mi padre era un inglés muy valiente que trabajaba como chofer de ambulancia para los leales a la República en la Guerra Civil Española. Mi madre murió en batalla y a mí me dejaron en una granja. —Megan se encogió de hombros. —O mejor: mi padre era un príncipe extranjero que tuvo una aventura con una campesina y me abandonó para evitar el escándalo.

Jaime la miró de reojo, sin decir nada.

—Yo... —Megan se interrumpió abruptamente. —La verdad es que no sé quiénes eran mis padres.

Siguieron en silencio durante un rato.

—¿Cuánto tiempo pasó tras los muros del convento?

—Unos quince años.

Jaime estaba perplejo.

—¡Jesús!—y se apresuró a agregar: —Perdone, hermana. Pero es como hablar con alguien de otro planeta. Usted no tiene idea de lo que ocurrió en el mundo los últimos quince años.

—Estoy segura de que, cualesquiera sean los cambios, no son más que temporarios. Todo seguirá cambiando.

—¿Todavía desea volver al convento?

La pregunta la tomó por sorpresa.

—Por supuesto.

—¿Por qué? —exclamó Jaime con un ademán como señalando el mundo—. Quiero decir... Hay tantas cosas que usted se perderá detrás de esos muros... Acá tenemos música y poesía. España le dio al mundo un Cervantes y un Picasso, un Lorca, Pizarro, De-Sota, Cortés. Éste es un país mágico.

En ese hombre había una sorprendente ternura, un suave fuego. Inesperadamente, Jaime dijo:

''Lamento haber querido abandonarla al principio, hermana. No era nada personal. He tenido muy malas experiencias con la Iglesia.

—Eso es difícil de creer.

—Créalo —dijo con voz amarga.

Con los ojos de la mente podía ver los edificios y las estatuas y las calles de Guernica explotando en lluvias de muerte. Aún oía los alaridos de las bombas que se mezclaban con los alaridos de las indefensas víctimas que morían destrozadas. El único lugar donde refugiarse era la iglesia.

Los sacerdotes cerraron la iglesia. No nos dejarán entrar.

Y la ráfaga mortal de balas que había asesinado a su madre, su padre y sus hermanas. *No, las balas no*, pensó Jaime. *La Iglesia.*

''Su Iglesia apoyó a Franco y permitió que se hicieran cosas abominables a civiles inocentes.

—Estoy segura de que la Iglesia protestó —dijo Megan.

—No. Recién cuando los falangistas violaron monjas y asesinaron sacerdotes y quemaron iglesias, el Papa decidió romper con Franco. Pero eso no les devolvió la vida ni a mi madre ni a mi padre ni a mis hermanas.

La pasión de su voz asustaba.

—Lo lamento. Pero eso ocurrió hace mucho. La guerra terminó.

—No. Para nosotros, no. El gobierno aún no nos permite enarbolar la bandera vasca ni celebrar nuestras fiestas nacionales ni hablar nuestra lengua. No, hermana. Seguiremos luchando hasta que obtengamos la independencia. Todavía somos oprimidos. En España hay medio millón de vascos, y otros ciento cincuenta mil en Francia. Queremos nuestra independencia... pero su Dios está demasiado ocupado para ayudarnos.

Megan dijo con gravedad:

—Dios no puede tomar partido, pues Él está en todos nosotros. Todos somos parte de Él, y cuando tratamos de destruirlo nos destruimos a nosotros mismos.

Para sorpresa de Megan, Jaime sonrió:

—Usted y yo nos parecemos mucho, hermana.

—¿Sí?

—Creemos en cosas diferentes, pero creemos con pasión. La mayoría de la gente pasa por la vida sin preocuparse profundamente por nada. Usted consagra su vida a Dios; yo consagro mi vida a mi causa. Nosotros nos preocupamos.

Y Megan pensó: *¿Me preocupo yo lo suficiente? Y si es así, ¿por qué disfruto de la compañía de este hombre? Sólo debería estar pensando en regresar a un convento.* En Jaime Miró había un poder que era como un imán. *¿Será como Manolete? ¿Arriesgará su vida en situaciones peligrosas porque no tiene nada que perder?*

—¿Qué le harán si los soldados lo atrapan? —preguntó Megan.

—Me ejecutarán.

Lo dijo con tanta naturalidad que por un momento Megan creyó haber entendido mal.

—¿No tiene miedo?

—Claro que tengo miedo. Todos tenemos miedo. Ninguno de nosotros quiere morir, hermana. Ya nos encontraremos con su Dios a su debido tiempo. No queremos adelantarnos.

—¿Ha hecho cosas tan terribles?

—Depende de cuál sea su punto de vista. La diferencia entre un patriota y un rebelde depende de quién se halle en el poder en ese momento. El gobierno nos llama terroristas. Nosotros nos llamamos libertadores. Jean-Jacques Rousseau dijo que la libertad es el poder para elegir nuestras propias cadenas. Yo quiero esa libertad. —Estudió a Megan un instante. —Pero usted no tiene por qué preocuparse de ninguna de estas cosas, ¿no es así? Cuando vuelva al convento ya no le interesará el mundo exterior.

¿Era cierto? Estar nuevamente en el mundo había cambiado por completo la vida de Megan. ¿Quería renunciar a su libertad? Había tantas cosas que deseaba saber, tanto que deseaba aprender. Se sentía como una pintora frente a una tela en blanco a punto de comenzar a bosquejar una vida nueva. *Si vuelvo a un convento*, pensó, *volveré a quedar recluida de la vida.* Y al pensarlo la asombró el haber usado la palabra *si. Cuando vuelva*, se corrigió enseguida. *Por supuesto que volveré. No tengo ningún otro lugar donde ir.*

Esa noche acamparon en los bosques.

—Nos encontraremos con los demás en Logroño dentro de dos días —dijo Jaime—, y unas horas después usted estará en el convento de Mendavia.

Para siempre.

—¿Y qué pasará con usted? —preguntó Megan.

—¿Se preocupa por mi alma, hermana, o por mi cuerpo?

Megan se ruborizó.

"No me va a pasar nada. Cruzaré la frontera y me quedaré un tiempo en Francia.

—Rezaré por usted.

—Gracias —respondió Miró con voz grave—. Y yo pensaré que usted estará rezando por mí y me sentiré más seguro. Ahora duerma. Mañana debemos llegar a León.

Al darse vuelta para acostarse, Megan vio que Amparo la observaba desde el otro extremo del claro. En su rostro había una mirada de odio.

Nadie me quita mi hombre. Nadie.

Capítulo treinta y cuatro

A la mañana siguiente llegaron a las afueras de Astorga, un pueblo al oeste de León. Se dirigieron a una estación de servicio, donde un mecánico trabajaba en un coche. Jaime entró en el garaje.

—Buenos días —saludó el mecánico—. ¿Cuál es el problema?

—Si lo supiera —contestó Jaime—, lo arreglaría yo mismo. Este auto es tan inservible como una mula. Escupe como una vieja y no tiene energía.

—Suena como mi mujer —dijo el mecánico con una sonrisa burlona—. Creo que anda mal el carburador, señor.

Jaime se encogió de hombros.

—No sé nada de autos. Lo único que sé es que mañana tengo una cita importante en Madrid. ¿Puede arreglarlo para esta tarde?

—Tengo dos trabajos antes del suyo —dijo el mecánico—, pero...

Dejó el final de la oración flotando en el aire.

—Podría pagarle doble...

La cara del mecánico se iluminó.

—¿Le parece bien a las dos de la tarde?

—Magnífico. Iremos a comer algo y volveremos a las dos.

Jaime volvió con los otros, que habían escuchado la conversación con asombro.

—Estamos de suerte —dijo Jaime—. Este hombre nos va a arreglar el coche. Vayamos a comer.

Bajaron del auto y siguieron a Jaime calle abajo.

—A las dos —repitió el mecánico.

—A las dos.

Cuando el hombre ya no podía oírlos, Félix dijo:

—¿Qué haces? Al coche no le pasa nada.

Nada, salvo que la policía estará buscándolo, pensó Megan. *Pe-*

ro lo buscarán en las rutas, no en un garaje. Qué manera astuta de deshacerse de él.

—A las dos habremos desaparecido, ¿no? —preguntó Megan.

Jaime la miró con una sonrisa pícara.

—Tengo que llamar por teléfono. Esperen aquí.

Amparo tomó a Jaime de un brazo.

—Iré contigo.

Mientras los dos se alejaban, Félix le dijo a Megan:

—Usted y Jaime se entienden bien, ¿no?

—Sí —respondió Megan, súbitamente cohibida.

—No es un hombre fácil de conocer. Pero es un hombre de gran honor y gran valentía. No hay otro como él. ¿Le conté cómo me salvó la vida, hermana?

—No. Me gustaría escucharlo.

—Hace unos meses el gobierno ejecutó a seis combatientes por la libertad. Como revancha, Jaime decidió volar el dique del Puente La Reina, al sur de Pamplona. El pueblo que se hallaba debajo era el cuartel general del ejército. Fuimos de noche, pero alguien se enteró e informó al GOE, y los hombres de Acoca capturaron a tres de nosotros, yo entre ellos. Nos condenaron a muerte. Habría hecho falta un ejército para asaltar la cárcel donde estábamos, pero Jaime lo resolvió de otro modo. Soltó los toros en Pamplona, y en la confusión nos sacó de la prisión, a mí y a otro de los nuestros. Al tercero lo habían matado a golpes los hombres de Acoca. Sí, hermana, Jaime Miró es muy especial.

Cuando Jaime y Amparo regresaron, Félix preguntó:

—¿Qué ocurre?

—Nos van a recoger unos amigos. Nos llevarán hasta León.

Media hora más tarde apareció un camión; la parte posterior estaba cubierta por una lona.

—Bienvenidos —saludó jovialmente el conductor—. Suban.

—Gracias, amigo.

—Es un placer poder ayudarlo, señor. Hizo bien en llamarnos. Los malditos soldados pululan por todas partes, como pulgas. Usted y sus amigos no deben andar al descubierto; no es seguro.

Los cuatro saltaron a la parte de atrás del camión y el enorme vehículo partió rumbo al noreste.

—¿Dónde se alojarán en León? —preguntó el conductor.

—Con unos amigos —respondió Jaime.

Y Megan pensó: *Él no confía en nadie. Ni siquiera en alguien que lo está ayudando. ¿Pero qué otra cosa podría hacer? Su vida corre peligro.* Y consideró lo terrible que debía de ser para Jaime vivir bajo esa sombra, huyendo de la policía y el ejército. Y todo porque creía tanto en un ideal que estaba dispuesto a morir por él. ¿Qué era lo que había dicho? *La diferencia entre un patriota y un rebelde depende de quién se halle en el poder en ese momento.*

El viaje fue agradable. Paradójicamente, la delgada lona daba una impresión de seguridad, y Megan se dio cuenta de cuánta tensión había sufrido mientras avanzaban a campo abierto, sabiendo que los perseguían. *Y Jaime vive constantemente bajo esa tensión. Qué fuerte es.*

Ella y Jaime conversaban, y las palabras fluían con facilidad, como si ambos se conocieran desde siempre. Amparo Jirón los escuchaba, sin decir nada, con gesto impasible.

—Cuando era chico —le contaba Jaime a Megan— quería ser astrónomo.

Megan sintió curiosidad.

—¿Y por qué después...?

—Había visto morir baleados a mi madre, mi padre y mis hermanas, habían asesinado a mis amigos, y no podía enfrentar lo que estaba ocurriendo en esta maldita tierra. Las estrellas eran un escape. Estaban a millones de años luz de distancia, y yo soñaba que un día llegaría a ellas y me iría de este planeta horrible.

Megan lo miraba en silencio.

"Pero no hay escape, ¿no? A la larga, todos tenemos que enfrentar nuestras responsabilidades. Así que volví a la Tierra. Antes creía que una sola persona no podía cambiar las cosas. Pero ahora sé que eso no es cierto. Jesús cambió algo, y Mahoma y Gandhi y Einstein y Churchill, también. —Sonrió con ironía. —No me interprete mal, hermana. No es que me esté comparando con ellos. Pero, a mi modesta manera, hago lo que puedo. Creo que todos debemos hacer lo que podamos.

Megan se preguntó si esas palabras encerraban un significado especial dirigido a ella.

—Cuando me quité las estrellas de los ojos, estudié ingeniería. Aprendí a construir edificios. Ahora los hago volar. Y la ironía es

296

que algunos de los edificios que volé los había construido yo.

Llegaron a León al atardecer.

—¿Adónde los llevo? —preguntó el conductor del camión.

—Puede dejarnos en esta esquina, amigo.

El conductor asintió.

—Muy bien. Siga luchando por lo justo.

Jaime ayudó a Megan a bajar del camión. Amparo lo observó con ojos llameantes. Ella no permitía que su hombre tocara a ninguna otra mujer. *Es una puta*, pensó Amparo. *Y Jaime está caliente por esa monja perra. Pero esto no va a durar. Él descubrirá muy pronto que ella no le sirve de nada. Jaime necesita una mujer de verdad.*

El grupo tomó por las calles laterales, alerta a cualquier señal de peligro. Veinte minutos después llegaron a una casa de piedra, de una planta, semioculta en una callejuela y rodeada por una alta cerca.

—Es aquí —dijo Jaime—. Nos quedaremos esta noche y nos iremos mañana, antes de que amanezca.

Abrieron el portón y se dirigieron a la puerta. Jaime demoró apenas un momento en correr el cerrojo, y luego entraron.

—¿De quién es esta casa? —preguntó Megan.

—Hace usted muchas preguntas —observó Amparo—. Limítese a agradecer que la hayamos mantenido viva.

Jaime miró un instante a Amparo.

—La hermana ha demostrado que tiene derecho a hacer preguntas. —Se volvió hacia Megan: —Es la casa de un amigo. Ahora ya estamos en el país vasco; de aquí en adelante nuestro viaje será más fácil. Habrá camaradas en todos lados, vigilando y protegiéndonos. Usted llegará al convento pasado mañana.

Megan sintió un pequeño escalofrío que era casi un dolor. *¿Qué es lo que me pasa?*, se preguntó. *Por supuesto que quiero volver. Perdóname, Señor. Te pedí que me llevaras a casa, a Tu seguridad, y lo estás haciendo.*

—Me muero de hambre —dijo Félix—. Veamos que hay en la cocina.

Había de todo.

—Nuestro amigo nos dejó muchísima comida —dijo Jaime—. Prepararé una comida magnífica. —Le sonrió a Megan. —Creo que nos la merecemos, ¿no le parece?

—No sabía que los hombres cocinaban —dijo Megan.

Félix rió.

—Los hombres vascos se enorgullecen de saber cocinar. ya verá usted misma los resultados.

Mientras le alcanzaban los ingredientes que Jaime iba pidiendo, observaban cómo preparaba un plato de pimientos verdes pelados y asados, cebollas en rodajas, tomates, huevos y jamón, todo salteado.

—Qué olor delicioso —dijo Megan cuando la comida comenzó a cocerse.

—Ah, pero esto no es más que la entrada. Voy a preparar para usted un famoso plato vasco: pollo al chilindrón.

No dijo "para nosotros", advirtió Amparo. *Dijo: "para usted". Para la puta.*

Jaime cortó tajadas de pollo, les echó sal y pimienta y las doró en aceite caliente mientras, en otro recipiente, rehogaba cebolla, ajo y tomate.

—Lo dejaremos cocerse a fuego lento durante media hora.

Félix abrió una botella de vino tinto. Sirvió y pasó los vasos.

—Vino tinto de Rioja. Les gustará. —Le ofreció un vaso a Megan: —¿Hermana?

La última vez que Megan había bebido vino había sido en la comunión.

—Gracias —dijo.

Lentamente se llevó el vaso a los labios y bebió un sorbo. Era delicioso. Tomó otro poco y sintió un calor que le invadía el cuerpo. Maravilloso. *Tengo que disfrutar de todo esto mientras pueda*, pensó. *Pronto se acabará.*

Durante la cena Jaime parecía desacostumbradamente preocupado.

—¿Qué es lo que te aflige, amigo? —le preguntó Félix.

Jaime dudó.

—Tenemos un traidor en el movimiento.

Se produjo un conmocionado silencio.

—¿Qué... qué es lo que te hace pensar semejante cosa? —inquirió Félix.

—Acoca. Nos anda siempre muy cerca.

Félix se encogió de hombros.

—Él es el zorro y nosotros, los conejos.

—Hay algo más que eso.

—¿Qué quieres decir? —preguntó Amparo.

—Cuando íbamos a volar el dique del Puente La Reina, alguien se lo sopló a Acoca. —Miró a Félix. —Tendió una trampa y te agarró a ti, a Ricardo y a Zamora. Si yo no me hubiera demorado, me habrían capturado junto con ustedes. Y mira lo que ocurrió en el parador.

—Tú oíste al conserje cuando llamaba por teléfono a la policía —señaló Amparo.

Jaime asintió.

—Sí. Desconfié de él porque tuve la sensación de que algo andaba mal.

El rostro de Amparo estaba sombrío.

—¿Quién piensas que es?

Jaime sacudió la cabeza.

—No estoy seguro. Alguien que conoce todos nuestros planes.

—Entonces cambiemos los planes —sugirió Amparo—. Nos encontramos con los otros en Logroño y pasamos por alto a Mendavia.

Jaime miró a Megan.

—No podemos hacer eso. Tenemos que llevar a las hermanas al convento.

Megan lo miró y pensó: *Él ya ha hecho bastante por mí. No debo ponerlo en un peligro mayor que el que corre ya.*

—Jaime, yo puedo...

Pero él sabía lo que ella iba a decir.

—No se preocupe, Megan. Todos vamos a llegar allá sanos y salvos.

Jaime ha cambiado, pensó Amparo. *Al principio no quería tener nada que ver con ninguna de las monjas. Ahora desea arriesgar su vida por ella. Y la llama Megan; ya no es más "hermana".*

Jaime continuaba:

"Hay por lo menos quince personas que conocen nuestros planes.

—Tenemos que averiguar cuál de ellos es —insistió Amparo.

—¿Y cómo lo hacemos? —preguntó Félix. Jugueteaba nervioso con el borde del mantel.

—Paco está en Madrid, verificando unos datos que le pedí —dijo Jaime. Me va a llamar por teléfono acá.

Miró a Félix un instante y desvió la mirada.

Lo que no dijo fue que no eran más de seis las personas que sabían la ruta exacta que seguían los tres grupos. Era cierto que Félix había sido aprehendido por Acoca. También era cierto que eso resultaba una coartada perfecta para Félix. En el momento propicio, se podría haber planeado una fuga para rescatarlo. *Pero yo lo saqué antes*, pensó Jaime. Paco está verificando los datos sobre él. Espero que llame pronto.

Amparo se levantó y se dirigió a Megan:

—Ayúdeme con los platos.

Las dos mujeres comenzaron a despejar la mesa, y los hombres fueron a la sala.

—La monja... se está desempeñando bien —comentó Félix.

—Sí.

—Te gusta, ¿no?

A Jaime le costó mirar a Félix.

—Sí, me gusta.

Y tú la traicionarías, lo mismo que al resto de nosotros.

—¿Y qué me dices de la relación entre tú y Amparo?

—Estamos los dos cortados por la misma tijera. Ella cree en la causa tanto como yo. Toda su familia fue asesinada por los falangistas de Franco. —Jaime se levantó y se desperezó. —Bueno, es hora de ir a acostarse.

—Me parece que esta noche no voy a poder dormir. ¿Estás seguro de que hay un espía?

Jaime lo miró y respondió:

—Estoy seguro.

Cuando Jaime bajó a tomar el desayuno, a la mañana siguiente, Megan no lo reconoció. Se había oscurecido la cara y llevaba una peluca y bigote. Iba vestido con ropas viejas y raídas. Parecía diez años mayor.

—Buen día —dijo, y la voz que salía de ese cuerpo dejó perpleja a Megan.

—¿De dónde...?

—Esta es una casa que utilizo de tanto en tanto. Guardo aquí una variedad de cosas que necesito.

Lo dijo con tono casual, pero ese comentario fue suficiente para que Megan se diera cuenta de la vida que él llevaba. ¿Cuántos otros disfraces y cosas necesitaría para continuar vivo? Recordó la crueldad de los hombres que habían atacado el convento y pensó: *Si atrapan a Jaime, no tendrán ninguna piedad con él. Ojalá supiera cómo protegerlo.*

Y la mente de Megan se llenó de pensamientos a los que no tenía derecho.

Amparo preparó el desayuno. Bacalao salteado, leche de cabra, queso y chocolate caliente con churros.

Mientras comían, Félix preguntó:

—¿Cuánto tiempo nos vamos a quedar aquí?

Jaime respondió como al pasar:

—Nos iremos cuando oscurezca.

Pero no tenía ninguna intención de permitir que Félix utilizara esa información.

—Tengo que hacer unas diligencias —le dijo a Félix—. Necesitaré tu ayuda.

—Está bien.

Jaime llamó a Amparo aparte.

—Cuando llame Paco, dile que volveré enseguida. Toma el mensaje.

Ella asintió.

—Cuídate.

—No te preocupes —dijo Jaime y se volvió hacia Megan: —Es su último día. Mañana estará en el convento. Estará ansiosa por llegar...

Ella lo miró un largo instante.

—Sí.

Ansiosa no, pensó Megan. *Inquieta. Ojalá no sintiera esta inquietud. Voy a encerrarme y separarme de todo esto, pero por el resto de mi vida me preguntaré qué fue de Jaime y Félix y los demás.*

Megan se quedó mirando marcharse a Jaime y Félix. Percibía entre los dos hombres una tensión que no comprendía.

Amparo la estudiaba y Megan recordó sus palabras: *Jaime es demasiado para usted.*

Amparo le dijo ásperamente:

—Haga las camas. Yo prepararé el almuerzo.

—Bueno.

Megan se encaminó a los dormitorios. Amparo la observó un momento y entró en la cocina.

Megan se puso a trabajar, concentrada en la tarea de limpiar, barrer y lustrar, tratando de no pensar, de borrar de su mente lo que la perturbaba.

Debo quitármelo de la cabeza, pensó.

Era imposible. Jaime era como una fuerza de la naturaleza que arrasaba con todo a su paso.

Lustró con más empeño.

Cuando Jaime y Félix regresaron, Amparo los esperaba en la puerta. Félix estaba pálido.

—No me siento muy bien. Me voy a acostar un rato.

Desapareció en dirección al dormitorio.

—Llamó Paco —dijo Amparo, excitada.

—¿Qué dijo?

—Tiene información para ti, pero no quiso hablar por teléfono. Va a enviarte alguien. Esa persona estará en la plaza del pueblo al mediodía.

Jaime arrugó la frente, pensativo.

—¿No dijo quién es?

—No. Sólo que era urgente.

—Maldición. Yo... Bah, no importa. Está bien. Iré a encontrarme con él. Quiero que vigiles a Félix.

Ella lo miró pasmada.

—No entiendo...

—No quiero que use el teléfono.

Por la cara de ella cruzó un relámpago de comprensión.

—¿Crees que Félix es...?

—Por favor. Haz lo que te digo. —Miró el reloj. —Ya es casi mediodía. Salgo ya. Volveré más o menos en una hora. Cuídate, querida.

—No te preocupes.

Megan los había oído.

No quiero que él use el teléfono.

¿Tú crees que Félix es...?

Por favor. Haz lo que te digo.

Así que el traidor es Félix, pensó Megan. Ella lo había visto entrar en el cuarto y cerrar la puerta. Oyó salir a Jaime.

Megan entró en la sala.

Amparo se dio vuelta.

—¿Terminó?

—Todavía no. Yo...

Quería preguntar adónde había ido Jaime, qué iban a hacer con Félix, qué iba a ocurrir después, pero no quería discutir con esa mujer. *Esperaré a que vuelva Jaime.*

—Entonces termine —ordenó Amparo.

Megan volvió al dormitorio. Pensó en Félix. Parecía tan cordial, tan cálido. Le había hecho muchas preguntas, pero ahora esa actitud de aparente cordialidad adquiría un significado diferente. El hombre de barba buscaba información que pudiera pasarle al coronel Acoca. Las vidas de todos ellos se hallaban en peligro.

Quizás Amparo necesite ayuda, pensó Megan. Empezó a caminar hacia la sala, pero enseguida se detuvo.

Una voz decía:

—Jaime acaba de salir. Estará solo, en un banco de la plaza principal. Sus hombres no tendrán problemas para capturarlo.

Megan se quedó inmóvil, congelada.

—Va a pie, así que tardará unos quince minutos en llegar.

Megan escuchaba con creciente horror.

—Recuerde nuestro trato, coronel —dijo Amparo por el teléfono—. Me prometió no matarlo.

Megan retrocedió hasta el corredor. Su mente era un alboroto. Así que la traidora era Amparo. Y había enviado a Jaime a una trampa.

Megan fue en puntas de pie hasta la puerta trasera, la abrió y salió corriendo. No tenía idea de cómo iba a ayudar a Jaime. Sólo sabía que tenía que hacer algo. Comenzó a bajar por la calle caminando lo más rápido posible sin llamar la atención, rumbo al centro de la ciudad.

—Por favor, Dios. Permíteme llegar a tiempo —rezaba.

El camino hacia la plaza del pueblo era agradable, por calles sombreadas por árboles altísimos, pero Jaime no prestaba atención al paisaje. Pensaba en Félix, para quien él había sido como un hermano, en quien había depositado total confianza. ¿Qué había convertido a Félix en un traidor dispuesto a poner sus vidas en peligro? Quizás el mensajero de Paco tendría la respuesta. *¿Por qué no ha-*

brá querido Paco comunicárselo por teléfono?, se preguntó Jaime.

Se acercaba a la plaza. En el medio había una fuente y bancos bajo los árboles. Unos niños jugaban a la mancha. Dos viejos disfrutaban del sol sentados en un banco, leyendo, dormitando o alimentando a las palomas. Jaime cruzó la calle. avanzando lentamente por el sendero, y se sentó en uno de los bancos. Miró la hora justo cuando el reloj de la torre comenzó a dar las doce. El hombre de Paco estaría por llegar.

Por el rabillo del ojo vio que un coche de la policía se detenía en el otro extremo de la plaza. Miró hacia el otro lado. Llegó un segundo coche de la policía. Bajaban agentes y avanzaban hacia la plaza. El corazón comenzó a latirle con más fuerza. Era una trampa. ¿Pero quién se la había tendido? ¿Paco, que envió el mensaje, o Amparo, que se lo dio? Ella lo había mandado allí. Pero ¿por qué? ¿Por qué?

No había tiempo para preocuparse por eso en aquel momento. Tenía que huir. Pero Jaime sabía que en el instante en que tratara de hacer un movimiento para escapar, le dispararían. Podía intentar disimular, pero ellos sabían que él estaba ahí.

¡Piensa en algo! ¡Rápido!

A una cuadra de distancia, Megan se apresuraba por llegar a la plaza. Cuando la divisó, captó toda la escena de un solo vistazo. Vio a Jaime sentado en un banco y a la policía que lo iba cercando desde ambos lados.

Pensaba a toda velocidad. No había modo de que Jaime pudiera escapar.

Megan pasó por un almacén. Delante de ella, bloqueándole el paso, iba una mujer empujando un cochecito de bebé. La mujer se detuvo, colocó el cochecito contra la pared del negocio y entró a comprar. Sin vacilar un instante, Megan aferró la manija del carrito y cruzó la calle en dirección a la plaza.

La policía se había acercado a los bancos e interrogaba a los hombres sentados. Megan se abrió paso empujando a un policía y se aproximó a Jaime, con el cochecito.

—¡Madre de Dios! —exclamó a los gritos—. ¡Estabas ahí, Manuel! Estuve buscándote por todas partes. ¡Ya estoy harta! Me prometiste que esta mañana ibas a pintar la casa, y acá estás, sentado en la plaza como un millonario. Mamá tenía razón. ¡No sirves para nada! ¡Jamás tendría que haberme casado contigo!

Jaime entendió en menos de una fracción de segundo. Se levantó.

—Tu madre es experta en inútiles, pues se casó con uno. Si ella...

—¿Quién eres tú para hablar así? Si no fuera por mi madre, nuestro hijo ya se habría muerto de hambre. Pues lo que es tú, ni te molestas en traer pan a casa...

La policía se había detenido a escuchar la discusión.

—Si ésa fuera mi mujer —murmuró uno de los agentes—, la enviaría de vuelta con la madre...

—Estoy harto de tus rezongos, mujer —rugía Jaime—. Ya te lo he advertido: cuando lleguemos a casa te daré una lección.

—Bien dicho —dijo otro de los policías.

Jaime y Megan siguieron peleando a los gritos mientras salían de la plaza, empujando el cochecito. Los policías volvieron su atención a los otros hombres sentados en los bancos.

—Documentos, por favor.

—¿Cuál es el problema, oficial?

—No le interesa. Muéstreme sus papeles.

En todo el parque los hombres sacaban sus billeteras y sus documentos para demostrar quiénes eran. En medio de todo eso, el bebé echó a llorar. Uno de los policías miró. El cochecito había quedado abandonado en una esquina. La pareja que discutía se había desvanecido.

Treinta minutos más tarde, Megan entraba en la casa. Amparo caminaba nerviosa de un lado a otro.

—¿Adónde se metió? —le preguntó a Megan—. No debería haber salido sin avisarme.

—Tuve que ir a ocuparme de una cosa.

—¿Qué cosa? —preguntó Amparo, sospechando—. Acá no conoce a nadie. Si usted...

Entró Jaime. Amparo se puso pálida, pero enseguida recobró la compostura.

—¿Qué... qué ocurrió? —preguntó—. ¿No fuiste a la plaza?

Jaime respondió con tranquilidad:

—¿Por qué, Amparo?

Y ella lo miró a los ojos y supo que todo había terminado.

—¿Qué fue lo que te hizo cambiar? —le preguntó Jaime.

Ella sacudió la cabeza.

—Yo no he cambiado. El cambiado eres tú. Estoy harta de tanta matanza. ¿Podrás soportar que te diga la verdad sobre ti, Jaime? Eres tan malo como el gobierno contra el cual luchas. O peor, porque ellos quieren hacer la paz, y tú no. ¿Crees que estás ayudando a tu país? No, lo estás destruyendo. Asaltas Bancos y vuelas coches y asesinas gente inocente, y piensas que eres un héroe. Una vez te amé y creí en ti, pero... —Se le quebró la voz. —Esta matanza tiene que terminar.

Jaime se le acercó, y sus ojos eran de hielo.

—Debería matarte.

—¡No! —resolló Megan—. ¡Por favor! ¡No puede hacer eso!

Félix había entrado en la habitación y escuchaba la conversación.

—¡Jesucristo! Así que era ella... ¿Qué haremos con esta perra?

Jaime respondió:

—Tendremos que llevarla con nosotros y no quitarle los ojos de encima. —Tomó a Amparo por los hombros y dijo en voz baja: —Si intentas una sola cosa más, te prometo que morirás. —La arrojó a un lado y se volvió a Megan y Félix: —Salgamos de aquí antes de que lleguen los amigos de ésta.

Capítulo treinta y cinco

—¿Tenía a Miró en sus manos y lo dejó escapar?

—Coronel... con el debido respeto... mis hombres...

—Sus hombres son unos imbéciles. ¿Y ustedes se creen policías? ¡Avergüenzan el uniforme que llevan puesto!

El jefe de policía de León no se movía, humillado por el aplastante desprecio del coronel Acoca. No podía hacer otra cosa, pues el coronel era lo bastante poderoso como para cortarle la cabeza. Pero Acoca aún no había terminado.

—Lo hago personalmente responsable a usted. Me encargaré de que lo destituyan de su puesto.

—Coronel...

—Váyase. Me da náuseas.

El coronel Acoca bullía de frustración. No había habido tiempo suficiente para ir él mismo a León y atrapar a Miró. Había tenido que confiar la tarea a la policía local. Y lo habían echado todo a perder. Sólo Dios sabía adónde se encontraría Miró ahora.

El coronel Acoca se dirigió al mapa desplegado sobre una mesa frente a él. *Irán hacia el país vasco, por supuesto. Burgos, Vitoria, Bilbao o San Sebastián. Me concentraré en el nordeste. Van a tener que aparecer en alguna parte.*

Evocó la conversación que había sostenido con el Primer Ministro esa mañana.

—Se le está acabando el tiempo, coronel. ¿Leyó los diarios de la mañana? La prensa mundial nos está haciendo quedar como payasos. Miró y esas monjas nos han convertido en un hazmerreír.

—Primer Ministro, tenga la seguridad...

—El rey Juan Carlos me ha ordenado establecer una junta oficial de investigación sobre todo este asunto. Ya no puedo seguir posponiéndolo.

—Demore la investigación unos días más. Para entonces tendré a Miró y las monjas.

Se produjo una pausa.

—Cuarenta y ocho horas.

No era al Primer Ministro a quien Acoca temía defraudar, ni tampoco al Rey, sino al OPUS MUNDO. Cuando lo convocaron al despacho de uno de los más importantes industriales de España, le habían dado órdenes explícitas:

—Jaime Miró está creando una atmósfera perjudicial para nuestra organización. Deténgalo. Lo recompensaremos bien.

Y el coronel Acoca sabía que las palabras no pronunciadas en esa conversación eran: *Si fracasa será castigado.* Ahora su carrera estaba en peligro. Y todo porque unos policías estúpidos habían dejado escapar a Miró debajo de sus propias narices. Jaime Miró podía estar escondido en cualquier lugar. Pero las monjas... Una ola de excitación invadió al coronel Acoca. ¡Las monjas! Ellas eran la clave. Jaime Miró podía esconderse en cualquier lugar, pero las monjas sólo podían hallar refugio en otro convento. Y casi con seguridad se trataría de un convento de la misma orden a las que ellas pertenecían.

El coronel Acoca volvió a estudiar el mapa. Y allí estaba: *Mendavia.* En Mendavia había un convento de la orden cisterciense. *Ése es el lugar hacia donde se dirigen*, pensó Acoca con aire triunfal. *Muy bien, también lo haré yo.*

Pero yo llegaré antes, y los estaré esperando.

Para Ricardo y Graciela, el viaje llegaba a su fin.

Los últimos días habían sido los más felices que hubiera vivido Ricardo. Lo perseguían los militares y la policía, su captura significaba una muerte segura, y sin embargo nada de eso parecía importar. Era como si él y Graciela hubieran esculpido una isla en el tiempo, un paraíso donde nada podía tocarlos. Habían convertido su viaje desesperado en una aventura maravillosa que compartían.

Conversaban interminablemente, explorando y explicando, y las palabras eran como lazos que los acercaban aún más. Hablaban del pasado, del presente y del futuro. Sobre todo del futuro.

—Nos casaremos por iglesia —decía Ricardo—. Serás la novia más hermosa del mundo...

Y Graciela visualizaba la escena y se emocionaba.

"Y viviremos en la casa más linda...

Y ella pensaba: *Nunca tuve una casa propia ni un cuarto para mí sola.*

Sólo la casita que compartía con su madre y todos sus tíos, y después la celda del convento, junto a las hermanas.

"Y tendremos hijos buenos mozos e hijas hermosas...

Y les daré todas las cosas que yo nunca tuve. Los amaremos tanto...

Había algo que inquietaba a Graciela. Ricardo era un soldado que luchaba por una causa en la que creía apasionadamente. ¿Se sentiría contento viviendo en Francia, retirado de la batalla? Sabía que debía discutirlo con él.

—Ricardo... ¿cuánto tiempo más crees que continuará esta revolución?

Ya ha durado demasiado, pensó Ricardo. El gobierno había hecho proposiciones de paz, pero el ETA las había rechazado. O peor que rechazarlas: había respondido a esas propuestas con una serie de ataques terroristas de mayor violencia. Ricardo había intentado conversarlo con Jaime.

"Ellos están dispuestos a transigir, Jaime. ¿No deberíamos escucharlos?

—Lo que ofrecen es una trampa... quieren destruirnos. Nos obligan a seguir peleando.

Y como Ricardo quería a Jaime y creía en él, continuaba apoyándolo. Pero sus dudas se negaban a morir. Y a medida que aumentaban las matanzas, también lo hacía su incertidumbre. Y ahora Graciela le preguntaba cuánto tiempo más iba a durar esa revolución.

—No lo sé —le respondió Ricardo—. Ojalá hubiera terminado ya. Pero te diré una cosa, mi amor. Nada se interpondrá entre nosotros... ni siquiera una guerra. Nunca habrá palabras que alcancen para decirte cuánto te amo.

Y ambos siguieron soñando.

Viajaron toda la noche, atravesando los campos verdes y fértiles, dejando atrás Cerezo de Abono y Soria. Al amanecer, desde lo alto de una colina, divisaron Logroño a la distancia. A la izquierda del camino había un pinar, y más allá un bosque de postes eléctricos. Graciela y Ricardo avanzaron por el sinuoso camino hasta el borde de la ciudad bulliciosa.

—¿Dónde nos encontraremos con los demás? —preguntó Graciela.

Ricardo señala un afiche pegado en un edificio. En él se leía: "¡Circo Japón! El circo más sensacional del mundo. ¡Directo de Japón! Desde el 24 de julio, por una semana. Avenida Club Deportivo."

—Ahí —le dijo Ricardo—. Nos encontraremos en el circo, esta tarde.

En otra parte de la ciudad, Megan, Jaime, Amparo y Félix también contemplaban un afiche del circo. En el grupo había una enorme tensión. En ningún momento dejaban de vigilar a Amparo. Desde el incidente de León, los hombres trataban a Amparo como a un paria, ignorándola la mayor parte del tiempo y hablándole sólo cuando era necesario.

Jaime miró su reloj.

—La función del circo debe de estar por empezar —dijo—. Vamos.

En el cuartel de policía de Logroño, el coronel Ramón Acoca concluía sus planes.

—¿Los hombres se encuentran desplegados alrededor del convento?

—Sí, coronel. Todo está en su lugar.

—Excelente.

El coronel Acoca estaba eufórico. La trampa que había tendido era a prueba de tontos, y esta vez ningún policía idiota podría estropear sus planes. Él dirigía la operación personalmente. El OPUS MUNDO iba a sentirse orgulloso de él. Repasó una vez más los detalles junto con sus oficiales.

—Las monjas viajan con Miró y sus hombres. Es importante que los atrapemos *antes* de que ingresen en el convento. Nos desplegaremos por los bosques de los alrededores. No se muevan hasta que yo dé la señal de acercarse.

—¿Cuáles son nuestras órdenes si Jaime Miró se resiste?

El gigante de las cicatrices dijo con voz contenida:

—Espero que *sí* trate de resistirse.

Entró un ordenanza.

—Disculpe, coronel. Hay un norteamericano que desea hablar con usted.

—Ahora no tengo tiempo.

—Sí, señor. —El subalterno vaciló. —Dice que se trata de una de las monjas.

—¡Ah! ¿Dijo que es un norteamericano?

—Sí, coronel.

—Hágalo pasar.

Un momento después entró Alan Tucker.

—Lamento molestarlo, coronel. Me llamo **Alan Tucker.** Espero que pueda ayudarme.

—¿Sí? ¿Y cómo, señor Tucker?

—Entiendo que usted está buscando a una de las monjas del convento cisterciense... una tal hermana Megan.

El coronel se repantigó en la silla, estudiando al extranjero.

—¿Y qué tiene eso que ver con usted?

—Yo también estoy buscándola. Es muy importante que pueda encontrarla.

Interesante, pensó el coronel Acoca. *¿Por qué es tan importante para este norteamericano encontrar a una monja?*

—¿No tiene idea de dónde se encuentra?

—No. Los periódicos...

Otra vez la maldita prensa.

—Quizás usted pueda decirme por qué la busca.

—Lo lamento, pero no puedo hablar de eso.

—Entonces lo lamento, pero no podré ayudarlo.

—Coronel... ¿podrá informarme si la encuentra?

El coronel Acoca esbozó una débil sonrisa.

—Se enterará.

Todo el país seguía el éxodo de las monjas. La prensa había publicado que Jaime Miró y una de las monjas habían logrado escapar por un pelo en León.

Así que se dirigen hacia el norte, pensó **Alan Tucker.** *Probablemente, el lugar donde tienen más posibilidades de salir del país sea San Sebastián. Tengo que encontrar a esa monja.* Percibía que se hallaba mal parado ante Ellen Scott. *Manejé muy mal ese asunto*, pensó Tucker. *Tengo que compensar mi actitud llevándole a Megan.*

Pidió una llamada a Ellen Scott.

El Circo Japón estaba en el distante distrito de Guanos, en las afueras de Logroño, y diez minutos antes de que la función empezara la enorme carpa se encontraba totalmente colmada de público. Megan, Jaime, Amparo y Félix se abrieron paso entre la multitud hasta los asientos que habían reservado. Junto a Jaime quedaban dos espacios vacíos.

Los miró y dijo:

—Algo anda mal. Se suponía que Ricardo y la hermana Graciela estarían aquí. —Se dirigió a Amparo: —¿Acaso tú...?

—No. Te lo juro. No sé nada.

Las luces se oscurecieron y comenzó el espectáculo. La multitud bramó y se concentró en la arena. Mientras un ciclista daba vueltas por la pista, un acróbata le saltó sobre un hombro y luego otros fueron saltando también sobre la bicicleta, colgándose del frente y los costados, hasta cubrirla casi por completo. El público aplaudía.

El número siguiente fue un oso amaestrado, y después un hombre que caminaba sobre una cuerda floja. La gente disfrutaba muchísimo del espectáculo, pero Jaime y los otros estaban demasiado nerviosos para prestarle atención. El tiempo corría.

—Esperaremos quince minutos más —decidió Jaime—. Si no llegan para entonces...

Una voz preguntó:

—Disculpen, ¿estos asientos están ocupados?

Jaime alzó la vista y vio a Ricardo y Graciela. Sonrió.

—No. Siéntense, por favor. —Y luego suspiró aliviado: —No saben cuánto me alegra verlos.

Ricardo saludó con un gesto a Megan, Amparo y Félix. Miró alrededor.

—¿Dónde están los otros?

—¿No has leído los diarios?

—¿Diarios? No. Estábamos en las montañas.

—Tengo malas noticias —le dijo Jaime—. Rubio está en un hospital de la cárcel.

Ricardo se quedó mirándolo.

—¿Cómo...?

—Lo apuñalaron en una pelea. La policía lo recogió.

—¡Mierda! —Ricardo permaneció un momento en silencio y luego suspiró. —Tendremos que sacarlo de ahí, ¿no?

—Eso es lo que planeo —concordó Jaime.

—¿Dónde está la hermana Lucía? —preguntó Graciela—. ¿Y la hermana Teresa?

La que respondió fue Megan.

—La hermana Lucía fue arrestada. La... la buscaban por asesinato. La hermana Teresa murió.

Graciela se santiguó.

—Oh, Dios mío.

En la pista, un payaso caminaba por la cuerda floja con un perrito bajo cada brazo y dos gatos siameses en sus espaciosos bolsillos. Mientras los perros trataban de atrapar a los gatos, la cuerda se balanceaba locamente y el payaso simulaba esforzarse por conservar el equilibrio. El público gritaba. Resultaba difícil oír cualquier cosa por encima del ruido de la multitud. Megan y Graciela tenían mucho que contarse. Casi al mismo tiempo, se pusieron a hablar en el lenguaje de señas del convento. Los dos hombres las miraban perplejos.

Ricardo y yo vamos a casarnos.

Qué maravilloso...

¿Y cómo te ha ido a ti?

Megan quiso contestar y se dio cuenta de que no había ninguna seña que transmitiera las cosas que ella quería decir. Tendría que esperar a más tarde.

—Vámonos, —dijo Jaime—. Afuera nos espera una camioneta que nos llevará a Mendavia. Dejaremos a las hermanas allí y proseguiremos nuestro camino.

Salieron por el pasillo. Jaime aferraba a Amparo por un brazo.

Una vez afuera, en la playa de estacionamiento, Ricardo anunció:

—Jaime, Graciela y yo vamos a casarnos.

Una sonrisa iluminó el rostro de Jaime.

—¡Magnífico! Felicitaciones. —Y a Graciela: —No podría usted haber elegido un hombre mejor.

Megan abrazó a Graciela.

—Me siento muy feliz, por los dos.

Y pensó: *¿Le habrá resultado fácil decidirse a dejar el convento? ¿Me lo pregunto por ella... o por mí?*

El coronel Acoca recibía el excitado informe de un ayudante.

—Los vieron en el circo hace menos de una hora. No tenemos tiempo de enviar refuerzos, pues cuando lleguen ellos ya se habrán ido. Salieron en una camioneta blanca y azul. Estaba usted en lo cierto, coronel. Se dirigen a Mendavia.

De modo que por fin ha terminado todo, pensó el coronel Acoca. Había sido una cacería emocionante, y él debía admitir que Jaime Miró era un meritorio rival. *Ahora el OPUS MUNDO hará planes aún más grandes para mí.*

Con un par de prismáticos Zeiss de largo alcance, el coronel Acoca observó la camioneta azul y blanca que aparecía en la cima de la loma en dirección al convento que se hallaba más abajo. Tropas fuertemente armadas se hallaban ocultas entre los árboles a ambos lados del camino y alrededor del convento. No había modo alguno de que pudieran escapar.

Cuando la camioneta se acercó a la entrada del convento y frenó, el coronel Acoca rugió por su intercomunicador:

—¡Enciérrenlos! ¡Ahora!

La maniobra se ejecutó a la perfección. Dos pelotones de soldados armados con armas automáticas bloquearon el camino y rodearon el vehículo. El coronel Acoca contempló la escena un instante, saboreando la gloria por anticipado. Después se aproximó lentamente a la camioneta, el arma en la mano.

—Están rodeados —gritó—. No tienen ninguna posibilidad. Salgan con las manos en alto. De a uno por vez. Si tratan de resistirse, morirán todos.

Se produjo un largo silencio y luego la puerta de la camioneta se abrió y salieron tres hombres y tres mujeres, temblando, con las manos encima de la cabeza.

Eran desconocidos.

Capítulo treinta y seis

En lo alto de una colina, por encima del convento, Jaime y los otros observaban a Acoca y sus hombres rodear la camioneta. Vieron descender a los aterrados pasajeros, con las manos en alto, y contemplaron la escena que se desarrollaba como una pantomima.

Jaime Miró casi podía oír el diálogo:

¿Quiénes son ustedes?

Trabajamos en un hotel en las afueras de Logroño.

¿Qué están haciendo aquí?

Un hombre nos dio cinco mil pesetas para traer este auto al convento.

¿Qué hombre?

No sé. Nunca lo había visto antes.

¿Se parece a esta foto?

Sí. Es él.

—Larguémonos de aquí —dijo Jaime.

Iban en una camioneta blanca, rumbo a Logroño. Megan miraba maravillada a Jaime.

—¿Cómo lo supo?

—¿Que el coronel Acoca iba a estar esperándonos en el convento? Me lo dijo él.

—¿Cómo?

—El zorro tiene que pensar como el cazador, Megan. Yo me puse en el lugar de Acoca. ¿Dónde iba a tenderme una trampa? Él hizo exactamente lo que habría hecho yo.

—¿Y si no hubiera estado allí?

—Entonces podríamos haberla dejado en el convento sin correr riesgos.

—¿Qué haremos ahora? —preguntó Félix.

Era una pregunta que ocupaba las mentes de todos.

—Por un tiempo España no será un lugar seguro para nosotros —decidió Jaime—. Iremos directamente a San Sebastián y de ahí pasaremos a Francia. —Miró a Megan. —Allí también hay conventos cistercienses.

Aquello era más de lo que Amparo podía soportar.

—¿Por qué no te rindes? Si sigues así, se derramará más sangre y se cobrarán más vidas...

—Tú ya no tienes derecho a hablar —la cortó Jaime—. Agradece que aún estás viva. —Se volvió hacia Megan: —En los Pirineos hay diez pasos que cruzan las montañas desde San Sebastián a Francia. Tomaremos uno de ellos.

—Es demasiado peligroso —objetó Félix—. Acoca nos va a buscar en San Sebastián. Estará esperando que crucemos la frontera hacia Francia.

—Si es demasiado peligroso... —empezó a decir Graciela.

—No se preocupe —la tranquilizó Jaime—. San Sebastián está en el país vasco.

La camioneta se aproxima nuevamente a las afueras de Logroño.

—Todas las rutas a San Sebastián estarán vigiladas —advirtió Félix—. ¿Cómo planeas llegar hasta allá?

Jaime ya lo había resuelto.

—Tomaremos el tren.

—Los soldados registrarán los trenes —objetó Ricardo.

Jaime miró a Amparo con expresión pensativa.

—No. Creo que no. Nuestra amiga nos va a ayudar. ¿Sabes cómo comunicarte con el coronel Acoca?

Amparo dudó.

—Sí.

—Muy bien. Lo llamarás.

Se detuvieron en una de las cabinas telefónicas de la ruta. Jaime siguió a Amparo hasta el teléfono y cerró la puerta. La apuntaba con una pistola.

—¿Sabes lo que tienes que decir?

—Sí.

La observó discar el número y cuando atendieron Amparo dijo:

—Habla Amparo Jirón. El coronel Acoca espera mi llamada... Gracias. —Miró a Jaime. —Me van a comunicar. —La pistola hacía presión contra ella. —¿Es necesario que...?

—Limítate a hacer lo que te dije —respondió él con voz de hielo.

Un momento después Jaime oyó la voz de Acoca en el teléfono.

—¿Dónde está?

—Estoy... eh... saliendo de Logroño.

—¿Sabe adónde van sus amigos?

—Sí.

Jaime estaba pegado a ella, y la miraba con ojos duros.

—Decidieron cambiar de planes, para despistarlo. Van camino a Barcelona, con un Seat blanco. Tomará la ruta principal.

Jaime le hizo una seña.

—Bueno... ahora tengo que cortar. Ya llegó el auto.

Jaime colgó.

—Muy bien. Vamos. Le daremos media hora para que retire a sus hombres de aquí.

Treinta minutos más tarde estaban en la estación de ferrocarril.

Había tres clases de trenes que iban de Logroño a San Sebastián: el Talgo, un tren de lujo; el Ter, de segunda clase; y el peor y más barato, incómodo y sucio, mal denominado Expreso, que paraba en todas las pequeñas estaciones del camino.

Jaime dijo:

—Tomaremos el Expreso. A esta altura los hombres de Acoca estarán ocupados parando a todos los Seats blancos que vayan camino a Barcelona. Compraremos nuestros pasajes por separado y nos encontraremos en el último vagón. Amparo, tú primero. Te seguiré de cerca.

Y ella sabía por qué, y lo odió por eso. Si el coronel Acoca había tendido una trampa, ella sería el señuelo. Pero ella era Amparo Jirón y no se acobardaría.

Entró en la estación mientras Jaime y los otros la observaban. No había soldados.

Están todos cubriendo la carretera a Barcelona. Eso va a ser un loquero, pensó Jaime socarronamente. *Uno de cada dos autos es un Seat blanco.*

Uno tras otro, el grupo compró los pasajes y se dirigió al tren. Subieron sin incidentes. Jaime se sentó junto a Megan. Amparo, frente a ellos, al lado de Félix. Del otro lado, Graciela y Ricardo.

Jaime dijo a Megan:

—Llegaremos a San Sebastián en tres horas. Pasaremos la noche allí y a la mañana temprano cruzaremos a Francia.

—¿Y cuando lleguemos a Francia?

Pensaba en lo que le ocurriría a Jaime, pero cuando él respondió dijo:

—No se preocupe. Hay un convento cisterciense a pocas horas de la frontera. —Vaciló. —Si todavía es eso lo que desea.

De modo que él había comprendido sus dudas. *¿Es eso lo que deseo?* Se acercaban a una frontera que no sólo dividía dos países. Esa frontera dividiría sus vidas pasada y futura... ¿Pero cuál sería su vida futura? Al principio estaba desesperada por volver al convento, pero ahora la acosaban las dudas. Había olvidado lo emocionante que podía ser el mundo fuera de esos muros. *Nunca me he sentido tan viva.* Megan miró a Jaime y admitió para sí: *Y parte de eso se lo debo a Jaime Miró.*

Él captó su mirada y la miró a los ojos. Y Megan pensó: *Él lo sabe.*

El Expreso paró en todos los pueblitos que había en el camino. El tren estaba repleto de campesinos, comerciantes y vendedores, y en cada parada los pasajeros subían y bajaban ruidosamente.

Cuando al fin el tren se detuvo en la estación de San Sebastián, Jaime le dijo a Megan:

—El peligro ya ha pasado. Ésta es nuestra ciudad. He pedido que nos viniera a buscar un coche.

Un largo sedán los esperaba frente a la estación. El conductor, tocado con una *chapella*, el típico sombrero vasco de ala ancha, saludó a Jaime con un cálido abrazo, y el grupo subió al auto.

Megan notó que Jaime no se separaba de Amparo, listo para agarrarla en caso de que ella intentara algo. *¿Qué va a hacer con ella?*, se preguntó Megan.

—Estábamos preocupados por ti, Jaime —le dijo el conductor—. Según la prensa, el coronel Acoca dirige un enorme operativo para darte caza.

Jaime rió.

—Déjalo que siga cazando, Gil. A mí ya no podrá agarrarme.

Tomaron por la Avenida Sancho el Sabio, rumbo a la playa. Era un despejado día de verano y las calles estaban llenas de parejas que paseaban disfrutando de sus vacaciones, y el puerto rebosaba de yates y botes. Las montañas distantes formaban un fondo pintoresco que enmarcaba la ciudad. Todo parecía apacible.

—¿Qué es lo que han dispuesto? —preguntó Jaime al conductor.

—Se hospedarán en el hotel Niza. Largo Cortez los está esperando.

—Me va a gustar volver a ver a ese viejo pirata.

El Niza era un hotel de mediana categoría en la plaza Juan de Olazábal, en la calle San Martín, un sitio muy concurrido. Era un edificio blanco con persianas marrones y un gran cartel azul en el techo. La parte posterior daba a la playa.

Cuando el auto estacionó frente al hotel, el grupo descendió y entró tras Jaime.

Largo Cortez, el dueño del lugar, corrió a saludarlos. Era un hombre enorme. Le faltaba un brazo, resultado de una proeza riesgosa, y se movía con torpeza, como desequilibradamente.

—Bienvenido —dijo con una sonrisa resplandeciente—. Te esperamos desde hace una semana.

Jaime se encogió de hombros.

—Tuvimos una demora, amigo.

Largo Cortez esbozó una sonrisa cómplice.

—Sí, ya me enteré por los diarios. No dicen otra cosa. —Se dio vuelta a mirar a Megan y Graciela. —Todo el mundo las está buscando, hermanas. Ya he preparado las habitaciones.

—Nos quedaremos esta noche —le dijo Jaime—. Nos iremos a primera hora de la mañana y cruzaremos a Francia. Quiero un buen guía que conozca todos los pasos... o Cabrera Infante o José Cebrián.

—Yo lo arreglaré —le aseguró el dueño del hotel—. ¿Son seis?

Jaime miró de reojo a Amparo.

—Cinco.

—Sugiero que ninguno de ustedes firme el registro —dijo Cortez con una sonrisa pícara—. A la policía no le va a pasar nada si no se entera de que estuvieron aquí. ¿Me permiten que los lleve a sus habitaciones, así se refrescan? La cena será magnífica.

—Amparo y yo iremos a tomar algo a la barra —dijo Jaime—. Subiremos después.

Largo Cortez asintió.

—Como desees, Jaime.

Megan observaba a Jaime, perpleja. Se preguntaba qué planeaba hacer con Amparo. ¿Tendría la sangre fría para...? No se atrevía siquiera a pensarlo.

Amparo también se preguntaba lo mismo, pero era demasiado orgullosa como para preguntarlo.

Jaime la llevó al bar, en el otro extremo de la recepción, y se sentaron a una mesa en un rincón.

Cuando el mozo se les acercó, Jaime pidió:

—Un vaso de vino, por favor.

—¿Uno?

—Uno.

Amparo vio que Jaime sacaba un paquetito y lo abría. Contenía un polvo fino.

—Jaime... —comenzó a decir Amparo con voz desesperada—. ¡Por favor, escúchame! Trata de entender por qué hice lo que hice. Estás desgarrando el país. La tuya es una causa perdida. Debes parar con esta locura.

El mozo apareció con un vaso de vino, que colocó sobre la mesa. Cuando se retiró, Jaime echó cuidadosamente el contenido del paquete dentro de vaso y lo revolvió. Empujó el vaso frente a Amparo.

—Bébelo.

—¡No!

—No todos tenemos el privilegio de escoger la forma de morir —le dijo Jaime en voz baja—. Esto será rápido e indoloro. Si te entrego a mi gente, no podré prometerte lo mismo.

—Jaime... yo te amaba. Debes creerme. Por favor...

—Bébelo. —Su voz era implacable.

Amparo lo miró un largo instante y luego tomó el vaso.

—Brindaré por tu muerte.

Jaime la observó mientras ella se llevaba el vaso a los labios y tragaba el vino de un solo trago.

Amparo se estremeció.

—¿Y ahora qué?

—Te ayudaré a subir. Te acostaré. Dormirás.

Los ojos de Amparo se llenaron de lágrimas.

—Eres un tonto —susurró—. Jaime, estoy muriéndome, y te

diré que te amé tanto que... —La lengua comenzaba a trabársele.

Jaime se levantó y la ayudó a ponerse de pie. Ella perdía el equilibrio; tenía la sensación de que el salón daba vueltas.

—Jaime...

La llevó hasta la recepción, sosteniéndola en sus brazos. Largo Cortez los esperaba con una llave.

—La llevaré a su habitación —dijo Jaime—. Encárgate de que no la molesten.

—Está bien.

Megan vio cómo Jaime ayudaba a Amparo a subir las escaleras.

En su cuarto, Megan pensaba en lo rara que se sentía ahí, en el hotel de un balneario, libre. San Sebastián estaba llena de gente de vacaciones, parejas de luna de miel, amantes que gozaban en otras cien habitaciones de hotel. Pero ¿qué le había hecho Jaime a Amparo? ¿Era posible que...? No, él nunca podría haber hecho algo semejante. ¿O sí? Y, de pronto, Megan deseó que Jaime estuviera con ella, y se preguntó cómo sería hacer el amor con él. Todos los sentimientos que había reprimido durante tanto tiempo la invadieron como un salvaje torrente de emociones. *Lo deseo*, pensó. *Oh, Señor, ¿qué me está pasando? ¿Qué puedo hacer?*

Ricardo silbaba mientras se vestía. Estaba de un humor excelente. *Soy el hombre más afortunado del mundo*, pensó. *Nos casaremos en Francia. Del otro lado de la frontera, en Bayone, hay una iglesia hermosa. Mañana...*

En su cuarto, Graciela se bañaba, regocijándose con el agua caliente, pensando en Ricardo. Sonrió para sus adentros y pensó: *Lo voy a hacer tan feliz... Gracias, Dios.*

Félix Carpio pensaba en Jaime y Megan. *Hasta un ciego puede ver la electricidad que hay entre ellos. Esto va a traer mala suerte. Las monjas pertenecen a Dios. Ya es bastante desgracia que Ricar-*

do haya logrado que la hermana Graciela renunciara a sus votos. Pero Jaime siempre había sido imprudente. ¿Qué iba a hacer ahora?

Los cinco se encontraron a la hora de la cena en el comedor del hotel. Nadie mencionó a Amparo.

Megan miró a Jaime y se sintió súbitamente incómoda, como si él pudiera leerle la mente. *Es mejor no hacer preguntas*, pensó. *Sé que él no podría hacer ninguna perversidad.*

Comprobaron que Largo Cortez no había exagerado con respecto a la comida. Empezó con gazpacho, una sopa fría y espesa preparada con tomates, pepinos y pan remojado en agua; siguió con una ensalada de verduras crudas, una enorme paella, y terminó con un flan delicioso. Era la primera comida caliente que Ricardo y Graciela comían en un largo tiempo.

Cuando terminaron, Megan se levantó.

—Debo ir a acostarme.

—Espere —le dijo Jaime—. Tengo que hablar con usted. —La acompañó a una zona vacía de la recepción. —Con respecto a mañana...

—¿Sí?

Y ella supo lo que él iba a pedirle. Lo que no sabía era lo que ella iba a responder. *He cambiado*, pensó Megan. *Antes estaba tan segura de mi vida... Creía que tenía todo lo que deseaba.*

Jaime le decía:

—En realidad no quiere volver al convento, ¿no?

¿Quiero?

Él esperaba una respuesta.

Tengo que ser honesta con él, pensó Megan. Lo miró a los ojos y le dijo:

—No sé lo que quiero, Jaime. Estoy confundida.

Jaime sonrió. Vaciló un instante, escogiendo las palabras con cuidado.

—Megan... esta lucha terminará pronto. Tendremos lo que queremos, porque el pueblo nos apoya. No puedo pedirte que compartas el peligro conmigo, pero me gustaría que me esperaras. Tengo muchos amigos vascos que viven en Francia. Con ellos estarías a salvo.

Megan lo miró un momento antes de responder.

322

—Jaime... dame tiempo para pensarlo.

—¿Entonces no me dirás que no?

Megan contestó suavemente:

—No, no te digo que no.

Aquella noche ninguno de los del grupo durmió. Tenían demasiadas cosas en que pensar, demasiados conflictos que resolver. Megan permaneció despierta, reviviendo el pasado. Los años en el orfanato, el refugio del convento... la súbita expulsión hacia un mundo al que ella había renunciado para siempre. Jaime Miró arriesgaba su vida luchando por la causa en la que creía. *¿Y en qué creo yo?*, se preguntó Megan. *¿Cómo quiero pasar el resto de mi vida?*

Una vez había hecho una elección. Ahora se veía obligada a elegir otra vez. A la mañana debía tener una respuesta.

Graciela también pensaba en el convento. *Fueron años tan felices, tan apacibles. Me sentía tan cerca de Dios. ¿Echaré de menos todo eso?*

Jaime pensaba en Megan. *No debe volver. La quiero a mi lado. ¿Cuál será su respuesta?*

Ricardo estaba demasiado excitado para dormir, y hacía planes para la boda. La iglesia de Bayonne...

Félix se preguntaba qué iban a hacer con el cuerpo de Amparo. *Largo Cortez se encargará de eso.*

A la mañana siguiente, el grupo se reunió en la recepción. Jaime se acercó a Megan.

—Buen día.

—Buen día.

—¿Has pensado en nuestra conversación?

Ella no había pensado en otra cosa en toda la noche.

—Sí, Jaime.

Él la miró a los ojos, tratando de leer en ellos la respuesta.

—¿Me esperarás?

—Jaime...

En ese momento Largo Cortez se les acercó apresurado. Lo acompañaba un hombre de aspecto correoso, de unos cincuenta años.

—Creo que no hay tiempo de que desayunen —dijo Cortez—. Deben irse. Éste es José Cebrián, el guía. Él los ayudará a cruzar las montañas rumbo a Francia; es el mejor guía de San Sebastián.

—Me alegro de verte, José —dijo Jaime—. ¿Cuál es tu plan?

—Vamos a hacer la primera parte del viaje a pie —explicó José Cebrián al grupo—. Del otro lado de la frontera, nos esperarán unos coches. Tenemos que apurarnos. Vengan, por favor.

El grupo salió a la calle, teñida de amarillo por los rayos del sol brillante.

Largo Cortez salió a despedirlos.

—Buen viaje —les dijo.

—Gracias por todo —contestó Jaime—. Volveremos, amigo. Antes de lo que piensas.

—Por aquí —indicó José Cebrián.

Se dirigieron a la plaza. Y en ese momento aparecieron de pronto soldados y miembros del GOE a ambos lados de la plaza, bloqueando las salidas. Eran al menos una docena, todos fuertemente armados. El coronel Ramón Acoca y el coronel Fal Sostelo iban al frente.

Jaime echó un rápido vistazo en dirección a la playa, buscando una vía de escape. Otra docena de soldados se aproximaban desde allí. No había huida posible. Tendrían que pelear. Jaime se llevó instintivamente la mano a la pistola.

El coronel Acoca gritó:

—Ni siquiera lo piense, Miró, o los mataremos a todos.

La mente de Jaime trabajaba a toda velocidad, furiosa, buscando una salida. ¿Cómo había sabido Acoca dónde se encontraban? Jaime se dio vuelta y vio a Amparo parada en la puerta del hotel, con una mirada de profunda pena.

Félix exclamó:

—¡Mierda! Pensé que tú...

—Le di un somnífero lo bastante fuerte para voltearla hasta que hubiéramos cruzado la frontera.

—¡Perra!

El coronel Acoca se acercó a Jaime.

—Se terminó. —Dijo a sus hombres: —Desármenlo.

Félix y Ricardo miraban a Jaime esperando alguna indicación, listos para hacer lo que les sugiriera. Jaime sacudió la cabeza. A regañadientes, entregó su arma, y poco después Ricardo y Félix hicieron lo mismo.

—¿Qué va a hacer con nosotros? —preguntó Jaime.

Varios transeúntes se habían detenido a observar el procedimiento.

El coronel Acoca respondió con voz áspera:

—Lo voy a llevar a usted y a su banda de asesinos de vuelta a Madrid. Les haremos un juicio militar justo y los colgaremos. Si pudiera hacerlo a mi manera, lo colgaría aquí mismo, ahora.

—Deje en libertad a las hermanas —dijo Jaime—. Ellas no tienen nada que ver en esto.

—Ellas son sus cómplices. Son tan culpables como ustedes.

El coronel Acoca se dio vuelta e hizo una seña. Los soldados indicaron a los transeúntes que se hicieran a un lado para permitir aproximarse a los tres camiones del ejército.

—Usted y sus asesinos irán en el camión del medio —informó el coronel Acoca a Jaime—. En el de atrás y en el de adelante irán mis hombres. Si alguno de ustedes intenta algo, tienen órdenes de matarlos a todos. ¿Comprende?

Jaime asintió.

El coronel Acoca le escupió en la cara.

—Muy bien. Suba.

Un enojado murmullo provenía de la creciente muchedumbre.

Amparo miraba impasible desde la puerta mientras Jaime y Megan, Graciela y Ricardo y Félix subían al camión, rodeados por soldados que los apuntaban con armas automáticas.

El coronel Fal Sostelo se acercó al conductor del primer camión.

—Vamos directo a Madrid. Sin paradas en el camino.

—Sí, coronel.

A esa altura ya se había reunido mucha gente en la calle, para observar lo que ocurría. El coronel Acoca se dispuso a subir al primer camión.

—¡Despejen el camino! —gritó a los que obstaculizaban el paso.

De las calles laterales comenzó a surgir más gente.

—Muévanse —gritó el militar—. ¡Salgan del camino!

Y seguían llegando hombres tocados con las anchas *chapellas*.
Era como si respondieran a una señal invisible. *Jaime Miró está en
problemas*. Salían de las casas y los negocios. Las mujeres abando-
naban sus tareas y corrían a la calle. Los comerciantes, a punto de
abrir sus negocios, habían oído la noticia y se habían precipitado
al hotel. Y continuaban llegando. Artistas y plomeros y médicos,
mecánicos y vendedores y estudiantes, muchos armados con rifles
y escopetas. Eran vascos, y ésa era su tierra. Al principio era un grupo, después cien, y en unos minutos eran más de mil, que llenaban
las veredas y las calles, rodeando por completo a los camiones del
ejército. Permanecían en un ominoso silencio.

El coronel Acoca observaba desesperado a la enorme multitud.
Aulló:

—¡Salgan todos del camino o comenzaremos a disparar!

Jaime gritó:

—Yo no se lo aconsejaría. Esta gente lo odia por lo que trata
de hacerles. Les bastará con una sola palabra mía y harán pedazos
a usted y a sus hombres. Se olvidó un detalle, coronel: San Sebastián es una ciudad vasca. Es *mi* ciudad. —Se volvió a su gente:
—Salgamos de aquí.

Jaime ayudó a Megan a descender del camión, y los siguieron
los otros. El coronel Acoca miraba impotente, con el rostro tenso
de furia.

La muchedumbre esperaba, hostil y callada. Jaime se acercó
al coronel.

—Tome sus camiones y vuelva a Madrid.

Acoca miró la multitud inmóvil que lo rodeaba.

—Yo... No se saldrá con la suya, Miró.

—Ya lo he hecho. Ahora váyase —y lo escupió en la cara.

El coronel lo contempló un largo, asesino instante. *No puede
terminar así*, pensó con desesperación. *Estaba tan cerca del jaque
mate...* Pero sabía que, para él, aquello era peor que una derrota.
Era una sentencia a muerte. El OPUS MUNDO estaría esperándolo
en Madrid. Miró el mar de gente que lo rodeaba. No tenía alternativa.

—Nos vamos —le dijo al conductor del primer camión, con voz
entrecortada por la rabia.

La muchedumbre se hizo atrás, observando a los soldados que
subían a los camiones. Un momento después los vehículos echaban

a andar por la calle, mientras la multitud vitoreaba. Comenzó como una ovación a Jaime Miró y luego se tornó más y más fuerte, pues gritaban por su libertad y su lucha contra la tiranía y la próxima victoria; y las calles reverberaron con el bullicio de la celebración.

Dos adolescentes gritaron hasta quedarse roncos. Uno le dijo al otro:

—Unámonos al ETA.

Una pareja de ancianos se tomó de las manos y la mujer dijo:

—Ahora tal vez nos devuelvan nuestra granja.

Un viejo permanecía solo en medio de la gente, contemplando en silencio los camiones que se alejaban.

—Ya van a volver algún día —vaticinó.

Jaime tomó a Megan de la mano y le dijo:

—Se acabó. Somos libres. Dentro de una hora estaremos del otro lado de la frontera. Te llevaré a la casa de mi tía.

Ella lo miró a los ojos.

—Jaime...

Un hombre se abrió paso hacia ellos a los empujones y se apresuró a acercarse a Megan.

—Disculpe —dijo sin aliento—. ¿Es usted la hermana Megan?

Ella se dio vuelta, perpleja.

—Sí.

El hombre suspiró aliviado.

—¡Vaya que me llevó tiempo encontrarla! Me llamo Alan Tucker. ¿Puedo hablarle un momento?

—Sí.

—A solas.

—Lo lamento. Estoy a punto de partir a...

—Por favor, es muy importante. He venido especialmente desde Nueva York para encontrarla.

Ella lo miró, desconcertada.

—¿Para encontrarme? No comprendo? ¿Por qué...?

—Si me escucha un momento, se lo explicaré.

El extraño la tomó por un brazo y la llevó a un lado de la calle, hablando apresuradamente. Megan echó un vistazo hacia donde la esperaba Jaime.

La conversación con Alan Tucker dio vuelta por completo el mundo de Megan.

—La mujer a la que represento quisiera verla.

—No entiendo. ¿Qué mujer? ¿Qué quiere ella de mí?

Ojalá supiera esa respuesta, pensó Alan Tucker.

—No estoy en libertad para hablar de eso. Ella la espera en Nueva York.

No tenía sentido alguno. Debía de haber algún error.

—¿Está seguro de que yo soy la persona que busca? ¿La hermana Megan?

—Sí. Pero su nombre no es Megan, sino Patricia.

Y de golpe, como un relámpago enceguecedor, Megan lo supo. Después de todos esos años, su fantasía estaba a punto de tornarse realidad. Por fin iba a enterarse de quién era. La sola idea le resultaba emocionante... y aterradora.

—¿Cuándo... debo partir?

De pronto tenía la garganta tan seca que apenas podía pronunciar las palabras.

Quiero que averigüe dónde está y me la traiga lo antes posible.

—Ya mismo. Le conseguiré un pasaporte.

Se dio vuelta y vio a Jaime Miró, que la esperaba frente al hotel.

—Discúlpeme un momento.

Megan regresó junto a él, aturdida, como si estuviera viviendo un sueño.

—¿Te encuentras bien? —le preguntó Jaime—. ¿Ese hombre te está molestando?

—No. Él... No.

Jaime la tomó de una mano.

—Quiero que vengas conmigo, ahora. Nos pertenecemos el uno al otro, Megan.

Su nombre no es Megan, sino Patricia.

Mientras contemplaba el rostro fuerte y apuesto de Jaime, Megan pensó: *Quiero que estemos juntos. Pero tendremos que esperar. Primero debo averiguar quién soy.*

—Jaime. Yo quiero estar contigo. Pero hay algo que debo hacer antes.

Él la estudió con expresión inquieta.

—¿Te marchas?

—Sólo por un tiempo. Pero volveré.

328

La miró un largo instante y luego asintió lentamente.

—Está bien. Cuando vuelvas, pregúntale mi paradero a Largo Cortez.

—Volveré. Te lo prometo.

Y lo decía sinceramente. Pero eso fue antes de encontrarse con Ellen Scott.

Capítulo treinta y siete

—*Deus Israel vos; et ipse sit vobiscum, qui, misertus est doubus unicis plenius benedis cere...* El Dios de Israel los une; que Él esté con ustedes. Y ahora, Señor, haz que ellos Te bendigan. Benditos son todos los que aman al Señor, los que caminan por Sus senderos. Gloria...

Ricardo apartó la vista del sacerdote y miró de reojo a Graciela, de pie a su lado. *Yo estaba en lo cierto. Es la novia más hermosa del mundo.*

Graciela permanecía inmóvil, escuchando las palabras del sacerdote que resonaban en la iglesia cavernosa y abovedada. Había allí una intensa sensación de paz. A Graciela le parecía que estaba habitada por los fantasmas del pasado, los miles de personas que habían acudido allí generación tras generación, a encontrar perdón y solaz y dicha. Le recordaba mucho al convento. *Me siento como si hubiera vuelto al hogar,* pensó Graciela. *Como si perteneciera a este lugar.*

—*Exaudi nos, omni potens et misericors deus; ut quod nostro ministratur officio tua benedictione porius impleatua per dominum...* Escúchanos, todopoderoso y misericordioso Señor, que lo que se realiza mediante nuestro ministerio sea cumplido con Tu bendición...

Él me ha bendecido, más de lo que merezco. Haz que sea digna de Él.

—*In te sperav, domine: Dixi: Tues Deus meus: in manibus tuis tempora mea...* En Ti, Dios, tengo esperanza. Dije: Tú eres mi Dios, mis tiempos están en Tus manos...

Mis tiempos están en Tus manos. Tomo el voto solemne de consagrarme a Ti el resto de mi vida.

—*Suscipe quaesumus domine, pro sacra connubii lege munus*

oblatum... Te suplicamos, oh Señor, que recibas la ofrenda que Te hacemos en nombre de las sagradas manos del matrimonio...

Las palabras parecían reverberar en la cabeza de Graciela. Sentía que el tiempo se había detenido.

—*Deus qui potestate virtutis tuae de nihilo cuneta fecisti...* Oh, Dios, que has santificado el matrimonio para anunciar la unión de Cristo con la Iglesia... mira en Tu piedad a ésta Tu sierva, que será unida en matrimonio y ruega protección y fortaleza de Ti...

¿Cómo puede demostrar piedad cuando Lo estoy traicionando?

De pronto a Graciela le costaba respirar. Parecía que las paredes se le iban encima.

—*Nihil in ea ex actibus suis ille auctor praevaricationis usurpet...* Que el padre del pecado no perpetre ninguna de sus maldades en ella...

Ése fue el momento cuando Graciela lo supo. Y sintió que le quitaban de encima una enorme carga. Se sentía plena de una dicha exaltada, inefable.

El sacerdote decía:

—Que ella obtenga la paz del reino de los cielos. Te pedimos, Señor, que bendigas este matrimonio y...

—Yo ya estoy casada —dijo Graciela.

Se produjo un momento de tenso silencio. Ricardo y el cura se quedaron mirándola. Ricardo se puso pálido.

—Graciela, ¿qué estás...?

Ella lo tomó del brazo y le dijo tiernamente:

—Discúlpame, Ricardo.

—Yo... no entiendo. ¿Has... has dejado de amarme?

Ella negó con la cabeza.

—Te amo más que a mi vida. Pero mi vida ya no me pertenece. Se la ofrecí a Dios, hace mucho tiempo.

—¡No! No puedo permitir que sacrifiques tu...

—Querido Ricardo... No es un sacrificio. Es una bendición. En el convento encontré una paz que nunca había conocido. Tú formas parte del mundo al que renuncié... la mejor parte. Pero renuncié de verdad. Debo regresar a mi mundo.

El sacerdote permanecía en silencio, escuchando.

—Por favor, perdóname por el dolor que te causo, pero no puedo desdecirme de mis votos. Sería traicionar todo aquello en lo que creo. Ahora lo sé. Nunca podría hacerte feliz, porque yo no sería nunca feliz. Por favor, compréndeme.

Ricardo la contemplaba, conmocionado, sin conseguir articular palabra. Era como si algo dentro de él hubiera muerto.

Graciela miró su rostro descompuesto y su corazón se estremeció por él. Lo besó en la mejilla.

—Te amo —le dijo en voz baja, con los ojos llenos de lágrimas—. Rezaré por ti. Rezaré por los dos.

Capítulo treinta y ocho

En las últimas horas de un viernes a la tarde, una ambulancia militar ingresó por la entrada de emergencia en el hospital de Aranda de Duero. Un camillero y dos policías uniformados atravesaron las puertas giratorias y se acercaron al supervisor que se hallaba detrás del escritorio.

—Tenemos órdenes de retirar a Rubio Arzano —dijo uno de los policías, mostrando un documento.

El supervisor miró el papel y frunció el entrecejo.

—Yo no tengo autoridad para dejarlo salir. Tendrá que autorizarlo el administrador.

—Muy bien. Vaya a buscarlo.

El supervisor vaciló.

—Hay un problema: él tiene licencia por este fin de semana.

—No es problema nuestro. Traemos una orden de liberación firmada por el coronel Acoca. ¿Quiere llamarlo por teléfono y decirle que usted no quiere cumplir sus órdenes?

—No —se apresuró a responder el hombre—. No será necesario. Enseguida prepararé al prisionero.

A un kilómetro de distancia, frente a la cárcel de la ciudad, dos detectives emergieron de un patrullero y entraron en el edificio. Se acercaron al sargento de guardia.

Uno de los hombres mostró su identificación.

—Venimos a llevarnos a Lucía Carmine.

El sargento miró a los dos detectives que tenía delante y dijo:

—Nadie me ha dicho nada al respecto.

Uno de los detectives suspiró.

—Maldita burocracia. La mano izquierda nunca se entera de lo que hace la derecha.

—Déjenme ver la orden de liberación.

Los detectives se la entregaron.

—Firmada por el coronel Acoca, ¿eh?

—Exacto.

—¿Adónde la llevan?

—A Madrid. El coronel la va a interrogar personalmente.

—¿Ah, sí? Bueno, entonces lo mejor será consultarlo con él.

—No es necesario —protestó uno de los detectives.

—Señor, tengo órdenes de vigilar estrechamente a esta dama. El gobierno italiano está desesperado por recuperarla. Si el coronel Acoca la pide, va a tener que decírmelo él mismo.

—Está perdiendo el tiempo y...

—Tengo tiempo de sobra, amigo. Lo que no tengo es otro culo, si lo pierdo a causa de esto. —Tomó el teléfono y dijo: — Comuníqueme con el coronel Acoca, en Madrid.

—¡Jesucristo! —exclamó el detective—. Mi mujer me va a matar si vuelvo a llegar tarde para la cena. Además, lo más probable es que el coronel Acoca no esté y...

El teléfono llamó. El sargento atendió.

—Ahora me comunican con la oficina del coronel Acoca —dijo el sargento, y con una mirada triunfal a los dos detectives pidió: —Hola. Habla el sargento de guardia en la comisaría de Aranda de Duero. Tengo algo importante que hablar con el coronel Acoca.

Uno de los detectives miró su reloj con impaciencia.

—¡Mierda! Tengo mejores cosas que hacer en vez de aguantar esta demora...

—Hola. ¿Coronel Acoca?

—Sí —respondió una voz retumbante—. ¿Qué pasa?

—Aquí hay dos detectives, coronel, que quieren que libere a una prisionera bajo su custodia.

—¿A Lucía Carmine?

—Sí, señor.

—¿Le mostraron una orden firmada por mí?

—Sí, señor. Ellos...

—¿Y entonces para qué carajo me molesta? Libérela.

—Disculpe. Yo pensaba...

—No piense. Limítese a cumplir las órdenes.

La línea quedó muerta.

El sargento tragó saliva.

—Eh... eh...

—El coronel anda con los cables pelados, ¿no?

El sargento se puso de pie esforzándose por conservar la dignidad.

—Pediré que la traigan.

En el callejón detrás de la comisaría, un muchachito observaba a un hombre que, montado en el poste telefónico, desconectaba una clavija y volvía a bajar.

—¿Qué está haciendo? —preguntó el chico.

El hombre le acarició el pelo.

—Ayudando a un amigo, chaval. Ayudando a un amigo.

Tres horas más tarde, en una granja aislada de la zona norte, Lucía y Rubio Arzano volvían a encontrarse.

Lo despertó el teléfono, a las tres de la mañana. La voz conocida le dijo:

—Al comité le gustaría reunirse con usted.

—Sí, señor. ¿Cuándo?

—Ahora, coronel. Dentro de una hora pasará a buscarlo una limusina. Prepárese, por favor.

—Sí, señor.

Colgó y se sentó en el borde de la cama. Encendió un cigarrillo y dejó que el humo le mordiera profundamente los pulmones.

Dentro de una hora pasará a buscarlo una limusina. Prepárese, por favor.

Entró en el baño y examinó la imagen que le devolvía el espejo. Lo que veía eran los ojos de un hombre derrotado.

Estuve tan cerca, pensó amargamente. *Tan cerca.*

El coronel Acoca comenzó a afeitarse, con sumo cuidado, y cuando terminó se dio una larga ducha caliente.

Exactamente una hora después, caminó hasta la puerta del edificio y echó una última mirada a la casa que sabía nunca volvería a ver. No habría ninguna reunión, desde luego. No habría nada más que conversar con él.

Una larga limusina negra lo esperaba frente a la casa. Una de las puertas se abrió cuando él se aproximó al coche. Había dos hombres adelante y dos atrás.

—Suba, coronel.

Respiró hondo y subió. Un instante más tarde desapareció velozmente en la noche negra.

Es como un sueño, pensó Lucía. *Por la ventana miró los Alpes suizos. Estoy realmente aquí.*

Jaime Miró le había conseguido un guía que se encargara de que ella llegara a Zurich sana y salva. Había llegado esa noche. *Por la mañana iré al Banco Leu.*

La idea la puso nerviosa. ¿Y si algo salía mal? ¿Y si el dinero ya no estaba allí? ¿Y si...?

Cuando las primeras luces del alba comenzaron a surgir sobre las montañas, Lucía aún estaba despierta.

A la mañana siguiente, muy temprano, salió del hotel Baur au Lac y se paró frente al Banco, esperando que abrieran.

Un hombre maduro de aspecto gentil abrió la puerta.

—Pase, por favor. ¿Hace mucho que espera?

Apenas unos meses, pensó Lucía.

—No. Recién llego.

El hombre la invitó a entrar.

—¿En qué podemos servirla?

Háganme rica.

—Mi padre tiene una cuenta aquí. Me pidió que viniera y... la cerrara.

—¿Es una cuenta numerada?

—Sí.

—¿Puede darme el número, por favor?

—B2A149207.

El hombre asintió.

—Un momento, por favor.

Lo observó desaparecer tras una bóveda. El Banco comenzaba a llenarse de clientes. *Tiene que estar aquí*, pensó Lucía. *Todo va a salir...*

El hombre se le acercó. Su expresión neutra no permitía adivinar la respuesta.

—Esta cuenta... ¿Dice usted que está a nombre de su padre?

El corazón le dio un vuelco.

—Sí. Angelo Carmine.

Él la estudio un momento.

—La cuenta está a nombre de *dos* personas.

¿Eso significa que no podré sacar el dinero?

—¿Cómo? —consiguió decir; apenas podía pronunciar las palabras—. ¿Cuál es el otro nombre?

—Lucía Carmine.

Y en ese instante fue la dueña del mundo.

La cuenta ascendía a poco más de trece millones de dólares.

—¿Cómo prefiere cobrarlo? —le preguntó el banquero.

—¿Puede transferirlo a un Banco de Brasil?

—Desde luego. Esta misma tarde estará allá.

De allí, Lucía se dirigió a una agencia de viajes próxima al hotel. En una de las vidrieras había un gran afiche que promocionaba a Brasil.

Es un augurio, pensó Lucía con felicidad. Entró.

—¿Señorita?

—Buenas tardes. Quisiera dos pasajes a Brasil.

Allí no hay leyes de extradición.

No veía la hora de contarle a Rubio lo bien que iban saliendo todo. Él se encontraba en Biarritz, esperando el llamado de ella. Irían juntos a Brasil.

—Allá podremos vivir en paz el resto de nuestra vida —le había dicho Lucía.

Ahora todo estaba arreglado, al fin. Después de tantas aventuras y peligros... El arresto de su padre y sus hermanos, y su venganza contra Benito Patas y el juez Buscetta... la persecución de la policía y la fuga del convento... los hombres de Acoca y el falso fraile... Jaime Miró y Teresa y la cruz de oro... Y Rubio Arzano. Sobre todo, su amado Rubio. ¿Cuántas veces había arriesgado la vida por ella? La había salvado de los soldados en el bosque... de las aguas turbulentas de la cascada... de los hombres del bar de Aranda de Duero. El solo pensar en Rubio la llenaba de calor y ternura.

Regresó al hotel y levantó el teléfono, aguardando que la operadora respondiera.

En Río habrá algo que él pueda hacer. ¿Qué? ¿A qué podrá dedicarse? Tal vez quiera comprar una granja en algún lugar del país... Pero en ese caso, ¿qué haré yo?

La voz de la operadora dijo:

—Número, por favor.

Lucía contemplaba los nevados Alpes suizos a través de la ventana. *Rubio y yo tenemos dos vidas diferentes. Vivimos en mundos distintos. Yo soy la hija de Angelo Carmine.*

—¿Número, por favor?

Él es un campesino. Eso es lo que él ama. ¿Cómo puedo apartarlo de lo que más le gusta? No puedo hacerle una cosa así.

La operadora se impacientaba:

—¿Desea una comunicación?

Lucía respondió lentamente:

—No. Gracias —y colgó.

A la mañana siguiente abordó un vuelo de Swissair a Río. **Iba sola.**

Capítulo treinta y nueve

El encuentro se realizó en el lujoso salón de la casa de Ellen Scott, que caminaba de un lado a otro esperando la llegada de Alan Tucker con la muchacha. No. Una muchacha, no. Una mujer. Una monja. ¿Cómo sería? ¿Qué le habría hecho la vida? *¿Qué le he hecho yo?*

Entró el mayordomo.

—Han llegado sus invitados, señora.

Respiró hondo.

—Hágalos pasar.

Un momento después entraron Alan Tucker y Megan.

Es hermosa, penso Ellen Scott.

Tucker sonrió.

—Señora Scott, ésta es Megan.

Ellen Scott lo miró y dijo calmamente:

—Ya no volveré a necesitarlo.

Y sus palabras encerraban un sentido de irrevocabilidad.

La sonrisa de Tucker se desvaneció.

—Adiós, Tucker.

El hombre permaneció inmóvil un momento, indeciso; luego saludó con un gesto y se marchó. No conseguía superar la sensación de que algo se le había pasado por alto. Algo importante. *Demasiado tarde*, pensó. *Ahora ya es demasiado tarde.*

Ellen Scott estudiaba a Megan.

—Siéntate, por favor.

Megan tomó asiento y quedaron frente a frente, inspeccionándose.

Se parece a la madre, pensó Ellen Scott. *Se ha convertido en una hermosa mujer.* Evocó la terrible noche del accidente, la tormenta y el avión en llamas.

Dijiste que ella había muerto... Hay otro modo... El piloto comentó que estábamos cerca de Ávila. Allí debe de haber muchos turistas. No hay razón para que nadie relacione a la niña con el accidente del avión... La dejaremos en una linda granja fuera de la ciudad. La adoptarán y llevará una buena vida aquí... Tienes que elegir, Milo. Puedes quedarte conmigo, o pasar el resto de tu vida trabajando para la hija de tu hermano.

Y ahora se hallaba frente a ella. ¿Por dónde empezar?

—Yo soy Ellen Scott, presidenta de las Industrias Scott. ¿Las has oído nombrar?

—No.

Por supuesto que no, se reprendió Ellen Scott.

Aquello iba a resultar más difícil que lo que hubiera llegado a pensar alguna vez. Ella había inventado una historia acerca de un viejo amigo de la familia que había muerto y le había hecho prometer que cuidaría de su hija y... Pero en el mismo instante de ver a Megan, Ellen Scott supo que eso no iba a funcionar. No tenía alternativa. Debía confiar en que Patricia —Megan— no los destruyera a todos. Ellen Scott reflexionó en lo que le había hecho a la mujer sentada frente a ella, y los ojos se le llenaron de lágrimas. *Pero ya es demasiado tarde para lágrimas. Ha llegado el momento de rectificar lo hecho. Ha llegado la hora de decir la verdad.*

Se inclinó hacia Megan y le tomó una mano.

—Tengo que contarte algo —le dijo con calma.

Aquello había ocurrido hacía tres años. Durante el primer año, hasta que se sintió demasiado enferma para continuar, Ellen Scott tomó a Megan bajo su protección. Megan había comenzado a trabajar en las Industrias Scott, y su aptitud y su inteligencia habían encantado a la empresaria.

—Tendrás que trabajar mucho —le dijo Ellen Scott—. Aprenderás, como tuve que aprender yo. Al principio será difícil, pero después esto se convertirá en tu vida.

Y así fue.

Megan trabajaba una cantidad de horas que ninguno de sus empleados podía siquiera pensar en emular.

—Llegas a tu despacho a las cuatro de la mañana y trabajas todo el día. ¿Cómo lo haces?

Megan sonreía y pensaba: *Si estuviera en el convento y durmiera hasta las cuatro de la mañana, la hermana Betina me reprendería.*

Ellen Scott ya no estaba, pero Megan siguió aprendiendo y viendo crecer a la empresa. *Su* empresa. Ellen Scott la había adoptado.

—Así no tendré que explicar por qué eres una Scott —le dijo. Pero en su voz había una nota de orgullo.

Qué ironía, pensó Megan. *Tantos años que pasé en el orfanato sin que nadie me adoptara... Y ahora me adopta mi propia familia.*

Un prodigioso sentido del humor.

Capítulo cuarenta

Al volante del coche que les serviría para escapar se hallaba un hombre nuevo, y eso tenía nervioso a Jaime Miró.

—No estoy seguro de él —le dijo a Félix Carpio—. ¿Y si se va y nos abandona?

—Tranquilízate. Es el cuñado de mi primo. Lo hará bien. Nos ha rogado por favor que le diéramos una oportunidad de salir con nosotros.

—Tengo un mal presentimiento —insistió Jaime.

Habían llegado a Sevilla en las primeras horas de esa tarde, y habían examinado media docenas de Bancos antes de elegir su blanco. Estaba en una pequeña calle lateral, sin demasiado tránsito, cerca de una fábrica que depositaba el dinero allí. Todo parecía perfecto. Salvo el hombre que manejaba el coche.

—¿Eso es todo lo que te preocupa? —preguntó Félix.

—No.

—¿Cuál es el otro motivo?

Una pregunta difícil de responder.

—Llámalo premonición —respondió Jaime esforzándose por adoptar un tono ligero, como burlándose de sí mismo.

Félix se lo tomó en serio.

—¿Quieres suspender el asalto?

—¿Porque hoy tengo los nervios de punta? No, amigo. Todo va a salir como por un tubo.

Al principio, así fue.

En el Banco había una media docena de clientes, y Félix los mantuvo a raya con un arma automática mientras Jaime limpiaba las cajas. Como por un tubo.

Cuando los dos hombres se marchaban en dirección al coche, Jaime gritó:

—Recuerden, amigos: el dinero es para una buena causa.

Fue en la calle donde todo comenzó a derrumbarse. Había policías por todas partes. El conductor del coche estaba de rodillas sobre el pavimento; la pistola de un policía le apuntaba a la cabeza.

Cuando aparecieron Jaime y Félix, un detective les ordenó:

—Suelten las armas.

Jaime vaciló una fracción de segundo. Después alzó el arma.

Capítulo cuarenta y uno

El 727 convertido volaba a diez mil seiscientos kilómetros, sobre el Gran Cañón. Había sido un día largo y arduo. *Y todavía no ha terminado*, pensó Megan.

Iba camino a California a firmar los papeles que proporcionarían a las Industrias Scott un millón de acres de bosques al norte de San Francisco. Acaba de concluir un negocio difícil.

Culpa de ellos, pensó Megan. *No deberían haber intentado engañarme. Apuesto a que es la primera vez que se enfrentan con una tenedora de libros salida de un convento cisterciense.* Y se echó a reír.

—¿Necesita algo, señorita Scott? —le preguntó el camarero.

—No, gracias.

Vio que el hombre llevaba en el carrito una pila de diarios y revistas. Había estado tan ocupada con ese contrato que no había tenido tiempo de leer nada.

—Déjeme ver el *New York Times*, por favor.

La nota figuraba en la primera plana y le saltó a los ojos. Había una fotografía de Jaime Miró. Debajo se leía: "Jaime Miró, líder del ETA, el movimiento separatista vasco español, fue herido y capturado por la policía durante el asalto a un Banco ayer por la tarde en Sevilla. Resultó muerto en el ataque Félix Carpio, otro de los mencionados terroristas. Las autoridades buscaban a Miró desde..."

Megan leyó el resto del artículo y se quedó un largo rato absorta, recordando el pasado. Era como un sueño lejano, fotografiado a través de una cortina de bruma, nebuloso e irreal.

Esta lucha terminará pronto. Obtendremos lo que queremos porque el pueblo nos apoya... Quisiera que me esperaras...

Mucho tiempo atrás, ella había leído acerca de una civilización que creía que, si uno le salvaba la vida a una persona, era responsable por ella. Y bien, ella le había salvado dos veces la vida a Jaime: una en el castillo, y otra en la plaza. *Maldita sea si voy a permitir que lo maten ahora.*

Tomó el teléfono junto a su asiento y le dijo al piloto:

—Cambie el rumbo. Volvemos a Nueva York.

En La Guardia la esperaba una limusina y cuando llegó a su oficina eran las dos de la mañana. Lawrence Gray Jr. la aguardaba. Su padre, ya retirado, había sido el abogado de la empresa durante años. El hijo era inteligente y ambicioso.

Sin preámbulos, Megan dijo:

—Jaime Miró. ¿Qué sabes de el?

La respuesta fue inmediata:

—Es un terrorista vasco, cabecilla del ETA. Creo que acabo de leer que lo capturaron hace uno o dos días.

—Correcto. El gobierno lo va a someter a juicio. Quiero enviar a alguien allá. ¿Quién es el mejor abogado del país?

—Yo diría que Curtis Hayman.

—No. Es demasiado caballero. Necesitamos un asesino —Pensó un momento. —Consígueme a Mike Rosen.

—Tiene trabajo de aquí a cien años, Megan.

—Consíguelo como sea. Cuando empiece el juicio lo quiero en Madrid.

Gray arrugó la frente.

—No podemos involucrarnos en un juicio público en España.

—Claro que sí. *Amicus curae.* Somos amigos del acusado.

Gray la estudió un instante.

—¿Te molesta si te hago una pregunta personal?

—Sí. Ocúpate de lo que te pedí.

—Haré lo posible.

—Larry...

—¿Sí?

—También lo imposible —agregó ella con voz de acero.

Veinte minutos después Lawrence Gray entró en la oficina de Megan.

—Mike Rosen está en el teléfono. Creo que lo desperté. Quiere hablar contigo.

Megan tomó el teléfono.

—¿Señor Rosen? Mucho gusto. No nos conocemos, pero tengo la sensación de que usted y yo vamos a hacernos muy buenos amigos. Hay mucha gente que nos hace juicio sólo por placer, y busco a alguien que se encargue de todos nuestros litigios. El suyo es el único nombre que surge constantemente. Desde luego, estoy dispuesta a pagarle excelentes honorarios por...

—¿Señorita Scott?

—Sí.

—Por favor, déjese de palabreríos. Son las dos de la mañana. No es hora para contratar gente.

—Señor Rosen...

—Mike. Vamos a ser buenos amigos, ¿recuerda? Pero los amigos deben confiar el uno en el otro. Larry me dijo que usted quiere que yo vaya a España a tratar de salvar a un terrorista vasco que está en manos de la policía.

—No es un terrorista —comenzó a decir Megan, pero se interrumpió—. Sí.

—¿Cuál es su problema? ¿El hombre va a iniciar juicio a las Industrias Scott porque le falló el revólver?

—Él...

—Lo lamento, amiga. No puedo ayudarla. Tengo tantos compromisos que hace seis meses que no puedo ir al baño. Podría recomendarle unos cuantos abogados...

No, pensó Megan. *Jaime Miró te necesita a ti.* Y de pronto se sintió presa de la desesperación. España era otro mundo, otra época. Cuando habló, su voz sonó fatigada:

—Es un asunto personal. Lamento haber sido tan enfática.

—¡Ah! Si es personal ya es otra cosa, Megan. Para ser sincero, me muero por saber cuál es el interés de la cabeza de las Industrias Scott por salvar a un terrorista español. ¿Podemos almorzar mañana?

Megan no iba a permitir que nada se le interpusiera en el camino.

—Sí.

—¿En Le Cirque a la una?

—Sí —dijo Megan, de mejor ánimo.

—Haga usted la reserva. Pero tengo que advertirle algo.

—¿Qué?

—Tengo una mujer muy entrometida.

Se encontraron en Le Cirque y cuando Sirio los ubicó Mike Rosen dijo:

—Personalmente es más bonita que en las fotos. Seguro que se lo dice todo el mundo.

Era un hombre muy bajo, vestido con negligencia. Pero en su mente no había nada de negligencia. Sus ojos irradiaban una inteligencia llameante.

—Me ha despertado la curiosidad —dijo Rosen—. ¿Cuál es su interés en Jaime Miró?

Había mucho que contar. Demasiado. Pero Megan se limitó a decir:

—Es un amigo. No quiero que muera.

Rosen se acomodó en la silla; los pies no le llegaban al piso.

—Estuve revisando las notas referentes a él en los archivos de los diarios. Si el gobierno de Juan Carlos ejecuta a Miró una sola vez, él habrá ganado de lejos: se van a quedar roncos nada más que de leer todos los cargos contra su amigo. —Advirtió la expresión de Megan. —Disculpe, pero tengo que ser honesto. Miró no ha perdido el tiempo. Asalta Bancos, vuela coches, asesina gente...

—No es un asesino. Es un patriota. Lucha por sus derechos.

—Está bien, está bien. También es mi héroe. ¿Qué quiere que haga yo?

—Que lo salve.

—Megan, somos tan buenos amigos que le voy a decir la verdad absoluta. Jesucristo no pudo salvarse a sí mismo. Usted espera un milagro que...

—Yo creo en los milagros. ¿Me ayudará?

Rosen la miró un momento.

—Qué diablos... ¿Para qué están los amigos? ¿Ya probó el paté? Oí decir que lo hacen con carne *kosher*.

El télex de Madrid decía: "Hablé con media docena de abogados europeos. Se niegan a representar a Miró. Intenté que me admitieran en el juicio por *amicus curae*. La corte falló en mi contra.

Ojalá pudiera obrar ese milagro para usted, amiga, pero Jesús todavía no se ha levantado. Voy para allá. Me debe un almuerzo. Mike."

El juicio iba a comenzar el 17 de septiembre.

—Anule mis compromisos —le dijo.Megan a su asistente—. Tengo que ocuparme de unos negocios en Madrid.

—¿Cuánto tiempo estará ausente?

—No lo sé.

Planeó su estrategia en el avión, sobre el Atlántico. *Tiene que haber un modo*, pensaba Megan. *Tengo dinero y tengo poder. La clave es el Primer Ministro. Tengo que llegar a él antes de que empiece el juicio. Después será demasiado tarde.*

Consiguió una entrevista con el primer ministro Leopoldo Martínez veinticuatro horas después de llegar a Madrid. Él la invitó a almorzar al Palacio de la Moncloa.

—Gracias por atenderme tan pronto —dijo Megan—. Sé que usted es un hombre muy ocupado.

Él hizo un ademán como restándole importancia.

—Estimada señorita Scott, cuando la directora de una organización tan importante como las Industrias Scott vuela a mi país para verme, no puedo menos que sentirme honrado. Por favor, dígame en qué puedo ayudarla.

—En realidad yo vine a ayudarlo a usted —repuso Megan—. Se me ocurrió que, a pesar de que tenemos unas cuantas fábricas en España, no estamos utilizando todo el potencial que su país tiene para ofrecer.

El Primer Ministro la escuchaba atentamente, con ojos brillantes.

—¿Sí?

—Las Industrias Scott están por abrir una enorme planta de electrónica, que emplearía entre mil y mil quinientas personas. Si nos va tan bien como calculamos, abriremos fábricas satélites.

—¿Y aún no ha decidido en qué país desea abrir esa planta?

—Exacto. Personalmente, me inclino a favor de España, pero con toda franqueza, Su Excelencia, algunos de mis ejecutivos no están demasiado satisfechos con sus antecedentes en cuanto a derechos civiles.

—¿Realmente?

—Sí. Piensan que aquí se trata con demasiada rudeza a aquellos que objetan ciertas políticas del Estado.

—¿Se refiere a alguien en particular?

—En verdad, sí. A Jaime Miró.

El Primer Ministro se quedó mirándola.

—Entiendo. Y si fuéramos indulgentes con Jaime Miró, obtendríamos la planta de electrónica y...

—Y mucho más —le aseguró Megan—. Nuestras fábricas elevarán el nivel de vida en todos los lugares donde nos instalemos.

El Primer Ministro frunció el entrecejo.

—Lamentablemente, hay un pequeño problema

—¿Cuál? Podemos negociarlo...

—Hay una cosa que no puede negociarse, señorita Scott. El honor de España no está en venta. No puede usted sobornarnos ni comprarnos ni amenazarnos.

—Créame, yo...

—¿Vino usted aquí a ofrecer su limosna esperando que alteremos nuestro sistema de justicia para complacerla? Piénselo mejor, señorita Scott. No necesitamos sus fábricas.

He empeorado las cosas, pensó Megan.

El juicio demoró seis semanas; se llevó a cabo en un tribunal fuertemente custodiado y cerrado al público.

Megan se quedó en Madrid, siguiendo día tras día los informes de la prensa. Cada tanto llamaba a Mike Rosen.

—Sé lo que estás pasando, amiga. Deberías volver.

—No puedo, Mike.

Intentó ver a Jaime.

—Absolutamente prohibidas las visitas.

El último día del juicio, Megan era una más entre la multitud que aguardaba a las puertas del tribunal. Detuvo a uno de los periodistas que salían del edificio.

—¿Qué pasó?

—Lo encontraron culpable de todos los cargos. Le aplicarán el garrote.

Capítulo cuarenta y dos

A las cinco de la mañana en la que se llevaría a cabo la ejecución de Jaime Miró, la multitud comenzó a reunirse en la parte exterior de la prisión central de Madrid. Las barricadas colocadas por la guardia civil impedían que la exaltada turba de espectadores cruzara la amplia calle, y los mantenía apartados de la cárcel. Tropas armadas y tanques bloqueaban los portones de entrada.

Dentro de la prisión, en la oficina del carcelero Gómez de la Fuente, tenía lugar una reunión extraordinaria. Se hallaban allí el primer ministro Leopoldo Martínez, Alonso Sebastián, nuevo director del GOE, y los asistentes del carcelero, Juanito Molinas y Pedro Arrango.

De la Fuente era un hombre maduro, corpulento y torvo, que había consagrado apasionadamente su vida a disciplinar a los sinvergüenzas que el gobierno había puesto bajo su responsabilidad. Molinas y Arrango, sus recios asistentes, habían trabajado con de la Fuente durante los últimos veinte años.

El que hablaba era el primer ministro Martínez.

—Quisiera saber qué medidas han tomado para que la ejecución de Miró se lleve a cabo sin problemas.

El carcelero de la Fuente respondió:

—Estamos preparados para cualquier contingencia posible, Su Excelencia. Como Su Excelencia observó al llegar, la prisión está rodeada por una compañía completa de soldados armados. Haría falta un ejército para entrar.

—¿Y dentro de la cárcel?

—Las precauciones son aún más estrictas. Jaime Miró está encerrado en una celda de doble seguridad, en el segundo piso. Los otros prisioneros de ese piso han sido transferidos temporariamente. Hay dos guardias estacionados frente a la celda de Miró y otros dos en cada uno de los extremos del corredor. He ordenado que se mantengan cerradas todas las demás celdas, de modo que todos los prisioneros permanezcan recluidos hasta que termine la ejecución.

—¿A qué hora tendrá lugar?

—Al mediodía, Su Excelencia. Pospuse la hora del almuerzo hasta la una. Eso nos dará tiempo suficiente para sacar de aquí el cuerpo de Miró.

—¿Qué medidas se ha dispuesto para disponer del cadáver?

—He seguido su sugerencia, Excelencia. Si se lo entierra en España podrían surgir complicaciones para el gobierno, en caso de que los vascos conviertan su tumba en una especie de lugar sagrado. Nos pusimos en contacto con la tía de Miró que vive en Francia, en un pueblito cerca de Bayonne. Aceptó enterrarlo allí.

El Primer Ministro se puso de pie.

—Excelente. —Suspiró. —Sigo creyendo que colgarlo en la plaza pública habría sido lo más apropiado.

—Sí, Su Excelencia. Pero en ese caso yo ya no podría hacerme responsable del control de la turba que espera afuera.

—Supongo que tiene usted razón. No tiene sentido provocar más agitación que la necesaria. El garrote es más doloroso y lento. Y si hay un hombre que se merece el garrote, es Jaime Miró.

El carcelero de la Fuente dijo:

—Disculpe, Su Excelencia, pero tengo entendido que se ha reunido una comisión de jueces para considerar una apelación de último momento de parte de los abogados de Miró. Si la aprueban, ¿qué debo...?

El Primer Ministro lo interrumpió:

—No lo harán. La ejecución se llevará a cabo según lo planeado.

La reunión concluyó.

A la siete y media de la mañana entró en la cárcel un camión que llevaba pan.

—Reparto.

Uno de los guardias estacionado en la entrada miró al conductor.

—Usted es nuevo, ¿no?

—Sí.

—¿Dónde está Julio?

—Hoy se quedó en cama; está enfermo.

—¿Y por qué no va con él, amigo?

—¿Qué?

—Que esta mañana no hay repartos. Vuelva a la tarde.

—Pero todas las mañanas...

—Hoy no entra nada, y sale una sola cosa. Ahora dé la vuelta y saque su culo de aquí antes de que mis compañeros se pongan nerviosos.

El conductor miró alrededor y vio a los soldados armados que clavaban sus ojos en él.

—Claro. Está bien.

Dio la vuelta y desapareció calle abajo. El comandante de la guarnición informó del incidente al carcelero. Cuando se verificó la historia, se supo que el empleado regular de la panadería se hallaba en el hospital, víctima de un ataque, y que le habían robado el furgón.

A las ocho de la mañana explotó una bomba colocada en un coche, al otro lado de la calle de la cárcel, y resultaron heridas media docena de personas. En circunstancias ordinarias, los guardias habrían abandonado sus puestos para investigar lo ocurrido y asistir a los heridos. Pero tenían órdenes estrictas. Permanecieron en sus puestos y se llamó a la guardia civil para que se hiciera cargo de lo sucedido.

El incidente fue informado de inmediato al carcelero de la Fuente.

—Están desesperados —dijo el hombre—. Estén preparados para cualquier cosa.

A las nueve y cuarto de la mañana apareció un helicóptero sobrevolando la zona de la prisión. A los costados llevaba escritas las palabras: LA PRENSA, el diario más importante de España.

En el techo de la cárcel se habían dispuesto dos cañones antiaéreos. El lugarteniente a cargo hizo flamear una bandera para advertir al piloto. El helicóptero siguió sobrevolando. El oficial tomó el teléfono.

—Carcelero, tenemos un helicóptero sobrevolando la prisión.

—¿Alguna identificación?

—Dice LA PRENSA, pero las letras parecen recién pintadas.

—Haga un disparo de advertencia. Si no se va, vuélelo.

—Sí, señor. —El hombre le hizo una seña al cañonero.
—Dispare uno de advertencia.

El proyectíl cayó a cinco metros del helicóptero. Alcanzaron a ver la expresión azorada del piloto. El cañonero volvió a cargar. El helicóptero se elevó y desapareció en los cielos de Madrid.

¿Qué diablos viene ahora?, se preguntó el lugarteniente.

A las once de la mañana Megan Scott apareció en el despacho de recepción de la cárcel. Tenía el semblante pálido y ojeroso.

—Quiero ver al carcelero de la Fuente.

—¿Tiene una cita?

—No, pero...

—Lo lamento. Esta mañana el carcelero no atiende a nadie. Si lo llama por teléfono esta tarde...

—Dígale que soy Megan Scott.

El hombre la miró más de cerca. *Así que esta es la norteamericana rica que trata de liberar a Jaime Miró. La verdad es que no me molestaría que me hiciera algunos servicios por unas cuantas noches.*

—Le diré al carcelero que está usted aquí.

—Cinco minutos después Megan estaba sentada en la oficina de de la Fuente. Con él se hallaban algunos otros hombres de la comisión directiva de la prisión.

—¿Qué puedo hacer por usted, señorita Scott?

—Quisiera ver a Jaime Miró.

El hombre suspiró.

—Lo lamento, pero no es posible.

—Pero yo...

—Señorita Scott... todos sabemos muy bien quién es usted. Le aseguro que, si aceptáramos lo que pide, nosotros nos sentiríamos más felices que usted. —Sonrió. —En realidad los españoles somos un pueblo muy comprensivo. También somos sentimentales, y de tanto en tanto no nos negamos a hacer la vista gorda sobre ciertas reglas y reglamentos. —Su sonrisa se borró. —Pero hoy no, señorita Scott. No. Hoy es un día muy especial. Nos ha llevado años atrapar al hombre a quien usted desea ver. Así que hoy es un día de reglas y reglamentos. El próximo que vea a Jaime Miró será su Dios... si es que él tiene alguno.

Megan se quedó mirándolo, el rostro embargado por la desesperación.

—¿Podría... podría aunque sea mirarlo un momento?

Uno de los miembros de la comisión directiva, conmovido por la angustia de Megan, sintió la tentación de intervenir. Se contuvo.

—Lo lamento —dijo de la Fuente—. No.

—¿Podría enviarle un mensaje? —preguntó ella con voz entrecortada.

—Sería como enviarle un mensaje a un muerto —le contestó de la Fuente mirando el reloj—. Tiene menos de una hora de vida.

—Pero él está apelando su sentencia. ¿No se ha reunido un grupo de jueces para decidir si...?

—Votaron en contra. Me enteré hace quince minutos: la apelación de Miró ha sido denegada. La ejecución se llevará a cabo. Ahora, si me disculpa...

Se puso de pie y los otros lo imitaron. Megan contempló la habitación y los fríos rostros de los hombres, y se estremeció.

Ellos la miraron, callados, salir de la oficina.

A las doce menos diez, se abrió la puerta de la celda de Jaime Miró. El carcelero Gómez de la Fuente iba acompañado por sus dos asistentes, Molinas y Arrango, y el doctor Miguel Asunción. Cuatro guardias armados vigilaban en el corredor.

El carcelero entró en la celda.

—Es la hora.

Jaime se levantó del catre. Estaba esposado y engrillado.

—Esperaba que llegaran tarde —les dijo.

Había en él un aire de dignidad que de la Fuente no pudo evitar admirar.

Jaime salió al corredor desierto, caminando con movimientos torpes a causa de los grilletes. Lo flanqueaban los guardias, y Molinas y Arrango.

—¿El garrote? —preguntó Jaime.

El dolorosísimo e inhumano garrote. Era una suerte, pensó el carcelero, que la ejecución se realizara en una habitación privada, lejos de los ojos del público y la prensa.

La procesión avanzó por el corredor. Desde afuera, desde la calle, llegaba la cantinela de la multitud: "Jaime... Jaime... Jaime...". Surgía creciente de miles de gargantas y se tornaba más y más fuerte.

—Claman por ti —dijo Pedro Arrango.

—No. Claman por sí mismos. Claman por la libertad. Mañana gritarán otro nombre. Yo moriré... pero siempre habrá otro nombre.

Atravesaron dos puertas de seguridad hacia una pequeña cámara al final del pasillo, con una puerta de hierro verde. De un rincón apareció un sacerdote de hábito negro.

—Gracias a Dios que llego a tiempo. He venido a ofrecer los últimos ritos al condenado.

Avanzó hacia Miró pero los dos guardias le bloquearon el paso.

—Disculpe, padre —dijo de la Fuente—. Nadie puede acercársele.

—Pero...

—Si quiere brindarle los últimos ritos, tendrá que hacerlo a través de la puerta cerrada. Salga del camino, por favor.

Un guardia abrió la puerta verde. Adentro, de pie, cerca de una silla atornillada al piso y provista de fuertes correas para asegurar los brazos, había un hombre enorme con una media máscara. En sus manos sostenía el garrote.

El carcelero hizo una seña a Molinas y Arrango y al médico, y entraron en la habitación después de Jaime. Los guardias quedaron afuera. Cerraron la puerta verde y le echaron los cerrojos.

Los asistentes Molinas y Arrango condujeron a Jaime hasta la silla. Le abrieron las esposas y lo aseguraron a la silla, ajustando las fuertes correas a sus brazos, mientras el doctor Asunción y de la Fuente observaban. A través de la gruesa puerta cerrada, apenas alcanzaban a oír las oraciones del cura.

De la Fuente miró a Jaime y se encogió de hombros.

—No importa. Dios entenderá lo que está diciendo.

El gigante que sostenía el garrote se acercó a Jaime por la espalda. El carcelero Gómez de la Fuente preguntó:

—¿Quieres que te cubran la cara?

—No —respondió Jaime.

El carcelero miró al gigante y le hizo una señal con la cabeza.

El gigante levantó el garrote y se adelantó.

Afuera, los guardias que vigilaban la puerta oían los cantos de la muchedumbre en la calle.

—¿Sabes una cosa? —refunfuñó uno de ellos—. Quisiera estar allá afuera, con esa gente.

Cinco minutos después la puerta verde se abrió.

El doctor Asunción dijo:

—Traigan la bolsa para poner el cuerpo.

Siguiendo las instrucciones, el cuerpo de Jaime Miró fue retirado de contrabando por una puerta trasera de la cárcel. La bolsa que contenía su cuerpo fue arrojada en la parte posterior de una camioneta sin señales identificatorias. Pero en el momento en que el vehículo salía de la cárcel la muchedumbre avanzó hacia él, como atraída por un imán místico.

—Jaime... Jaime...

Los gritos eran más apagados. Hombres y mujeres lloraban y sus niños los miraban asombrados, sin entender lo que ocurría. La camioneta se abrió paso entre la gente y finalmente tomó la carretera.

—Jesús —dijo el conductor—. Parece cosa del demonio. El hombre debía de tener algo...

—Sí. ¡Para atraer así a miles de personas...!

A las dos de aquella tarde, el carcelero Gómez de la Fuente y sus dos asistentes, Juanito Molinas y Pedro Arrango, comparecieron en el despacho del primer ministro Martínez.

—Quiero felicitarlos —dijo el Primer Ministro—. La ejecución se realizó perfectamente.

—Señor Primer Ministro —dijo de la Fuente—, no estamos aquí para recibir sus felicitaciones. Vinimos a renunciar.

—Yo... no comprendo. ¿Por qué...?

—Es una cuestión de humanidad, Su Excelencia. Acabamos de ver morir a un hombre. Tal vez merecía morir. Pero no así. De una manera tan... eh... bárbara. Ya no quiero ser parte de esto ni de nada que se le parezca, y mis compañeros sienten lo mismo.

—Quizá deban pensarlo mejor. La pensión que les correspondería...

—Tenemos que vivir con nuestra conciencia —dijo el carcelero Gómez de la Fuente y extendió al Primer Ministro tres hojas de papel—. Aquí están nuestras renuncias.

Esa noche, la camioneta cruzó la frontera francesa en dirección al pueblo de Bidache, cerca de Bayonne. Se detuvo frente a una prolija granja.

—Es aquí. Deshagámonos del cuerpo antes de que empiece a despedir olor.

La puerta de la granja la abrió una mujer de unos cincuenta y cinco años.

—¿Lo trajeron?

—Sí, señora. ¿Dónde quiere que lo dejemos?

—En la sala, por favor.

—Sí, señora. Yo... eh... yo no tardaría demasiado en enterrarlo, si fuera usted. ¿Me entiende?

La mujer miró a los dos hombres, que entraron la bolsa con el cuerpo y la depositaron en el piso.

—Gracias.

—De nada.

Los contempló irse.

Otra mujer entró en la sala y corrió hacia la bolsa. Se apresuró a abrirla.

Allí yacía Jaime Miró, sonriéndoles.

—La verdad es que el garrote puede resultar un verdadero tormento...

—¿Vino tinto o blanco? —preguntó Megan.

Capítulo cuarenta y tres

En el aeropuerto de Madrid, el ex carcelero Gómez de la Fuente y sus dos ex asistentes, Molinas y Arrango, junto con el doctor Asunción y el gigante de la máscara, se hallaban en el sector de partidas.

—Sigo creyendo que cometes un error al no venir conmigo a Costa Rica —dijo de la Fuente—. Con tus cinco millones de dólares, puedes comprarte todo el territorio.

Molinas sacudió la cabeza.

—Arrango y yo nos vamos a Suiza. Estoy cansado del sol.

—Yo haré lo mismo —dijo el gigante.

—¿Y usted, doctor? —le preguntaron a Miguel Asunción.

—Yo me voy a Bangladesh.

—¿Adónde?

—Como oyen. Con el dinero voy a abrir un hospital allá. Ya saben que lo pensé mucho antes de aceptar la oferta de Megan Scott. Pero me dije que si dejando vivir a un terrorista podía salvar muchas vidas inocentes, el trato valía la pena. Además, debo confesarles que simpatizaba con Jaime Miró.

Capítulo cuarenta y cuatro

En la campiña francesa había sido una buena temporada, con buen tiempo que brindó a los granjeros abundantes cosechas. *Ojalá todos los años sean tan maravillosos como éste*, pensó Rubio Arzano. Y había sido un buen año en más de un sentido.

Primero su casamiento y luego, hacía doce meses, el nacimiento de los mellizos. *¿Quién soñaría que un hombre puede llegar a ser tan feliz?*

Comenzaba a llover. Rubio hizo girar el tractor y se dirigió al granero. Pensaba en los mellizos. El niño iba a ser grande y fornido. ¡Pero la niña! *Va a causarle muchos problemas a su hombre*, sonrió Rubio para sus adentros. *Sale a la madre.*

Guardó el tractor en el granero y se dirigió a la casa, sintiendo la lluvia fresca contra la cara. Abrió la puerta y entró.

—Llegas justo a tiempo —le dijo Lucía con una sonrisa—. La cena está lista.

La reverenda madre priora Betina se despertó con la premonición de que algo maravilloso estaba a punto de ocurrir.

Aunque, pensó, *ya han ocurrido bastantes cosas buenas.*

Hacía tiempo que el convento cisterciense había sido reabierto, bajo la protección del rey don Juan Carlos. La hermana Graciela y las monjas trasladadas a Madrid habían regresado sanas y salvas tras esos muros, donde se les permitió recluirse una vez más.

Poco después del desayuno, la Madre Priora entró en su oficina y se detuvo, mirando algo. Sobre su escritorio, brillando con destellos llameantes, estaba la cruz de oro.

La aceptó como un milagro.

Epílogo

En 1978, Madrid trató de comprar la paz ofreciendo a los vascos una autonomía limitada, permitiéndoles tener su propia bandera, su propio idioma y un departamento de policía vasco. El ETA respondió asesinando a Constantin Ortin Gil, el gobernador militar de Madrid, y después a Luis Carrero Blanco, el hombre elegido por Franco como sucesor. .

La violencia sigue escalando.

En un período de tres años, los terroristas del ETA han matado a más de seiscientas víctimas. La carnicería continúa y las represalias de la policía han sido igualmente implacables.

No hace muchos años, el ETA contaba con la simpatía de los dos millones y medio de ciudadanos vascos, pero el terrorismo ininterrumpido erosionó ese apoyo. En Bilbao, el corazón de la tierra vasca, cien mil personas tomaron las calles en una manifestación *contra* el ETA. El pueblo español siente que ya es hora de buscar la paz, de restañar las heridas.

El OPUS MUNDO es más poderoso que nunca, pero hay muy pocos dispuestos a cuestionarlo.

En cuanto al convento cisterciense de Observancia Estricta, existen hoy cincuenta y cuatro conventos semejantes, en todo el mundo, siete de los cuales se hallan en España.

Su ritual de silencio y reclusión eternos continúa siendo el mismo más allá de los tiempos.

Walter Schapiro
Eddie Black

La vida de Eddie Black cambió para siempre en una tarde calurosa detrás del mostrador de una carnicería neoyorkina. Era un actor desocupado, un tipo solitario. De pronto, sin ninguna razón, casi sin darse cuenta, mató a un hombre. Una novela precisa como un reloj, intensa y apasionante.

Mary Higgins Clark
No llores más

¿Fue un suicidio o fue asesinada por su amante? *Mary Higgins Clark*, autora de *Acosada*, es una de las mejores escritoras de acción y suspenso de la actualidad, considerada la Agatha Christie de los años 80 por la revista *L'Express* de París.

Scott Turow

Presuntamente inocente

Uno de los más grandes best sellers de los últimos años. Un fiscal de un tribunal norteamericano se encuentra implicado inesperadamente en el crimen que investiga. Siempre es difícil descubrir la verdad por la carga de culpa que llevamos dentro. Pero este juicio fue realmente memorable. Traducido a veinte idiomas.

Stephen King

Misery, el riesgo de la fama

Stephen King lleva vendidos más de treinta millones de ejemplares de sus libros. *Misery* es quizás la más inteligente y sutil de sus novelas, una pesadilla que sólo él pudo soñar y contar. Siete meses en las listas de best sellers.

OTROS TÍTULOS
en la misma colección

Ken Follett
Pilares de la Tierra

Mary Higgins Clark
No cruces el parque

Belva Plain
Dilema de amor

Stewart Woods
Contrabando blanco

Steve Sohmer
El favorito

Guy des Cars
La costumbre del amor

Rosamond Smith
Hermanos gemelos

Jorge Amado
La desaparición de la santa